Σ

Apologia de Sócrates & Críton

PLATÃO - APOLOGIA DE SÓCRATES & CRÍTON

1ª edição – Outubro de 2013
2ª edição – Julho de 2014

Grafia atualizada segundo o Acordo Ortográfico da Língua Portuguesa de 1990, que entrou em vigor no Brasil em 2009.

Publisher: **Claudio Varela**
Publisher: **Ednaldo Varela (Ado)**

Produção Editorial: **Equipe Hunter Books**
Capa e projeto gráfico: **Lumiar Design**
Revisão: **Amanda Guizzo Zampieri**
Soraya Leme

DADOS INTERNACIONAIS DE CATALOGAÇÃO NA PUBLICAÇÃO (CIP)
(Elaboração: Aglaé de Lima Fierli CRB- 9/412)

P777a Platão, 427 - 347 a. C
Apologia de Sócrates e Crítonn / Platão; traduzido por Alexandre Romero; Projeto gráfico e capa Lumiar Design. São Paulo: Hunter Books, 2013. – São Paulo: Hunter Books, 2013.
96p. : il.; 13x21cm.

Contém glossário de filosofia
ISBN: 978-85-65042-20-8

1. Platão - Filosofia antiga. 2. Sócrates – Diálogos. 3. Crítonn – Diálogos. 4. Diálogos de Luminar Design, ilust. I. Título. II. Título. II. Romero, Alexandre, trad.

CDD 183.2

INDICE PARA CATÁLOGO SISTEMÁTICO

Platão : Filosofia antiga : 184
Sócrates : Critonn : Diálogos 183.2
Filosofia antiga : Platão 184

IMPRESSO NO BRASIL
PRINTED IN BRAZIL

Impressão e Acabamento
OCEANO INDÚSTRIA GRÁFICA E EDITORA LTDA

Direitos cedidos de edição à Hunter Books Ltda.
www.hunterbooks.com.br
www.editorahb.com.br
editorial@editorahb.com.br

Platão

Apologia de Sócrates & Críton

Tradução
Alexandre Romero

Hunter Books Editora

SUMÁRIO

Apologia de Sócrates & Críton

Prefácio 13

Apologia de Sócrates 19

Críton 63

Glossário 87

Sócrates

APOLOGIA DE SÓCRATES & CRÍTON

PREFÁCIO

A Apologia de Sócrates mostra um texto que funda a ciência e a filosofia política e mostra toda vulnerabilidade dessas duas áreas em relação ao poder. É uma obra que coloca em questionamento os pensamentos mais básicos de Platão. Acusado de traição, por corromper a juventude ateniense, Sócrates aparece neste clássico defendendo a liberdade do pensamento.

É um texto tão poderoso que acabou se tornando um símbolo e uma defesa da liberdade de expressão. É uma luta do homem crítico contra a opinião da multidão. Em sua fala durante o julgamento, Sócrates afirma que somente dirá a verdade, o que segundo ele não foi feito por seus acusadores. Em razão desse discurso, Sócrates se tornou um mártir profundamente vinculado à liberdade e à coragem de enfrentar o poder estabelecido.

Acusado por Meleto de corromper futuros cidadãos de Atenas, Sócrates argumenta em favor de sua inocência. Porém, em certo momento do julgamento, quando poderia solicitar uma pena mais branda do que a de morte, ele se recusa a fazer concessões e aceita a condenação: beber cicuta. Em razão dessa situação terrível, Sócrates acaba colocando a democracia ateniense em julgamento.

Essa terrível decisão ocorre muito em função do quadro político de então. Basta lembrar que esse embate jurídico se deu em 399 a.C., em Atenas. Cinco anos antes, a cidade chegara ao final da Guerra do Peloponeso (431-404 a.C.), de onde saiu derrotada. Vivia-se então em um ambiente de decadência e fragilidade social. Atenas não era mais aquela cidade comandada por Péricles – época em que atingiu o ápice de uma vida cultural e política sem precedentes até então –, a democracia ateniense foi um dos momentos mais altos e ricos da Antiguidade. No primeiro ano desse conflito, Péricles disse para suas tropas: "nós somos, com efeito, os únicos a pensar que um homem que não se ocupa de política deve ser considerado não um cidadão tranquilo, mas um cidadão inútil". No final da guerra, porém, Atenas estava de joelhos e sua democracia, acabada.

Sócrates surge nesse momento como um incômodo para uma sociedade decadente, que está lutando para retornar à glória do passado. Porém, os acusadores do filósofo não sabem o que sabia Tucídides, quem, segundo Peter Burke, foi transformado pela "experiência da Guerra do Peloponeso", que o fez perceber que "Atenas não era o centro do universo"[1]. Por sua vez, Sócrates, que havia sido soldado ateniense, desprezava a política e não se adaptava à vida pública.

Foi nesse tumultuoso cenário que aquela que havia sido a primeira e mais aberta sociedade do mundo antigo sentenciou à morte um homem que falava abertamente da sua ignorância

[1] BURKE, Peter. Filosofias da História; *Folha de S.Paulo*; 9 nov. 03; +mais!

–"Só sei que nada sei" – e só se preocupava com a virtude e a verdade. Sócrates, mesmo tendo lutado na Guerra do Peloponeso, estava ligado ao regime dos Trinta Tiranos pró-Esparta, que, durante um ano, governou com mão de ferro a sociedade ateniense.

Esse governo oligárquico e ditatorial imposto por Esparta à cidade de Atenas durou até 403 a.c. Quatro anos depois, quando Sócrates foi julgado, o mesmo grupo que lutou pela volta da democracia a Atenas estava acusando o filósofo de corromper os jovens. Portanto, Sócrates foi derrotado e condenado por um grupo de pessoas profundamente ligado à resistência democrática, que lutou contra e retirou do poder os tiranos pró-Esparta.

Por isso é possível afirmar que o principal motivo da condenação foi a defesa aberta de ideias antidemocráticas feita por Sócrates. Isso, em um ambiente democrático extremamente frágil, acabou colocando a autoridade da lei em uma situação ainda mais fragilizada.

Para piorar, não era apenas Sócrates que estava sendo acusado. Críton, amigo de Sócrates e ex-membro do grupo dos Trinta Tiranos, também estava no banco dos réus. O filósofo tinha ainda ligações com Alcebíades, militar responsável por fazer a assembleia ateniense aprovar uma expedição contra a Sicília, cujo resultado foi um desastre completo. O julgamento de Sócrates, portanto, ocorreu em um ambiente de conspiração e medo do possível retorno da tirania.

Os atenienses Ânito, Meleto e Licão, os principais acusadores de Sócrates, não defendiam apenas que o filósofo corrompia a juventude; eles lutavam também pelas virtudes da tradição poética vinculada a Homero. Aristófanes, um dos responsáveis, segundo Sócrates, dos preconceitos contra o filósofo, era outro grande defensor dessa virtude.

Sócrates, de certa forma, estava em guerra com a tradição poética grega. O método de Sócrates era o oposto à narrativa épica de Homero. Sua dialética não tinha nada de semideuses com super poderes e histórias de incrível coragem. Ao contrário, Sócrates questionava os métodos, as virtudes e as ideias dos poetas; ele defendia novas virtudes. Em vez do combate físico, Sócrates queria o combate retórico, no qual o melhor argumento filosófico era sempre o vencedor.

Sócrates, portanto, era um desafio a toda essa tradição dos dias gloriosos de Atenas. Ele apresentava e defendia um novo tipo de cidadão, mais vinculado ao exercício da razão do que ao exercício militar. Essa preocupação levou Aristófanes a escrever a peça *As nuvens*, na qual o escritor buscava ridicularizar o filósofo. Podemos, portanto, afirmar que Sócrates foi obrigado a tomar cicuta porque não estava disposto a falar o que os defensores da tradição homérica gostariam de ouvir. Sentido oposto, Aristófanes escrevia peças que criticavam duramente a realidade social de uma Atenas derrotada na guerra e no caminho inexorável ao seu declínio.

Sócrates foi acusado de impiedade, isto é, de desrespeitar o que a sociedade ateniense mais admirava. Com sua dialética, o filósofo retirava o chão que sustentava todas as crenças do povo de Atenas. Questionar tais conceitos foi visto como uma profanação dos ideais mais queridos de então. Sócrates, no entanto, estava buscando substituir essa fé cívica por uma interminável procura pelo conhecimento e pela verdade.

Apesar de ter dedicado sua vida a esse nobre intuito, Sócrates acabaria sendo condenado por suas polêmicas visões políticas. Basta ler o seguinte trecho presente na Apologia para perceber isso: "quem combate verdadeiramente pelo que é justo, se quer ser salvo por algum tempo, deve viver a vida privada, nunca meter-se nos negócios públicos". Para aqueles que enfrentaram a Tirania dos Trinta e redemocratizaram Atenas, tal afirmação soava como uma espécie de ataque imperdoável.

Já em Críton, Sócrates continua a defender uma cidadania baseada na razão e na verdade. Porém, como um verdadeiro cidadão pode viver sem ter nenhum tipo de ligação com os negócios públicos? Nesse diálogo, o amigo do filósofo pede para que ele fuja após a sentença de morte. Sócrates, no entanto, obedece à lei e fica para morrer. Seu último diálogo foi para defender o respeito à decisão da maioria, ou seja, foi, paradoxalmente, um ato público até seu âmago.

Sócrates, frente à oportunidade de desrespeitar as leis de sua cidade oferecida por Críton, decide permanecer na cela. Por coerência, ele morre para obedecer às leis com as quais ele mesmo havia concordado durante toda sua vida em Atenas. Decide aceitar a amarga decisão de seu julgamento. Ao ouvir de Críton sobre a ideia de fugir, Sócrates afirma que o homem justo sempre permanece na cidade.

As diferenças entre Apologia de Sócrates e Críton também são muito interessantes.

O primeiro texto narra um julgamento na corte ateniense, com centenas de pessoas presentes e o filósofo defendendo a si mesmo das acusações feitas pela cidade. Em Críton, Sócrates argumenta apenas com um personagem, que é um amigo e discípulo. Esse diálogo mostra o pensador aceitando as leis de Atenas. Sócrates afirma que nenhum Estado funciona sem regras. Desobedecê-las, para ele, seria o mesmo que destruir Atenas.

Ironicamente, um dos argumentos mais fortes e difíceis feito por Sócrates em todos os textos platônicos é esse no qual ele decide aceitar sua condenação à morte. No qual o público vence definitivamente o privado. Assim, com essa última derrota e para não praticar uma desobediência civil, ele aceita seu julgamento, toma cicuta e morre.

APOLOGIA DE SÓCRATES

1

O que vós, cidadãos atenienses, têm sentido em relação ao trato de meus acusadores, não sei. Eu, porém, devido a eles, quase me esqueci de mim próprio, devido à forma tão persuasiva com que falavam. Porém, nunca disseram nada de verdadeiro, posso afirmar. Mas entre as muitas mentiras que divulgaram, há uma que admiro acima de todas: quando disseram que deveriam ter cuidado para que não fossem enganados por mim, como homem cuja habilidade é o discurso.

Meus acusadores nunca pensaram a fundo no que diriam, mesmo sabendo que em tempo seriam desmentidos por mim, e que eu traria provas, quando eu me apresentasse diante de todos e me reafirmasse como um hábil orador? Essa me parece a sua maior imprudência, denominarem-me "hábil no falar" quando se referem a quem diz a verdade. Porque, se realmente disseram isso, estou aqui para me confessar um orador, porém não à sua maneira.

Assim, portanto, como acabo de dizer, pouco ou absolutamente nada disseram de verdade. Ao contrário, farei minha exposição baseado na verdade e em toda a sua plenitude. Mas, por Zeus, cidadão atenienses, certamente não vos obrigarei a ouvir discursos enfeitados de expressões e de palavras vazias ou adornados como os deles. Direi sim coisas mais simples, com as palavras que me vierem à boca, pois estou certo de que é justo o que eu digo, e que nenhum de vós espera outra coisa. Na verdade, com a idade que tenho, não seria conveniente que me apresentasse aqui, diante de todos os atenienses, como um jovem que redige discursos. E, por isso, cidadãos, peço e suplico que, caso percebais que construo minha defesa com os mesmos discursos que falo nas feiras, nas praças, onde muitos de vós já me ouvistes, e em outros lugares, que não vos espantais e nem vos inflamais. Porque vos digo o seguinte: é a primeira vez que me apresento diante de um tribunal, na idade de mais de setenta anos, e por isso sou quase estranho ao modo com que costumam falar aqui. Se eu fosse realmente um forasteiro, sem dúvida, me perdoaríeis, se eu falasse no idioma e nas maneiras com as quais tivesse sido educado. Assim, também agora peço uma coisa que me parece justa: que me concedais, em primeiro lugar, o direito ao meu modo de falar – o que poderá ser pior ou até melhor. E que depois considereis o que direi, que ouçais com muita atenção se o que digo é justo ou não, pois essa é, de fato, a virtude do juiz, do orador: dizer a verdade.

2

É justo, cidadãos de Atenas, que em primeiro lugar eu me defenda das primeiras e falsas acusações que me foram apresentadas, que me defenda dos primeiros acusadores. Depois, me defenderei das últimas e dos últimos. Isso porque muitos dos meus acusadores têm se dirigido a vós já há bastante tempo, talvez anos, sem jamais terem dito a verdade. A esses eu temo mais do que Ânito e seus companheiros, embora também sejam esses temíveis. Mais temíveis, porém, são os primeiros, cidadãos, que conquistaram a maior parcela de vocês desde crianças e os persuadiram ao me acusar falsamente. Sei que disseram que há um tal Sócrates, homem douto, especulador das coisas celestes e investigador das subterrâneas e que torna mais forte a razão mais fraca. Esses, caros atenienses, que divulgaram coisas similares, são os acusadores que eu temo, pois aqueles que ouvem suas palavras, julgam que os investigadores de tais coisas não acreditam nem mesmo nos deuses. Pois esses acusadores são muitos e me acusam já há bastante tempo. E, além disso, já falavam a vós naquela tenra idade em que mais facilmente poderíeis vos dar crédito, quando ainda éreis apenas crianças e alguns outros muito jovens, acusando-me com pertinaz tenacidade, sem que ninguém me defendesse. E o que é mais absurdo é que não se pode saber nem dizer os seus nomes, exceto, talvez, algum dramaturgo.

Por isso, quantos, por inveja ou calúnia, persuadiam e outros que eram convencidos procuravam persuadir os outros, são todos, por assim dizer, inabordáveis. Porque não é possível fazê-los comparecer aqui, nem refutar nenhum deles, mas devo eu mesmo me defender, como que combatendo sombras, sem que ninguém responda.

Admitam também, como eu digo, que os meus acusadores são de duas espécies. Uns, que me acusaram recentemente; outros, há muito. São esses aos quais me referia há pouco e, convenhamos, devo me defender desses primeiramente, porque também vós os ouvíreis acusar-me em primeiro lugar e durante muito mais tempo do que os últimos.

Muito bem, cidadãos atenienses, devo defender-me e tentar remover de vossa mente, em tão pouco tempo, a má opinião que se abateu sobre todos vós durante tanto tempo.

Certamente que desejaria conseguir meu objetivo, e seria o melhor para vós e para mim se, ao me defender, obtivéssemos algum proveito. Mas vejo a coisa como difícil e bem percebo o porquê. De resto, seja como os deuses quiserem: agora é preciso obedecer à lei e dela me defender.

3

Prossigamos e vejamos, de início, qual é a acusação e de onde nasce a calúnia contra mim na qual Meleto baseou-se e moveu esse processo.

Ora bem, que diziam os caluniadores ao me caluniar? É necessário ler a ata da acusação jurada por esses tais acusadores: "Sócrates age de forma vil e criminosa, investigando as coisas terrenas e as celestes, e tornando mais forte a razão mais débil, e ensinando isso aos outros". Tal é, parcialmente, a acusação: e isso já vimos, antes, na comédia de Aristófanes, na qual aparece, aqui e ali, um Sócrates que diz caminhar pelos ares e exibe muitas outras tolices, das quais não entendo nem muito nem pouco.

E não digo isso por desprezar tal ciência, se é que há sapiência nela, mas o fato é, cidadão atenienses, que de maneira alguma me ocupo de tais coisas. E apresento testemunhas.

Vós próprios! E peço que vos informeis reciprocamente, que vos interrogueis mutuamente, quantos de vós me ouvistes discursar algum dia – e sei que muitos entre vós estavas lá. Perguntai uns aos outros se qualquer de vós já me ouvistes orar, muito ou pouco, em torno de tais assuntos. Do mesmo modo, as outras mentiras que dizem de mim.

4

Na realidade, nada disso é verdadeiro, e se ouvistes de alguém que instruo e ganho dinheiro com isso, não é verdade. Embora, em realidade, isso me pareça uma bela coisa: que alguém seja capaz de instruir os homens, como Górgias de Leontinos, Pródico de Ceos, e Hípias de Élide. Cada um desses, cidadãos, pode passar por diversas cidades e persuadir os jovens em conversas, graciosamente e com todos os cidadãos que o desejassem, e abandonar seus concidadãos e se juntar a eles, dando-lhes dinheiro e agradecimentos.

Mas há outro erudito de Paros, que eu soube que veio para junto de nós, porque encontrei por acaso um que despendeu com os sofistas mais dinheiro do que todos os outros juntos: Cálias de Hipônico. Sei que tem dois filhos e eu o interroguei: "Cálias," disse eu, "se os teus filhos fossem potros ou bezerros, precisaríamos contratar um domador e pagar a ele para aperfeiçoar suas qualidades naturais. Seria uma pessoa que entendesse de cavalos ou de agricultura. Mas como teus filhos já são homens, qual é o mestre que devemos procurar para eles? Quem sabe ensinar as virtudes humanas e a civil? Creio bem que tens pensado nisso, uma vez que tens dois filhos. Haverá alguém ou não?". "Certamente!", respondeu. E eu perguntei: "Quem é, de onde e por quanto ensina?". Eveno respondeu, "De Paros, por cinco minas". E eu saudaria Eveno com alegria se ele verdadeiramente possuísse essa arte de ensinar com tal destreza. Mas o que é certo é que também eu me sentiria altivo e orgulhoso, se soubesse tais coisas. Entretanto, de fato, cidadãos atenienses, não sei.

5

Talvez algum de vós faça a objeção: "Mas Sócrates, o que foi que tu fizeste, então? Uma vez que essas calúnias se levantaram contra ti? Afinal, certamente, se não tivesses te destacado entre os outros, tais relatos e histórias não teriam se espalhado a não ser que tivesses feito algo diferente do que faz a maioria. Diz, então, o que é, para que não façamos nenhum julgamento apressado.". Aquele que assim o disser, parece-me falar com justeza e quero tentar mostrar a vós o que ocasionou cair sobre mim essa pecha e tal acusação. Ouvi, portanto: para alguns de vós, talvez pareça que estou gracejando, mas esteja certos de que eu direi a todos a completa verdade. Por que eu, atenienses, adquiri essa pecha por nada mais do que certa sabedoria. E de que tipo seria essa sabedoria? Talvez seja a mera sabedoria humana. Porque nessa, na verdade, me pareço sábio. Provavelmente, aqueles de quem acabo de falar possuam uma sabedoria sobre-humana, caso contrário eu não saberia falar outra coisa. Isso porque não sou íntimo dela e o que quer que digam que sou, o dizem falsamente pelo simples propósito de me caluniar. Mas, atenienses! Não me vaieis mesmo que vos pareça que estou de alguma forma sendo arrogante. O relato que estou pronto a iniciar não é meu, mas refere-se a uma autoridade merecedora de seu crédito. Devo aduzir o deus de Delfos como testemunha de minha sabedoria, se é que possuo alguma, e de que se trata. Sem dúvida conheceis Xenofonte, um antigo parceiro de minha juventude e também amigo da maioria de vós. Ele me acompanhou em meu último exílio e retornou convosco. Sabeis bem, então, que tipo de pessoa Xenofonte era e sua diligência em qualquer trato que se comprometia. Tendo aquela vez ido a Delfos, ele se aventurou a fazer a seguinte pergunta ao oráculo (e, como disse, atenienses, não vaieis), perguntou se havia algum outro mais sábio do que eu. O pítio assim respondeu, que não havia ninguém e disso, teu irmão aqui lhe daria provas após sua morte.

6

Considerai, portanto, por que menciono tais coisas. É porque vou mostrar-vos de onde a calúnia contra mim se levantou. Porque, quando ouvi isso, pensei comigo: "O que o deus quis dizer? Que enigma foi esse? Não tenho essa ideia sobre mim, de que sou sábio. Nem muito, nem pouco. O que, então, quis ele dizer ao falar que sou o mais sábio? Seguramente ele não diz mentiras, pois isso lhe é proibido."
E por um longo tempo fiquei na dúvida do significado. Depois, com considerável dificuldade, recorri ao seguinte método de busca para essa afirmação. Fui a um daqueles cuja característica é ser sábio, imaginando que lá, mais que

qualquer outro lugar, eu poderia refutar o oráculo e lhe dar minha resposta de que este homem é mais sábio do que eu sou, embora tenha afirmado que eu seria o mais sábio. Tendo, então, examinado esse homem – porque não existe motivo para mencionar seu nome; ele era um de nossos grandes políticos –, tendo conversado com ele, pareceu-me que fosse sábio em comparação com a maioria dos homens e, especialmente em sua opinião, embora de fato ele não o fosse. Em seguida, tentei mostrá-lo que ele se regozijava em ser sábio, mas que na verdade não o era. Assim, odiei tanto a ele quanto aos muitos outros que estavam presentes. Quando o deixei, pensei comigo mesmo: "Sou mais sábio do que esse homem, porque nenhum de nós parece saber nada grande e bom; mas ele se diz saber de algo embora saiba nada. Ao passo que eu, como não sei de nada, não digo saber." Nessa peleja particular, me senti mais sábio do que ele porque não me declaro saber o que não sei. Depois disso, fui para outro que acreditei ser mais sábio que o anterior e acabei por formar a mesma opinião. Assim, criei rancor dele e de muitos outros.

7

Depois disso, fui procurar outros e outros, percebendo, me lamentando e me alarmando de que estava me fazendo odioso. Contudo, me pareceu necessário que, considerando o oráculo do deus, para descobrir seu significado, eu deveria ir a todos aqueles que possuíssem a reputação de alguma sabedoria. E, pelo cão, atenienses, devo contar a todos a verdade, cheguei a esta conclusão: aqueles que detinham a maior reputação eram os mais deficientes. E em minhas pesquisas em obediência ao deus, outros que eram considerados inferiores se aproximavam mais de possuírem algum esclarecimento. Mas preciso relatar a vocês minhas andanças e os labores aos quais me debrucei para que conseguisse provar incontestavelmente a afirmação do oráculo. Assim, depois dos políticos, fui aos poetas, tanto os trágicos quanto os ditirâmbicos e outros, acreditando que ali me encontraria de fato como sendo o mais ignorante entre eles.

Peguei, portanto, alguns de seus poemas que me pareceram os mais elaborados e bem escritos e os questionei quanto ao seu significado, acreditando que assim eu poderia aprender algo deles. Envergonho-me, atenienses, em dizer a verdade, mas ela é necessária. Em uma palavra, quase todos aqueles presentes podiam ter dado uma explicação melhor do que aqueles próprios que os haviam compostos. Logo descobri que, em se tratando de poetas, que seus objetos não são afetados pela sabedoria, mas por certa inspiração natural e sob a influência do entusiasmo, como são os profetas e videntes. Esses são os que dizem muitas coisas, mas que não entendem eles mesmos do que estão a falar. Os poetas se pareceram a mim ser afetados de maneira similar. Ao mesmo tempo, percebi que se consideravam, no que tange a sua poesia, os homens mais sábios em todas as coisas, quando, de fato, não o eram. Eu os deixei sob a impressão de que eu era superior a eles da mesma maneira que me senti quando estive com os políticos.

8

Por fim, fui aos artesãos. Eu tinha certeza em afirmar que meu conhecimento era por demais parco, e estava certo de que encontraria neles pessoas com um conhecimento por demais belo. E nisso não me decepcionei, afinal, eles sabiam coisas que eu não sabia e, a esse respeito, eram mais sábios do que eu. Mas, atenienses, mesmo o melhor dos trabalhadores me pareceu ter caído no mesmo erro dos poetas. Cada um deles, por ter se superado na prática de sua arte, se achava muito sábio em outras questões importantes. E esse seu erro eclipsava a sabedoria que realmente possuíam. Foi quando me perguntei, em prol do oráculo, se eu deveria continuar como sou, não tendo sabedoria alguma, ter sua sabedoria ou sua ignorância, ou ter ambas como eles. Respondi a mim mesmo e ao oráculo que me era mais vantajoso que continuasse como sou.

9

Essas investigações, atenienses, resultaram em muitas inimizades que acabaram por se erguer contra mim e as mais graves e severas desaguaram em calúnias e, entre elas, essa afirmação do ser sábio. Para aqueles presentes hoje que acreditam que sou sábio, acreditam que sou sábio ao expor a ignorância de outros. Os deuses, porém, atenienses, me parecem ser realmente sábios e o comunicam por meio do oráculo: de que a visão humana vale pouco ou nada, e que é claro que eles não disseram isso a Sócrates, mas apenas usaram meu nome para me colocar como exemplo. É como se tivesse dito que "aquele homem é o mais sábio entre vocês, como Sócrates, por que sabe que na realidade não tem grande valor no que se refere à sabedoria". E então segui adiante e na busca e nos questionamentos dessas coisas, em obediência aos deuses, entre cidadãos e estrangeiros, para saber se algum deles era sábio. E quando me pareceu que não o eram, tomei para mim o papel dos deuses e lhes mostrei que não eram sábios. E, em consequência dessa tarefa, não tive tempo livre para procurar, em quantidade que seja digna de nota, os assuntos do Estado ou de minha própria pessoa, mas submergi na maior pobreza possível por causa de minha devoção enquanto a serviço dos deuses.

10

Aliado a isso, jovens que tinham tempo disponível e pertenciam a famílias abastadas, segundo sua própria vontade, tinham grande deleite em ouvir esses homens sendo postos à prova, e às vezes até mesmo imitá-los e depois, eles mesmos, colocar outros à prova. Então, penso, encontraram uma grande abundância de homens que se diziam saber alguma coisa embora pouco ou nada soubessem. Portanto, aqueles colocados à prova por eles se enraiveceram contra mim e não contra eles e diziam que "existe um tal de Sócrates, da mais pestilenta espécie, que corrompe os jovens". E quando alguém os solicitava para apresentarem suas ideias ou ensiná-las, não tinham nada a dizer, porque nada sabiam. Mas como não queriam parecer completamente perdidos, diziam muitas coisas ao seu alcance contra os filósofos: "que as pesquisas sobre as coisas do céu e de sobre a terra que eles parecem não acreditar que são divinas, e que fazem parecer ruins a boa razão". Isso porque eles não queriam, penso eu, dizer a verdade, de que foram pegos na mentira de possuírem conhecimento, embora não tenham nenhum. Portanto, penso, sendo ambiciosos, veementes e numerosos, e falando sistematicamente e persuasivamente sobre mim, preencheram seus ouvidos por um bom tempo, caluniando-me diligentemente. Entre esses, Meleto, Ânito e Lícon me atacaram. Meleto ficou raivoso por causa dos poetas; Ânito, por causa dos artesãos e políticos; e Lícon, por causa dos retóricos. Por isso, como disse anteriormente, perguntou-me como eu seria capaz, em tão pouco tempo, de remover de suas mentes uma calúnia que se mantém por tanto tempo. Essa, atenienses, é a verdade. E eu digo isso sem proteger ou ocultar nada de vocês, absolutamente, muito embora eu saiba bem que, ao fazer isso, estou me expondo ao ódio. Mas essa é a prova de que digo a verdade e de que esta é a natureza da calúnia que se abate sobre mim, que essas são as suas causas. E se vocês se dispuserem a investigar a questão, agora ou mais tarde, saberão que assim aconteceu.

11

Com respeito às acusações que meus primeiros acusadores apontaram contra mim, que esta apologia seja suficiente a vocês. Para Meleto, aquele homem bom e patriota, como ele diz, e aos meus últimos acusadores, tentarei dar uma resposta. E aqui, novamente, enquanto há diferentes acusadores, vamos tomar seu testemunho. É bem assim, como descrevo: "Sócrates age injustamente ao corromper a juventude e em não acreditar nos deuses em que a cidade acredita e sim em divindades estrangeiras".

Essa é a acusação e vamos examinar cada particularidade dela. Diz que eu ajo injustamente corrompendo a juventude. Mas eu, ó atenienses, digo que Meleto age injustamente porque ele graceja com um assunto sério, rudemente colocando homens sob julgamento, sob a alegação de estar sendo zeloso e solícito sobre coisas às quais ele nunca, em tempo algum, despendeu qualquer atenção. Tentarei provar que a coisa é assim.

12

— Agora, diga-me, Meleto, você considera da maior importância que a juventude deveria ser a mais virtuosa possível?

— Sim.

— Bem, agora diga aos juízes quem é que a faz ser melhor, porque é evidente que saiba, uma vez que se preocupa tanto com isso. Porque, tendo detectado que eu a corrompo, como diz, citou-me aqui e me acusou. Venha e diga. Informe aos juízes quem é que pode fazê-la melhor. Enxerga, Meleto, que agora estás mudo, sem ter o que dizer? Mas isso não te parece uma desgraça e prova suficiente do que eu digo? Que você nunca sequer pensou sobre esse assunto? Mas diga-me, meu amigo, o que a faz melhor?

— As leis.

— Não foi essa a minha pergunta, excelentíssimo senhor, mas qual homem, que certamente e em primeiro lugar deveria saber sobre isso, as leis?

— Esses, Sócrates, seriam os juízes.

— Como diz isso, Meleto? Seriam eles capazes de instruir a juventude e fazê-los melhor?

— Certamente.

— Seriam todos eles ou apenas alguns e outros não?

— Todos.

— Bem diz você, por Juno! Encontrou uma grande abundância desses que podem fazer o bem. Mas o que mais? Poderiam estes que nos escutam fazer a juventude melhor, ou não?

— Eles também podem.

— E o que diria dos senadores?

— Os senadores também.

— Mas, Meleto, e aqueles que vão às assembleias públicas? Eles corrompem os mais jovens ou os fazem melhores?

— Eles também.

— Todos os atenienses, portanto, ao que parece, os fazem mais honoráveis e bons, exceto eu. E eu somente é que os corrompo. É isso o que me diz?

— Sim, afirmo exatamente isso.

— Você põe sobre mim um grande infortúnio. Mas me responda isto: parece a você que isso também acontece aos cavalos? Todos os homens lhes fazem bem e há apenas um que os torna piores? Ou seria exatamente do contrário do que vemos aqui? Existe alguma pessoa específica que pode fazê-los melhor ou muito poucas? Ou seja, os treinadores? Mas se a maioria dos homens interviesse e fizesse uso dos cavalos, os estragariam? Não é esse o caso, Meleto, tanto a respeito dos cavalos quanto dos outros animais? Certamente o é, mesmo que você e Ânito queiram negar. Porque seria uma grande sorte para a juventude se uma pessoa apenas a corrompesse e que o resto a beneficiasse. Contudo, Meleto, você mostrou de forma satisfatória que nunca despendeu qualquer preocupação para com a juventude. E claramente evidencia sua própria negligência, já que nunca deu qualquer atenção a essas coisas pelas quais quer me acusar.

13

— Vamos adiante, Meleto, em nome de Zeus, e me diga se é melhor conviver com cidadãos bons ou maus? Responda, meu amigo, porque o que lhe pergunto não exige muito pensamento. Os maus não produzem o mal aos que estão continuamente próximos, mas, se assim o for, os bons também produzem o bem?

— Certamente.

— Existe alguém que deseje ser prejudicado ao invés de beneficiado por seus parceiros? Responda, meu bom homem, porque a lei exige sua resposta. Existe alguém que deseja o prejuízo?

— Certamente que não.

— Diga, então, se me acusa aqui, enquanto alguém que corrompe a juventude e os torna depravados, como um corruptor intencional ou sem intenção?

— Intencional, eu digo.

— Em qual idade, então, Meleto, está a viver que é tão mais sábio do que eu, em minha idade, para saber que o mal sempre produz algum mal aos que estão próximos e o bem algum bem. Mas eu cheguei a tal ápice da ignorância a ponto de não saber que se eu tornasse qualquer um de meus parceiros depravado, eu deveria me sentir em perigo por receber dele algum mal. E que ainda o fizesse propositadamente, trazendo um mal maior para todos, conforme diz? Não posso acreditar que pense assim, Meleto, nem que o pense qualquer outro homem neste mundo. Mas ou eu não corrompo a juventude ou, se a corrompo, não o faço propositadamente. Portanto, o que afirma sobre mim é falso. Mas se eu corrompo sem intenção, não é normal acusar alguém aqui por ofensas involuntárias, mas sim advertir quem assim o faz. Porque é evidente que se assim me repreendessem, eu deveria parar de fazer aquilo involuntariamente. Mas você me privou disso e não se propôs a se achegar a mim e me instruir, mas sim me acusou neste tribunal cuja natureza é acusar àqueles que merecem punição e não instrução.

14

— Portanto, atenienses, fica claro o que disse: Meleto nunca deu atenção a esses assuntos, nem muito nem pouco. Mas uma coisa te digo, Meleto, como pode dizer que corrompo os jovens? Não é evidente, de acordo com a acusação que colocou sobre mim, que eu os ensinava a não crer nos deuses nos quais a cidade acredita, mas em divindades estrangeiras? Você diz que ao ensinar tais coisas eu corrompo a juventude?

— Certamente digo.

— E sobre esses deuses, portanto, Meleto, sobre os quais temos esta discussão, fale um pouco mais claramente tanto para mim quanto para esses homens. Porque não consigo entender se você diz que eu os ensino a acreditar que certos deuses existem (e, nesse caso, acredito que existem deuses e que não sou um completo ateu e não posso ser culpado por isso), e não naqueles nos quais a cidade acredita, mas em outros, ou se me acusa de introduzir novos deuses. Ou quer dizer que eu próprio não acredito que existam deuses e que ensino isso aos outros?

— Digo isto: que você não acredita nos deuses, absolutamente.

— Que maravilha, Meleto! Como pode dizer isso? Que eu, então, ao contrário de toda a humanidade, não acredito que o sol e a lua sejam deuses?

— Não, por Zeus, ó juízes, porque diz que o sol é uma rocha e que a lua é uma terra!

— Então acusa Anaxágoras, meu caro Meleto, e o coloca como débil? Supõe que sejam tão iletrados que não sabem que os livros de Anaxágoras de Clazômena são cheios de tais afirmações. E que os jovens, ainda, aprendem tais coisas de mim quando poderiam comprá-las por um dracma ou menos, e assim, ridicularizam Sócrates como se fingissem que fossem meus ensinamentos – especialmente quando são tão absurdos? Eu pergunto, por Zeus, se parece que acredito que os deuses não existem!

— Por Zeus, não. Nada disso.

— Você diz o inacreditável, Meleto, tanto para mim quanto para si próprio. Porque este homem, atenienses, me parece ser insolente e destemperado, tendo preferido esta acusação por meio de pura insolência, destemperança e arbitrariedade.

Porque parece que ele, do modo como se configura, construiu um enigma com o propósito de comprovar um experimento. Deverá Sócrates, o sábio, saber que estou zombando e me contradizer ou devo enganá-lo e a todos os que me ouvem? Em minha opinião, ele está claramente se contradizendo quanto à acusação, porque deveria dizer: "Sócrates é culpado por não acreditar que os deuses existem e por acreditar que deuses existem". E isto, certamente, parece-me coisa de alguém que está sendo insensato.

15

Considerem comigo agora, atenienses, como ele se apresenta a mim para dizê-lo. E para você, Meleto, me responda. E vós, como pedi a todos logo de início, lembrai-vos de não se revoltarem quando falo com minha maneira habitual.

Existe algum homem, Meleto, que acredite que existem assuntos humanos, mas que não acredite que os homens existem? Deixai que ele responda, juízes, e não façam tanto barulho. Existe alguém que não acredite que existam cavalos, mas que existam coisas pertinentes aos cavalos, ou que não acreditem em flautistas, mas que existam coisas referentes às flautas? Não, não há, meus grandes homens! Porque, já que não estais dispostos a responder, eu mesmo vos digo isso abertamente. Mas me responda a esta última pergunta: existe alguém que acredita que existam coisas do demônio mas não acredita que os demônios existam?

— Não, não existe.

— Quanta cordialidade em responder tão forçosamente, embora obrigado pelos juízes! Você afirma, então, que eu acredito e ensino coisas relacionadas aos demônios, sejam eles novos, sejam eles antigos, e que, portanto, de acordo com sua afirmação, acredito nas coisas do demônio e que isto você testemunhou na bula de acusação. Se, então, acredito em coisas relacionadas aos demônios, há então uma necessidade absoluta de que deva acreditar que demônios existem. Não é verdade? Sim. Porque suponho que concorda comigo, já que não responde. Mas com respeito aos demônios, não concordamos todos que são deuses, ou filhos dos deuses? Não admite isso?

— Certamente.

— Assim, portanto, permito que haja demônios assim como tu, caso os demônios sejam um tipo de deuses e, neste ponto, digo que tu falas enigmaticamente e te contradizes quando falas que não acredito na existência dos deuses. E, novamente, que afirmo que existam, uma vez que existem demônios? Mas se os demônios são filhos dos deuses, mesmo que ilegítimos, sejam ninfas, sejam quaisquer outros, seja como sejam classificados, como um homem poderia pensar que existem filhos de deuses, mas que não existem deuses? Porque isso seria tão absurdo como se qualquer um pudesse pensar que existem mulas, os rebentos de cavalos e asnos, mas não acreditam que existam cavalos e asnos. Contudo, Meleto, não poderá ser de outra maneira que tentaste me acusar para me trazer a julgamento. Porque se querias persuadir qualquer pessoa, por menor que fosse o grau de envolvimento dela com a razão, essa mesma pessoa poderia pensar que há coisas relacionadas a deuses e demônios, e, ainda assim, que não fossem demônios ou deuses, ou heróis, o que é completamente impossível.

16

Portanto, provar que não sou culpado das acusações de Meleto, atenienses, me parece não carecer de defesa mais alongada. Acredito que o que eu disse é o suficiente. E sobre aquilo que falei no início, de que há uma grande inimizade contra mim entre a multidão, estejam certos de que é a verdade. E é isso o que acabará me condenando, caso eu seja condenado, e não Meleto ou Ânito, mas sim, a calúnia e a inveja da multidão que já me condenou e a muitos outros bons homens. E acredito que fará o mesmo com ainda outros no futuro, porque não tenho certeza de que serão mais fortes do que eu.

Talvez alguém diga: "Não tens vergonha, Sócrates, de teres seguido uma linha de estudo que colocou tua vida em risco?". Para quem me perguntasse isso, eu responderia de bom grado: "Poderias formular melhor suas palavras, meu amigo, se pensas que um homem que tenha o mínimo de valor deveria levar em conta o risco de vida ou morte em vez de considerar quando age, se o faz de forma justa ou injusta, se é um homem bom ou mau". De acordo com seu pensamento, todos os semideuses que morreram em Troia seriam personagens maus, assim como os outros, o filho de Tétis, que ignorou o perigo em comparação a se submeter à desgraça quando sua mãe –, que era uma deusa –, disse a ele, em sua ânsia por matar Heitor, algo desse tipo, como penso: "Meu filho, se vingar a morte de seu amigo Pátroclo e assassinar Heitor, você mesmo morrerá porque", disse ela, "a morte o aguarda logo após levar Heitor". Mas ele, ao ouvir isso, desprezou a morte e o perigo e temeu muito mais viver como um covarde e não vingar seu amigo, dizendo: "que eu morra imediatamente ao aplicar a punição ao culpado e que eu não seja objeto de ridículo, junto com minhas naus, um peso morto para a terra". Acham que ele se importou com a morte ou o perigo? Essa verdade, atenienses, diz que quem quer que tenha se colocado, por vontade própria ou por uma voz de comando, em posição de risco, parece-me que deveria ali permanecer e encarar o perigo, não se importando com a morte ou qualquer outra comparação com a desgraça.

17

Eu, pessoalmente, deveria estar agindo de maneira estranha, atenienses, se quando os generais escolhidos por vós para me comandar tivessem me enviado à Potideia, em Anfípolis, e em Délio, e eu tivesse ficado onde me mandaram, como qualquer outra pessoa, e encontrado o perigo da morte; mas quando o deus no qual eu pensava acreditar me designou como tarefa passar minha vida no estudo da filosofia, e ao observar aos outros e a mim mesmo, eu deveria, na ocasião, ter temido a morte ou outra coisa parecida, desertado de meu posto, o que seria realmente estranho. E então, na verdade, qualquer um teria me levado ao tribunal com justeza e me acusado de não acreditar nos deuses porque desobedeci ao oráculo, com medo da morte e me achando sábio quando não o sou. Porque temer a morte, atenienses, nada mais é do que parecer sábio sem realmente sê-lo. Porque isso parece um conhecimento quando a pessoa não o tem na realidade. Todos deveriam saber que a morte é o bem maior do homem, mas os homens que a temem acham que ela é o maior dos males. E como pode haver maior ignorância do que achar que se sabe o que na verdade não se sabe? Mas eu, atenienses, nesse assunto, talvez seja diferente dos homens. Se posso dizer que há algo no qual sou mais sábio que os outros, seria nisso, por não ter um conhecimento competente das coisas do Hades, também acho que também não tenho bom conhecimento da morte. Mas agir injustamente e desobedecer meu superior, seja deus, seja homem, sei que isso é mau e vergonhoso. Nunca, portanto, poderei temer ou evitar coisas que, pelo quanto sei, sejam boas ou más, caso não saiba com antecedência que são realmente más. Portanto, mesmo que me repudiem agora e não cedendo aos pedidos de Ânito, que diz que a mim sequer deveria ser dada a chance de falar aqui, ou que se viesse seria inescapável me condenarem, que diz que se eu escapasse seus filhos, ao estudarem os ensinamentos de Sócrates, seriam todos completamente corrompidos. Se vocês se dirigissem a mim dizendo: "Sócrates, não apoiaremos Ânito, mas o repudiamos sob a seguinte condição, de que tu não mais insistas em tuas pesquisas ou no estudo da filosofia. E se insistires em continuar, serás executado". Se, como eu disse, vós me repudiásseis nesses termos, eu teria de responder: "Atenienses, eu vos honro e vos amo, mas devo obedecer aos deuses acima de vós". E enquanto eu respirar e for capaz, não posso cessar o estudo da filosofia e os estimulo e aviso a todos que por ventura eu encontrar, que me acostumei a fazê-lo: "Grandes homens, vendo que sois atenienses, uma cidade poderosa e renomada pela sabedoria e poder, não estais envergonhados por vos importardes com riquezas que podeis adquirir em grande quantidade, e pela glória e pela honra, mas não se importais em despender sequer um pensamento à sabedoria e à verdade e por vossas almas, para que vos aproximeis mais da perfeição?". E se algum de vós questionardes minha declaração e afirmardes que não se importa com essas coisas, não poderei deixá-lo partir, mas sim interrogá-lo, observá-lo e prová-lo. E se a mim parecer que a pessoa não possui virtude, mas que apenas finge possuí-la, deverei reprimi-lo por dar valor mínimo a coisas da mais grandiosa riqueza e sim dar mais valor a coisas que nada valem. Portanto, devo agir assim com todos os que meu caminho cruzar, sejam jovens, sejam idosos, forasteiros ou cidadãos, mas ainda mais a vós, concidadãos, porque sois os que mais vos alinham a mim. Pois estejais certos de que isso é um comando dos deuses. E acredito que não existe bem maior a ter caído sobre a cidade do que meu zelo em servir aos deuses. Porque meu dever é nada mais do que persuadir-vos, jovens e idosos, a não vos importardes com o corpo ou com riquezas antes de vos importardes com a alma. E dizer como ela pode ser aperfeiçoada por meio da virtude que não nasce das riquezas, mas que as riquezas e todas as outras bênçãos humanas, públicas ou privadas, nascem da virtude. Se, então, ao dizer essas coisas, eu corrompo a juventude porque essas coisas são maliciosas, é o vosso juízo. Mas é isso o que eu digo e que ninguém diga que outro é o meu discurso. Assim, afirmo, atenienses, quer apoieis Ânito ou não, quer me rejeiteis ou não, porque não agirei de outra forma, que deverei morrer muitas mortes.

18

Não murmureis, atenienses, continueis atendendo ao meu pedido. Não murmureis sobre o que falo, ouvis o que eu digo. Penso que vós tereis benefícios por me ouvir. Vou dizer outras coisas que talvez causem clamor, mas não o faço de propósito. Fiqueis certos de que se eu for condenado à morte, sendo o homem que digo ser, não estareis me machucando mais do que a vós próprios. Pois nem Meleto ou Ânito podem me ferir, sequer têm esse poder. Porque não acho ser possível que um homem melhor seja ferido por um outro pior. Ele talvez tenha me condenado à morte ou me banido, ou privado-me de meus direitos como cidadão. Ele ou outros podem considerar isso como grandes males, mas eu não os considero assim, embora ache muito pior o que tenta fazer agora, tentando condenar um homem injustamente à morte. Agora, atenienses, estou longe de construir uma defesa em meu favor, como deveis estar pensando, mas o faço em favor de vós mesmos, pois ao me condenardes estareis ofendendo a dádiva que a divindade vos concedeu. Se eu for condenado à morte, não encontrareis facilmente outro como eu. Embora pareça ridículo dizê-lo, que esteja ligado aos deuses e a esta cidade como um forte e generoso cavalo, porém vagaroso por seu tamanho e que requer ser picado por um moscardo para se mexer. Assim a divindade me parece ter unido, sendo o tipo de pessoa que sou, à cidade, e que eu devo atiçar-vos e persuadir o povo a reprovar a cada um de vós, assediando-o sem parar o dia todo. Outro homem como esse, atenienses, não será facilmente encontrado. Assim, se tomardes meu conselho, vós me poupareis. Mas talvez, por estardes irritados como pessoas ainda no torpor da sonolência, vireis contra mim, apoiando Ânito e condenando-me à morte sem antes refletirdes. E então passareis o resto de vossas vidas adormecidos a não ser que a divindade, importando-se convosco, vos envie um outro como eu. Mas que eu sou a pessoa que foi dada pela divindade a esta cidade, vós vereis, porque não se trata do tipo comum da conduta dos homens, que negligenciam todos os seus outros assuntos e fazem sofrer seus assuntos íntimos ao longo dos anos para que atendais constantemente às preocupações, dirigindo-se a vós pessoalmente, cada um a sua vez, como um pai, um irmão mais velho, persuadindo-vos a buscar sempre a virtude. E se eu não tivesse lucrado em nada ao longo desse caminho e tivesse sido pago por meus apelos, haveria então alguma razão para esse comportamento. Mas agora estais vendo que meus acusadores, que tão desavergonhadamente me caluniam em todas as instâncias, não têm a imprudência de me acusar disso ou de trazer testemunhas que provem que dei preço ou demandei qualquer recompensa. E eu acho que produzi provas suficientes sobre isso, pois digo a verdade e ostento minha pobreza.

19

Talvez, contudo, em minha atividade, pareça absurdo que eu vos aconselhe em particular e me ocupe disso, nunca me aventurando em fazer apresentação em público, diante de suas assembleias, dando conselhos à cidade. A causa disso é aquela que os que me ouviram em vários lugares saberiam mencionar: que sou movido por certa influência divida e espiritual, que também Meleto, por meio de zombarias, incluiu à acusação. Isso começou em minha infância, sendo o tipo voz que, quando presente, sempre me distrai do que estou prestes a fazer, mas nunca me impele adiante. Isso foi o que me impediu de entrar nas políticas públicas e me parece que o fez muito bem ao me poupar. Pois estejais seguros, atenienses, que se eu tivesse tentado uma intermediação com a política, eu já teria perecido há muito e não deveria ter-vos dado algum benefício, ou mesmo a mim. E não vos zangueis porque falo a verdade, porque não é possível que qualquer homem pudesse se opor de forma sincera, seja um de vós ou qualquer outra multidão, e prevenir as muitas ações injustas e ilegais de serem cometidas na cidade. Mas é necessário que aquele que em um embate sincero clama por justiça, se for reservado e tiver pouco tempo, viva em retiro e não tome parte em assuntos públicos.

20

Apresentarei fortes provas sobre isso, não apenas palavras. Darei a vós o que vós dais valor: fatos. Ouvi, então, o que aconteceu comigo e sabei que nunca levantaria contra alguém o que fosse contrário ao justo, por meio de medo ou morte, ao mesmo tempo em que eu próprio preferiria a morte. Contarei a vós algo repugnante e entristecedor, mas que é verdade. Porque eu, atenienses, nunca mais tive cargos públicos na cidade, embora tenha sido senador: quando nossa tribo da Antióquia apoiou os Pritanos e vós escolhestes condenar um conjunto de dez generais que não haviam recolhido os que pereceram em batalha naval, violando, assim, a lei, como vós todos queríeis. Na época, somente eu entre os Pritanos me opus em fazer o contrário do que mandavam as leis e votei contra vós. E quando os oradores estavam prontos para me denunciar e me levarem perante um magistrado, vós exigíreis e incitáreis para que seguissem adiante. Achei que deveria enfrentar o perigo com a lei e a justiça ao meu lado por meio do medo do aprisionamento ou a morte, a tomar parte em seus planos injustos. E isso aconteceu enquanto a cidade vivia sob uma democracia. Mas quando ela se tornou uma oligarquia, os Trinta, tendo me mandado junto a quatro outros para Tholus, nos ordenaram a trazer Leão, de Salamina, para que fosse executado. E deram muitas ordens similares a outros, querendo envolver quantos pudessem no caso. Então, mostrei a eles que nem por palavras ou por atos eu temia a morte. Se minha expressão não é rude, em menores graus, e sim me abstém de não fazer nada injusto ou profano. Para aquele governo, poderoso como era, não foi possível me forçar a cometer nenhuma ação injusta. Mas quando saímos de Tolo, os quatro foram até a Salamina e trouxeram Leão. E eu fui para casa. E talvez por isso eu devesse ter sido condenado à morte caso aquele governo não tivesse sucumbido rapidamente. E este é meu testemunho sobre o caso.

21

Acreditais, então, que eu teria vivido por tanto tempo se tivesse me envolvido nos negócios públicos, agindo como deve um bom homem, ajudando na causa da justiça e, como meu dever, feito disso coisa da maior importância? Longe disso, atenienses, ou qualquer outro homem que fizesse o mesmo. Mas ao longo de toda a minha vida, se tivesse feito qualquer outra coisa pública, seria descoberto que o homem agia exatamente como em sua vida privada, nunca tendo feito concessões contrárias à justiça ou a ninguém mais, ou a qualquer um daqueles a quem meus caluniadores chamam de meus discípulos. Eu, contudo, nunca fui preceptor de ninguém, mas se alguém desejasse me ouvir falar, querendo ver-me ocupado com minha missão, quer fosse jovem, quer idoso, eu nunca me recusaria. Também nunca discursei em troca de dinheiro, e nunca, mesmo quando recebi algum, deixei que tanto ricos quanto pobres me fizessem suas perguntas e, se algum deles quisesse, que falassem a mim e que eu os responderia. E para esses, caso alguém prove ser boa ou má pessoa, não posso ser responsabilizado porque eu nunca prometi a eles nenhuma instrução ou ensinamento. Mas se alguém disse que aprendeu ou ouviu algo de mim diferente do que eu dizia para todos os outros, estejais certos de que essa pessoa não fala a verdade.

22

Mas porque então passavam tanto tempo comigo? Vós deveis terdes ouvido, atenienses, e eu lhes disse a verdade, que sentiam prazer em ouvir de perto aqueles que se diziam sábios mas não o eram. Porque isso é nada mais do que desagradável. Mas essa tarefa, como digo, foi-me intimada pela divindade, pelos oráculos, pelos sonhos e por todo o tipo de meio pelo qual as divindades intimam os homens.

Essas coisas, atenienses, são verdadeiras e facilmente refutadas caso não sejam verdade. Porque se agora sou um corruptor de jovens, e já corrompi outros, tudo se encaixa a contento caso algum deles, tendo progredido na vida, tenha descoberto que eu lhes dei um mau conselho quando eram jovens. Esses, que se levantem agora contra mim e me acusem e me peçam a punição. Ou, caso não queiram fazer isso, quem alguém de sua linhagem, seus pais ou irmãos, parentes, quaisquer de seus consanguíneos que tenham sido prejudicados por mim, deverão se lembrar do fato. Muitos deles, contudo, estão presentes, pois posso vê-los: Críton, meu contemporâneo e companheiro, pai de Cristóbolo; então Lisânias de Esfeto, pai de Ésquines. Ou Antífona de Céfiso, pai de Epígenes. E há outros cujos irmãos mantiveram e mesma intimidade comigo, a saber: Nicóstrato, filho de Menelau, irmão de Theodotus – Theodotus está morto, portanto não poderia desaprovar os atos de seu irmão –, e Paralus, filho de Demodocus, cujo irmão era Theages; e Adimantus, filho de Aríston, cujo irmão é Platão; e Æantodorus, cujo irmão é Apolodoro. Eu poderia ainda citar muitos outros aqui presentes, alguns a quem certamente Meleto deve ter incluído em seu discurso como testemunhas. Se, contudo, ele esqueceu-se de fazê-lo, que os aduza agora. Eu lhe dou a vez para que o faça e deixem-no dizer se há algo do tipo para ser alegado. Mas, muito pelo contrário, vós sabereis, atenienses, que todos estarão prontos a vir em minha ajuda, que corromperam e injuriaram seus parentes, como dizem Meleto e Ânito. Porque para esses que foram corrompidos deve haver alguma razão para me apoiarem, mas para aqueles que não foram corrompidos, homens que agora progrediram na vida, seus parentes, que outra razão teriam para me apoiar, exceto pelo fato de que Meleto não fala a verdade e eu sim?

23

Bem, atenienses, esses são os fatos que tenho a dizer em minha defesa e outros, talvez da mesma natureza. Contudo, alguns entre vós estejam indignados ao relembrar o meu caso se ele, quando uma pessoa engajada em uma causa muito menor do que esta implorou e rogou aos juízes às lágrimas, trouxe seus filhos aqui para tentar estimular sua compaixão, trouxe muitos outros parentes e amigos. Mas eu não farei tais coisas, embora pareça estar me arriscando e muito. Talvez, portanto, alguém que perceba tudo isso, venha a se tornar ainda mais determinado em me condenar e ficar ainda mais raivoso por esta minha conduta. Ele poderá votar em mim baseado no rancor. Se, portanto, qualquer um de vós estiver afetado – embora eu não ache que esteja – eu diria com a voz da razão a vós: "Eu também, honoráveis, tenho parentes. E fazendo minhas as palavras de Homero, não brotei de um carvalho ou de uma rocha, mas de outros homens. Eu também, atenienses, tenho parentes e três filhos, um dos quais já é adulto e outros dois garotos". Mas não os trago aqui para implorar por mim. Por que, então, não faço isso? Não é por teimosia, atenienses. Nem por desrespeito a vós. Quer eu esteja ou não temeroso pela proximidade da morte, isso é outra questão. Mas no que se refere a minha própria personalidade, e a sua, e a de toda a cidade, não me parece honroso que eu possa fazer qualquer outra coisa com a idade que apresento e com a reputação que tenho, seja ela verdadeira, seja ela falsa. Porque é de senso comum que Sócrates, em alguns aspectos, supera os homens em geral. Se, então, aqueles entre vós que pareceis mais dotados de sabedoria ou de força moral, ou qualquer outra virtude, deveríeis agir da mesma maneira que tenho visto com frequência a outros que são trazidos a julgamento. Seria vergonhoso os que aparecessem por aqui para se comportar de maneira surpreendente, imaginando que sofreriam algo tão terrível quanto a morte, como se fossem imortais caso não fossem condenados à morte. A mim me parece que tais homens trazem a desgraça para a cidade. Um estrangeiro poderia assim supor que esses atenienses que se colocam acima das magistraturas e outras honras não são de modo algum superiores às mulheres. Essas atitudes, atenienses, não devem ser adotadas por alguém de mínima reputação ou por qualquer outro sofrimento que se imponha. Devem, sim, fazer de seu manifesto e condenar aquele que introduz seus lamentáveis dramas aqui, fazendo da cidade algo ridículo, ao contrário daqueles que aguardam sua decisão em silêncio.

24

Mas, além da reputação, atenienses, não me parece certo rogar a um juiz ou escapar pelo uso da súplica, mas sim dar a liberdade a alguém que tenha o poder da persuasão. Porque um juiz não está ali para administrar a justiça por favores, mas sim para julgar pelo direito. E ele fez um juramento de não se mostrar a favor de quem o agrada, mas sim daquilo que estiver de acordo com as leis. Seria, portanto, justo que nenhum de nós o acostumasse ou nos acostumássemos a violar nossos juramentos. Porque, ao fazê-lo, nenhum de nós estaria agindo honestamente. Não penseis, atenienses, que eu adoto tal caminho por me considerar honorável ou justo ou sagrado, também, por Zeus! Em nenhuma outra ocasião, e em especial agora, quando sou acusado por Meleto de impiedade. Para deixar claro, se eu quisesse persuadir-vos, e por meio de minhas súplicas implicar a todos que se fiam em meu juramento, vos ensinaria a pensar que não existem deuses e que, na realidade, enquanto faço minha defesa, acusaria a mim mesmo de não ser crente das divindades. Isso, contudo, está longe de ser o meu caso, porque acredito, atenienses, mais do que qualquer de meus acusadores, e deixo em vossas mãos, e à divindade, que me julguem de tal maneira que seja o melhor tanto para mim quanto para vós.

[Aqui, Sócrates inclui sua defesa e os votos são colhidos. Ele é declarado culpado pela maioria. Depois disso, ele volta a falar.]

25

Não que eu fique surpreso, atenienses, com o que aconteceu – por terdes me condenado – assim como existem muitas outras circunstâncias para que essa situação se apresente. E, também, porque o resultado não é contrário ao que eu esperava. Mas me admiram os números de votos de ambos os lados. Isso eu não esperava, que fosse condenado por uma diferença tão pequena, mas sim pela vasta maioria. Agora, como me parece, se apenas três votos fossem diferentes, eu estaria absolvido. No que se refere a Meleto, pelo que entendo, fui absolvido e não somente absolvido, mas está claro para todos que se Ânito ou Lícon não se tivessem adiantado a me acusar, ele teria de pagar uma fiança de mil dracmas por não ter obtido a quinta parte dos votos.

26

O homem, portanto, me premia com a pena de morte. Muito bem. Mas com o que eu, atenienses, devo me premiar? Não está claro que terei o que mereço? O que, então, significa isso? Mereço sofrer ou pagar uma multa? Porque em toda minha vida não me calei, mas negligenciei o que a maioria dos homens almeja: riqueza, preocupações domésticas, comando militar, orar em público e, acima de tudo, todas as magistraturas, conspirações e tramas que se encontram pela cidade. Penso que na realidade eu era um homem correto demais para me manter a salvo se eu tomasse parte em coisas como essas e, assim, não me empenhei nesses intentos, mas sim procurei fazer o que devia e achava ser um bom serviço a vós e a mim próprio. Para ser de maior valia para cada um de vós, como afirmo, eu me empenhei a esse objetivo, tentando persuadir cada um de vós a não se importar com suas próprias coisas antes de se importar consigo mesmo, para que se tornassem melhores e mais sábios, ou dos negócios da cidade antes de cuidar da cidade em si. E que seria melhor agir assim quanto a outras coisas também. Qual o tratamento, então, eu mereço por ser esse tipo de pessoa? Alguma recompensa, atenienses, se ao menos eu puder ser reconhecido por meus verdadeiros préstimos? E, acima de tudo, qual recompensa me seria justa? O que, então, cabe a um homem pobre, um benfeitor, alguém que precisa de paz para dar-vos os bons conselhos? Nada seria mais cabível, atenienses, do que manter tal homem no Pritaneu. E digo que mereço isso mais do que algum de vós que tenha sido vencedor nos Jogos Olímpicos, nas corridas de cavalos, porque alguém assim vos faz parecer alegres, mas eu vos faço em verdade. Essa pessoa não precisa de sustento, mas eu sim. Se, portanto, devo ser premiado com uma sentença justa aos meus préstimos, peço o seguinte, que me mantenhais no Pritaneu.

27

Talvez, contudo, ao dizer isso a vós, pareça que falo da mesma maneira presunçosa com que iniciei meu discurso. Mas não é esse o caso, atenienses. A coisa é mais assim: estou convencido de que nunca injuriei homem algum intencionalmente, embora não possa convencer-vos disso porque estamos nos falando há apenas algumas horas. Se houvesse alguma lei similar para todos, em casos de julgamento capital, que não fosse de um dia apenas, mas de muitos, acredito que ficaríeis convencidos. Mas não é tarefa fácil e de tão pouco tempo se livrar de grandes calúnias. Estando convencido de que não feri ninguém, também estou longe de querer ferir a mim mesmo e ao pronunciar qual a punição que mereço, concedo-me uma coisa do tipo. O que devo temer, a não ser que Meleto me premie, embora eu não soubesse dizer se ele é bom ou mau. Deveria eu escolher a prisão? E por que eu viveria na prisão, como um escravo da magistratura no poder, os Onze? Deveria escolher a fiança e continuar preso enquanto não pudesse pagá-la? Mas então cairia na mesma situação que mencionei antes, a de não ter posses para pagar. Deveria então eu me exilar? Porque talvez vós me concedêsseis esse pedido. Eu teria de ser muito apegado à vida, atenienses, para desistir da razão e não refletir que vós, meus concidadãos, não fôreis capazes de suportar meu modo de vida e meus discursos, que se tornaram tão opressivos e odiosos, que preferis vos ver livres deles. Outros, porém, talvez os aguentassem. Longe disso, atenienses! Uma boa vida eu teria com minha idade para sair vagando, de cidade em cidade, e assim viver o resto da existência. Porque sei muito bem que onde quer que eu vá, os jovens irão ouvir quando eu falar como o faziam aqui. E se eu os repelir, eles mesmos me expulsarão, convencendo seus anciãos. E se eu os repelir, seus pais e sua raça irão me banir das suas vistas.

28

Talvez, contudo, alguém diga: "Sócrates, você não poderia, depois que se for, viver uma vida pacata e silenciosa?". Mas essa seria a maneira mais difícil de me convencer. Se eu concordasse, estaria desobedecendo à divindade e assim, por consequência, seria impossível viver pacatamente. Mas vós não acreditaríeis em mim, achando que falo em tom irônico. Se, por outro lado, eu digo que este é o bem maior do homem, discursar diariamente sobre a virtude e outros assuntos que já me ouvistes a discursar, examinando a mim e aos outros, a vida sem investigação não é digna de ser vivida, e ninguém acreditaria em mim se eu dissesse o contrário. Tal é o caso que afirmo, atenienses, embora não seja fácil convencer-vos. E, ao mesmo tempo, não estou acostumado a me ver como alguém merecedor do infortúnio. Se, de fato, eu fosse rico, eu me puniria com uma soma vultosa que pudesse saldar, porque isso não me feriria. Mas não tenho esse dinheiro, seja ele qual soma for. Mas, talvez, eu pudesse pagar-vos uma mina de prata, pois acredito ter posses para isso. Mas, Platão, atenienses, Críton, Cristóbolo e Apolodoro me acenam com trinta minas, como meus fiadores. Eu me multo, portanto, com esse valor. E eles darão garantias suficientes para essa soma.

[Agora, os juízes passam à sentença e condenam Sócrates à morte. Ele continua.]

29

Por não terdes sido pacientes, atenienses, caireis na pecha e na vergonha nas mãos daqueles que desejam difamar esta cidade, ao terdes colocado um sábio, Sócrates, na fila das execuções. Aqueles que desejam difamar-vos, dirão que eu sou sábio, embora não o seja. Se, então, tivésseis esperado mais algum tempo, tudo teria ocorrido naturalmente, basta que observeis minha idade e minha proximidade com a morte. Não me dirijo a todos vós, mas somente aos que me condenaram à morte. E digo, também, a essas pessoas que talvez pensem, atenienses, que eu fui condenado por falta de argumentos, que eu deveria tê-los convencido se eu tivesse refletido e dito algo para que pudesse escapar dessa punição. Muito pelo contrário, se eu tivesse sido condenado de fato por essa falta, não por falta de argumentos, mas por abundância de imprudência, e não tivesse a inclinação de dizer tais coisas que fossem mais palatáveis aos vossos ouvidos ou se eu tivesse suplicado e chorado, coisas que não são do meu feitio. Eu afirmo que isso é o que estais acostumados a receber dos outros. Mas eu não acho que devia ter feito nada disso para escapar do perigo, nada indigno de um homem livre. E não me arrependo em ter me defendido dessa maneira, mas certamente prefiro morrer, tendo me defendido como o fiz, do que viver em desgraça. Porque seja em um julgamento ou em uma batalha, eu, ou qualquer outra pessoa, tenho a prerrogativa de empregar quaisquer meios possíveis para que escape da morte. Em uma batalha, geralmente fica evidente que um homem pode escapar da morte ao baixar suas armas e se jogar ao chão pedindo misericórdia ao inimigo. E há muitas outras maneiras de se evitar a morte para cada perigo diferente, se um homem escolher fazer ou dizer qualquer coisa. Não é difícil fugir, atenienses, da morte. E agora que estou lento e velho, sou suplantando pelo mais lento dos dois: meus acusadores, sendo fortes e ágeis, foram tomados pela rapidez e pela perversidade. E agora me despeço, condenado à morte por vós. Mas todos somos condenados à verdade, por sermos culpados por iniquidade e injustiça. Eu aceito minha sentença assim como vós precisais aceitar a vossa. Essas coisas, talvez, tenham de ser mesmo assim, e acho que no fundo são para o melhor.

30

Agora, desejo predizer a vós que me condenastes qual será o vosso destino. Agora estou nas condições ideais para profetizar, digo que estais às portas da morte. Digo a vós, atenienses, que me condenastes à morte, que imediatamente após a minha morte cairá sobre vós uma punição muito mais severa, por Zeus, do que esta que aplicastes a mim. Por terdes feito isso, acreditando que estáveis livres da necessidade de prestarem contas, digo a vós que é muito o contrário. Afirmo que o mesmo acontecerá convosco. Vossos acusadores serão numerosos, pois não mais estarei aqui para barrá-los – embora nunca tenhais vos apercebido disso. E eles serão mais severos e mais jovens e farão de vós ainda mais indignos. Porque se pensais que ao se condenar homens à morte ireis vos livrar de serdes censurados por não viverdes pelo bem, muito vos enganais. Esse método de escape não é viável, nem honroso. Mas há outros mais honoráveis e fáceis, que não colocam outros em xeque, mas que levam o homem a se aprumar e se aproximar da perfeição. Tendo feito essa predição, para aqueles que estão condenados, deixo o meu adeus.

31

Mas para aqueles que votaram em meu favor, continuo esta conversa com alegria enquanto os magistrados se ocupam e não sou levado para o lugar onde serei morto. Ficai comigo, então, enquanto há tempo, atenienses, porque nada nos impede de conversarmos enquanto somos capazes de fazê-lo. Porque acho que vou mostrar a vós, por serdes meus amigos, o sentido dos fatos que se abateram sobre mim.

Para mim, meus juízes, e ao chamá-los de juízes eu me refiro com justeza, algo estranho se passou. A constante voz profética de minha divindade guardiã, em todas as ocasiões anteriores, mesmo em questões triviais, se opôs a mim quando ameacei fazer algo errado. Ora, aconteceram-me estas coisas, como podeis ver claramente e que, decerto, alguns julgariam e considerariam o extremo dos males. Pois bem, o sinal da divindade não se opôs a mim, nem esta manhã, ao sair de casa, nem quando vim aqui, ao tribunal, nem durante todo o discurso. Em todo este processo, não se opôs uma só vez, nem a um ato, nem a palavra alguma.

Qual suponho ser a causa? Eu mesmo direi: em verdade, este meu caso arrisca ser um bem, e estamos longe de julgar diretamente quando pensamos que a morte é um mal. E disso tenho uma grande prova que, por muito menos, o habitual signo, o meu demônio, teria sido contrário, se não fosse para fazer alguma coisa de bem. Passemos a considerar a questão em si mesma, de como há grande esperança de que isso seja um bem.

32

Porque morrer é uma ou outra destas duas coisas: ou o morto não tem absolutamente nenhuma existência, nenhuma consciência do que quer que seja, ou, como se diz, a morte é precisamente uma mudança de existência e, para a alma, uma migração deste lugar para um outro. Se, de fato, não há sensação alguma, mas é como um sono, a morte seria um maravilhoso presente. Creio que, se alguém escolhesse a noite na qual tivesse dormido sem ter nenhum sonho, e comparasse essa noite às outras noites e dias de sua vida e tivesse de dizer quantos dias e noites na sua vida havia vivido melhor, e mais docemente do que naquela noite, creio que não somente qualquer indivíduo, mas até um grande rei, acharia fácil escolher a esse respeito, lamentando todos os outros dias e noites. Assim, se a morte é isso, eu por mim a considero um presente, porquanto, desse modo, todo o tempo se resume a uma única noite.

Se, ao contrário, a morte é como uma passagem deste para outro lugar, e se é verdade o que se diz que lá se encontram todos os mortos, qual o bem que poderia existir, meus juízes, maior do que este? Porque, se chegarmos ao Hades, libertos dos que se vangloriam serem juízes, haveremos de encontrar os verdadeiros juízes, os quais nos diriam que fazem justiça acolá: Monos e Radamanto, Éaco e Triptólemo, e tantos outros deuses e semideuses que foram justos na vida. Seria então essa viagem uma viagem de se fazer pouco caso? Que preço não seríamos capazes de pagar, para conversar com Orfeu, Museu, Hesíodo e Homero?

Quero morrer muitas vezes, se isso é verdade, pois para mim especialmente a conversação seria maravilhosa, quando eu encontrasse Palamedes e Ájax Telamônio e qualquer um dos antigos mortos por injusto julgamento. E não seria sem deleite, me parece, confrontar o meu com os seus casos, e, o que é melhor, passar o tempo examinando e confrontando os de lá com cá, os últimos dos quais têm a pretensão de conhecer a sabedoria dos outros, e que acreditam ser sábios e não o são. A que preço, meus juízes, não se consentiria em examinar aquele que guiou o grande exército a Troia, Ulisses, Sísifo, ou infinitos outros? Isso constituiria inefável felicidade. Com certeza, aqueles de lá mandam a morte por isso, porque além do mais, são mais felizes do que os de cá, mesmo porque são imortais, se é que o que se diz é verdade.

33

Mas vós mesmos, meus juízes, deveis ter boa esperança em relação à morte, e considerar esta única verdade: que não é possível haver algum mal para um homem de bem, nem durante sua vida, nem depois da morte, que os deuses não se interessam do que a eles concerne. E que, por isso mesmo, o que hoje aconteceu a mim, não é devido ao acaso, mas é a prova de que para mim era melhor morrer agora e ser libertado das coisas deste mundo. Eis também a razão por que a divina voz não me dissuadiu, e por que, de minha parte, não estou zangado com aqueles cujos votos me condenaram, nem contra meus acusadores.

Não foi com esse pensamento, entretanto, que eles votaram contra mim, que me acusaram, pois acreditavam causar-me um mal. Por isto é justo que sejam censurados. Mas tudo o que vos peço é que quando meus filhos ficarem adultos, que os puni, atenienses, atormentai os garotos do mesmo modo que eu vos atormentei a todos, quando parecer que eles cuidam mais das riquezas ou de outras coisas do que da virtude. E, se acreditarem ser qualquer coisa não sendo nada, que os reprovai, como fiz convosco: não vos preocupeis com aquilo que não vos é devido.

E, se fizerdes assim, teremos o que é justo, eu e os meus filhos. Mas já é hora de irmos: eu para a morte, e vós para a vida. Mas quem vai para melhor sorte, isso é segredo, exceto para os deuses.

CRÍTON

Quem: Sócrates e Críton.

Onde: Na prisão, em Atenas.

Sócrates: O que vieste fazer aqui a esta hora, Críton? Ainda é madrugada, não?

Críton: Isso mesmo.

Sócrates: Que horas são, exatamente?

Críton: Não tarda o nascer do dia.

Sócrates: Fico admirado de o guarda da prisão não ter te atendido.

Críton: Ele já está acostumado comigo, Sócrates. Além de me dever favores, estou aqui frequentemente.

Sócrates: Chegaste agora ou estás aqui há mais tempo?

Críton: Já faz algum tempo.

Sócrates: Então por que não me acordaste logo de uma vez e preferiste ficar sentado aí, calado?

Críton: Por Zeus, Sócrates; no teu lugar, eu preferiria passar muito mais tempo dormindo do que acordado em uma aflição como a sua. Fiquei admirando esse tempo todo o teu sono. Não te acordei para ter o prazer de observar essa tranquilidade. Muitas vezes, por toda a nossa vida, considerei-te um homem feliz pela tua genialidade, mas muito mais agora, na iminência da desgraça, pela facilidade e tranquilidade com que tem suportado a tudo isso.

Sócrates: Realmente, Críton, mas eu estaria indo contra a natureza se, na minha idade, me preocupasse com a proximidade da morte.

Críton: Os outros também, Sócrates. Velhos passam por situações assim na mesma idade, mas os anos de vida não os dispensam de se preocuparem com o que o destino lhes reserva.

Sócrates: Concordo. Mas, afinal, por que vieste tão cedo?

Críton: Trago uma notícia dolorosa e desoladora. Talvez esta não seja tão dolorosa e desoladora para ti, pelo que vejo, mas para mim e para todos os teus amigos, acho que poderia classificá-la como uma grande tristeza.

Sócrates: De que se trata? Chegou de Delos o navio que anuncia a minha morte?

Críton: Bem, chegar não chegou, mas calculo que deve aportar hoje, pelo que noticiam pessoas vindas de Súnio e que lá o deixaram. As notícias dão a entender que chega ainda hoje. Mas que de amanhã não passará, fazendo desse dia o dia em que Sócrates deixará de viver.

Sócrates: Pois bem, Críton, que tudo seja para o bem! Se essa for a alegria dos deuses, que assim seja. Mas acho que o navio não vai aportar hoje.

Críton: Com base em que me dizes isso?

Sócrates: Explico. Devo morrer, imagino, no dia seguinte ao da chegada do navio.

Críton: Pelo menos, é isso o que dizem as autoridades competentes.

Sócrates: Por isso, acho que não vai atracar no dia de hoje, mas amanhã. Minha teoria tem base em um sonho que tive essa noite. Talvez tenha mesmo sido importante o fato de não teres me acordado.

Críton: E como foi o sonho?

Sócrates: Parece que vinha ao meu encontro uma mulher formosa, de lindas feições, vestida de branco, me chamava e dizia: “Sócrates, depois de amanhã poderás ter chegado às férteis campinas de Fétia”.

Críton: Sonho esquisito, Sócrates!

Sócrates: Mas de sentido claro, Críton. Pelo menos, é o que eu acho.

Críton: Isso é verdade, concordo. Mas, meu pobre Sócrates, ainda uma vez, ouve o que te digo e te salves. Para mim, se realmente morrer, a desdita não será uma só. À parte a perda de um amigo como não acharei nenhum igual em minha vida, acredito que muita gente, mesmo os que não conhecem bem a profundidade de nossa amizade, pensarão que eu, mesmo tendo o poder de te salvar se me dispusesse a usar meu dinheiro, não me importei. Imagina uma reputação mais enfadonha do que dar mais importância ao dinheiro do que a um bom amigo? O povo não vai acreditar que foste tu quem não quiseste sair daqui. Todos nós aproveitaríamos uma chance dessas.

Sócrates: Mas, entre mim e tu, meu caro Críton, é tão importante assim a opinião do povo? Os verdadeiros amigos e os desconhecidos de bem, com quem devemos, sim, nos importar, cuidarão para que as coisas se passem como se tivessem sido justas e por consenso de todos.

Críton: Mas veja bem, Sócrates, não podemos esquecer completamente a opinião do povo. Os fatos atuais dizem claramente do que o povo é capaz. Não digo os pequenos males, mas sugiro outros bem maiores. Basta que entre eles se espalhe calúnias contra alguém.

Sócrates: Eu gostaria muito, Críton, que esse povo fosse capaz de praticar os maiores males, para ser capaz também dos maiores benefícios! Seria esplêndido. Mas não são capazes nem de um, nem de outro. São incapazes de dar bom senso, são incapazes de entender o bom senso. Suas atitudes são obra do acaso.

Críton: Mesmo que isso seja verdade, me digas uma coisa, Sócrates: queres evitar, não é? Que eu e teus outros amigos, caso saias daqui, venhamos a ser molestados pelos sicofantas, sob a acusação de te subtrair daqui, e obrigados a abrir mão de todos os nossos haveres, ou pelo menos de grandes quantias, ou a sofrer, além disso, qualquer outra pena? Se é isso que temes, manda o medo às favas. É justo que nós, para te salvar, corramos esse perigo, e outros maiores ainda se for preciso. Anda, ouve o que eu digo e não procedas de outra maneira.

Sócrates: Estou evitando isso tudo, Críton, e muitas outras coisas.

Críton: Pois não tenhas receio. Não é muito o dinheiro que certas pessoas querem receber para te tirar daqui e te salvar. Depois, não vês como são baratos esses sicofantas? Que não seria preciso gastar muito com eles? Minhas posses estão à tua disposição e acho que são suficientes. Além disso, caso não queiras que eu despenda meu dinheiro por amizade, aí estão aqueles estrangeiros, prontos a contribuir. Um até trouxe dinheiro suficiente para isso. Seu nome é Símias de Tebas. Cebes também está pronto e muitos outros. Por isso, repito, não seja por este receio que desistas de te salvar. Não te envergonhes por isso, assim como disse no tribunal, com a possibilidade de ser libertado e não ter mais do que viver. Em muitos lugares, mesmo no exterior, onde quer que vás parar, encontrarás amizade. Se fores para a Tessália, tenho gente lá que te dará tudo o que precisares, te oferecerão segurança, de modo que ninguém na Tessália ousaria chegar perto de ti para te perturbar. Ainda, Sócrates, acho que estás cometendo uma injustiça ao te entregares quando poderias te salvar. Parece que estás trabalhando para realizar exatamente o que teus inimigos desejariam. Era o que queriam quando decidiram por tua morte. Além do mais, a meu ver, estás traindo também aos seus filhos. Poderia criá-los e educá-los, mas parece que preferes morrer e abandoná-los. Sabes que ficarão entregues à própria sorte? Provavelmente a sorte costumeira dos órfãos. A gente deve ou não ter filhos, ou sofrer juntamente com eles, devemos criá-los e educá-los. Tenho a impressão de que estás escolhendo de forma egoísta, para tua maior comodidade. Mas tu deves escolher o que escolheria um bom homem e de brio, ainda mais quando vivias dizendo não tinhas outra preocupação na vida senão a virtude. Eu, pessoalmente, tenho vergonha por ti e por todos nós, teus amigos, de que atribuam à covardia de nossa parte tudo o que aconteceu contigo: teu comparecimento diante do tribunal, quando não tinhas obrigação de comparecer; a maneira pela qual o processo correu; e, por fim, este desfecho, ridículo para a grandeza dessa história, a impressão de que nos ocultamos, covardes e sem brio, sem termos encontrado um meio – nenhum de nós –, de reequilibrar a situação e te salvar, coisa possível e exequível, se tivéssemos algum interesse. Sócrates, evita que essa mácula e, ainda mais, essa desgraça que paira sobre a tua cabeça, caia sobre todos nós. Vamos, não temos mais tempo para resolver, mas sim de já ter resolvido a essa hora. Assim, só há uma atitude, e tudo deve ser realizado na noite de hoje. Se nos demorarmos, não será mais exequível nem possível. Seja como for, Sócrates, ouve o que eu digo e não procedas de outra maneira.

Sócrates: Querido Críton! Seu ardor seria mais precioso se alguma retidão te acompanhasse! Não sendo assim, quanto mais insistente, tanto mais penoso. Temos, então, de examinar se devemos proceder como queres ou não. Quanto a mim, não é de agora, sempre fui deste feitio: não cedo a nenhuma outra de minhas razões, senão à de que minhas reflexões demonstram ser as melhores. As razões que alegava no passado, não as posso rejeitar agora em vista de minha sorte presente. Elas se apresentam a mim inalteradas. São as mesmas de antes que continuo respeitando e acatando.
Na situação atual, não temos outras melhores para alegar. Fica certo de que não cederei, em absoluto, às tuas ideias; ainda que, com mais ameaças que as atuais, nos acene o poderio da multidão, como a crianças, com o espantalho das prisões, mortes e confisco de bens. Como, portanto, faremos tal exame o mais acuradamente possível? Será retomando, em primeiro lugar, aquela razão que alegas quanto ao propósito das opiniões? Estávamos certos ou errados ao repetirmos

que das opiniões umas devemos acatar, e a outras atacar? Ou antes, de minha morte, que era acertado dizer, mas que agora ficou estabelecido que não é mais assim? Que falávamos por falar, mas que tudo não passava de brincadeira? Francamente, Críton, desejo examinar contigo se aquela razão se apresentará a nós um tanto modificada em vista da minha situação, ou idêntica, e se as mandaremos às favas, ou se as obedeceremos. Costumavam dizer, creio eu, os que acreditam em si mesmos ao falar seriamente, mais ou menos o mesmo que eu próprio dizia há pouco: que, das opiniões que os homens formam, a umas se deve grande acatamento, a outras não. Pelos deuses, Críton, não parece uma boa norma? Tu, Críton, tanto quanto alcançam as previsões humanas, não estás prestes a morrer amanhã, e o teu juízo não poderia ser abalado pela adversidade presente. Portanto, pensa: não achas correto afirmar que apenas algumas opiniões dos homens devem ser acatadas, e não todas? E não as de todos, mas as de uns sim e as de outros não? O que me dizes? Não é com razão que se diz isso?

Críton: É sim, com razão.

Sócrates: Logo, vamos acatar as boas e não as ruins.

Críton: Perfeitamente.

Sócrates: Boas não são as dos judiciosos e ruins, as dos sandeus?

Críton: Como não?

Sócrates: Vê bem. Em que sentido se faziam tais distinções? A um homem que pratica ginástica, segue aquela norma e dá atenção ao louvor, à privação, ao parecer de toda a gente, ou somente a de quem porventura é médico ou instrutor de ginástica?

Críton: Só a deste.

Sócrates: Portanto, deve temer as censuras e folgar com o louvor de único e não da multidão.

Críton: Evidentemente.

Sócrates: Deve, não é assim? Conformar suas práticas, seus exercícios, sua alimentação, sua bebida, somente com a opinião do mestre e entendido, de preferência, a de todos os demais juntos.

Críton: Assim é.

Sócrates: Bem, se desobedece àquele único, se desacata ao seu parecer e ao seu louvor, para atender ao que diz a multidão que de nada entende, não sofrerá nenhuma consequência ruim?

Críton: Como não?

Sócrates: Qual é essa consequência ruim, que extensão ela tem e onde atinge o desobediente?

Críton: Está se vendo que no corpo, porque é esse que ele arruína.

Sócrates: Dizes bem. Portanto, Críton, para não passarmos tudo em revista, com tudo o mais acontece o mesmo. Agora, quanto ao justo e ao injusto, ao feio e ao belo, ao bem e ao mal, objetos desta nossa deliberação, devemos nós seguir a opinião da multidão e temê-la. Ou a do único que entendeu, se existir algum, é esse a quem devemos respeitar e temer mais do que a todos os demais juntos? Se não obedecermos a esse, corromperemos e danificaremos aquilo que melhora com a justiça e se arruína com a injustiça? Ou isso não tem cabimento?

Críton: Acho que tem, Sócrates.

Sócrates: Se aquilo que melhora com um regime saudável e se corrompe com um regime insalubre nós arruinarmos obedecendo à opinião que não é a dos entendidos, é possível viver com essa parte arruinada? É ao corpo que nos referimos, ou não?

Críton: Sim.

Sócrates: Então, é possível viver com um corpo em más condições, arruinado?

Críton: De modo algum.

Sócrates: Mas podemos viver depois de arruinar aquela parte que a injustiça danifica e a justiça beneficia? Ou considerarmos de menos valor que o corpo, aquela parte de nosso ser, seja ela qual for, com que se relaciona a injustiça e a justiça?

Críton: De modo algum.

Sócrates: De maior valor, então?

Críton: Muito maior.

Sócrates: Logo, meu querido amigo, não é absolutamente com o que dirá de nós a multidão que nos devemos preocupar, mas com o que dirá a autoridade em matéria de justiça e injustiça, a única, a Verdade em si. Assim sendo, para começar, não apontes o bom caminho quando me pedes que nos inquietemos com o pensamento da multidão a respeito do justo, do belo, do bem e de seus contrários. A multidão, no entanto, dirá alguém, é bem capaz de nos matar.

Críton: Isso é claro, Sócrates, haverá quem diga.

Sócrates: Certamente. Mas, meu admirável amigo, essa razão que acabamos de rever ainda me parece substancialmente a mesma de antes. Examina também se continua de pé para nós este outro princípio: que não devemos dar máxima importância ao viver, mas ao viver bem.

Críton: Continua.

Sócrates: E que viver bem, viver com honra e viver conforme a justiça é tudo a mesma coisa, continua de pé, ou não?

Críton: Continua.

Sócrates: Partindo desses princípios com os quais concordamos, devemos averiguar se é justo que eu tente sair daqui sem permissão dos atenienses, ou injusto: se for provado que é justo, tentaremos; se não, desistiremos. As considerações que frisaste, quanto ao dinheiro, à reputação, à criação dos filhos... Críton, cuidado para que não sejam na realidade especulações próprias de quem, com a mesma facilidade, mataria, e se pudesse, ressuscitaria, sem nenhum critério a saber, a multidão. Nós, porém, seguiremos a razão e não nos sujeitaremos à consideração de nada além do que há pouco dizíamos: será um procedimento justo dar dinheiro aos que me tirarão daqui? Vamos suborná-los e nós mesmos promover a fuga e fugir? Na verdade, estaremos procedendo com injustiça em todos esses atos e, se ficar provado que cometemos injustiça, não será inevitável indagar se devo morrer, ficando aqui, ou sofrer qualquer outra pena?

Críton: Acho que falas com a razão, Sócrates. Diz tu, então, o que devemos fazer.

Sócrates: Vamos pensar juntos, meu caro. Se puderes de algum modo me refutar, faz-lo e eu obedecerei. Se não, pare agora, meu caro amigo, de insistir no mesmo assunto, de que preciso sair daqui contrariando os atenienses, porque dou muita importância a ter o teu consentimento no que vou fazer. Quero agir sob a tua concordância. Se esses argumentos básicos deste exame parecem-te satisfatórios e procuras responder a minhas perguntas com a maior sinceridade, me diz.

Críton: Pois não, vou fazer isso.

Sócrates: Frisamos que não se deve cometer injustiça voluntária em caso algum, ou que em alguns casos se deve, e em outros não? Ou que de modo algum é bom nem honroso cometê-la, como tantas vezes no passado conviemos? É isso o que acabamos de dizer. Porventura, todas aquelas nossas convenções de antes foram dissipadas nestes poucos dias e, durante tanto tempo, Críton, velhos como somos, em nossos graves entretenimentos, não nos demos conta de que nada diferíamos das crianças? Ou, sem dúvida alguma, é como dizíamos, quer admita a multidão, quer não? Mais: ainda que tenhamos de experimentar momentos ainda mais dolorosos, mais suaves, o procedimento injusto, em quaisquer hipóteses, não é sempre, para quem o tem, um mal e uma vergonha? Afirmamos isso ou não?

Críton: Afirmamos.

Sócrates: Logo, jamais se deve proceder contra a justiça.

Críton: Jamais, por certo.

Sócrates: Nem mesmo retribuir injustiça com injustiça, como pensa a multidão, pois o procedimento injusto é sempre inadmissível.

Críton: Parece que não.

Sócrates: E depois disso tudo? Devemos praticar o mal ou não, Críton?

Críton: Não devemos, sem dúvida, Sócrates.

Sócrates: Vamos em frente. Retribuir o mal que nos fazem é justo, como diz a multidão, ou injusto?

Críton: Absolutamente injusto.

Sócrates: Sim, porque entre fazer mal a uma pessoa e cometer uma injustiça, não há diferença nenhuma.

Críton: É verdade.

Sócrates: Em suma, não devemos retribuir a injustiça, nem fazer mal a pessoa alguma, seja qual for o mal que ela nos tenha causado. Cautela, porém, Críton, ao admitires esses princípios, não o faças em contradição com o teu pensamento, pois sei que essa opinião é e será de alguns poucos apenas. Entre os que a adotam e os que a repelem, não existe um senso comum. Certamente, se odiarão uns aos outros ao verem os propósitos uns dos outros. Portanto, considera muito se concordas com a minha opinião e se essa nossa deliberação partirá do princípio de que jamais é acertado cometer injustiça, retribuí-la, vingar pelo mal que fazemos o mal que nos fazem; ou se diverges de mim e não compartilhas do princípio. Quanto a mim, essa é uma antiga opinião minha que mantenho até hoje. Mas se tu pensas de outra maneira, me diz. Se continuas a pensar assim, continuo o meu pensamento.

Críton: Continuo. Concordo contigo. Por isso, prossiga.

Sócrates: Passo, então, às decorrências. Ou melhor, pergunto se uma convenção que se firmou com alguém, sendo justa, deve ser cumprida ou traída.

Críton: Deve ser cumprida.

Sócrates: Então, presta atenção. Ao sair daqui, desobedecendo à cidade, lesamos a alguém e logo a quem menos devemos lesar, ou não? E cumprimos as convenções justas que firmamos, ou não?

Críton: Não sei responder, Sócrates. Não estou compreendendo.

Sócrates: Bem, pensa no seguinte. Se, no momento em que eu estivesse para me evadir daqui, ou como quer que se diga, chegassem as Leis e a Cidade, e perguntassem juntas: "Diz, Sócrates: o que pretendes fazer? Que outra coisa estás pensando, com a atitude que estás tomando, senão destruir a nós, as Leis e toda a Cidade, na medida de tuas forças? Por acaso pensas que ainda possa subsistir e não esteja destruída uma cidade onde nenhuma força tenha as sentenças proferidas, tornadas inoperantes e aniquiladas por obra de simples particulares?". O que responder, Críton, a esse tipo de pergunta? Muitos argumentos poderiam ser criados, sobretudo por um orador, em defesa da Lei que por nós foi violada e que estabelece a autoridade das sentenças proferidas. Por acaso responderei que a Cidade me agravou, não me julgou, conforme a Justiça? Direi isso? Direi o quê?

Críton: Isso mesmo, por Zeus, Sócrates!

Sócrates: E se então, as Leis dissessem: "Sócrates, o que combinaste conosco foi isso, ou que te submeterias às sentenças que a Cidade proferisse?". Se me surpreendesse com essa pergunta, diriam, talvez: "Sócrates, não te admires com nossas perguntas. Responda. Porque tu mesmo também costumas lançar mão de perguntas e respostas. Vamos lá: qual a queixa contra nós e contra a Cidade, que te moves em buscar nossa destruição? Para começar, não fomos nós que te demos nascimento e não foi por nosso intermédio que teu pai desposou tua mãe e te gerou? Diga: algum defeito naquelas dentre nós que regulam os casamentos? Achas que não estão bem-feitas?". "Não aponto defeitos", diria eu. E elas: "Então, alguma das que regulam a criação e educação do filho, que foram as mesmas que também cuidaram de ti? Aquelas que de nós regem a matéria, ao mandar que o teu pai te ensinasse música e ginástica, não o fizeram com acerto?". "Fizeram", diria eu. "Bem, depois do teu nascimento, tua criação e educação, poderias, de pronto, negar que pertences a nós, como nosso filho e servo, assim como teus antepassados? E, assim, julgas ter ao menos os mesmos direitos que nós? Julgas ter o direito de nos fazer em represália o mesmo que tentamos fazer a ti? Ora, em face do teu pai não teria os mesmos direitos, nem em face de teu amo, se amo tivesse, para retaliar o que te fizessem, nem para revidar injúria por injúria, golpe por golpe, nem para outros desforços. Mas, em face da Pátria e das Leis, se tentarmos te destruir porque achamos justo, terás o direito de tentar, da tua parte também, dentro das forças cabíveis, destruir a nós em desforra, as Leis e a Pátria? E achas que, procedendo dessa maneira, estarás agindo com justiça, que verdadeiramente tomas a virtude a sério? Que sabedoria é essa, se ignora que, acima da tua mãe, teu pai e de todos os outros que vieram antes de ti, a pátria é a mais respeitável, mais venerável, mais sagrada, mais estimada dos deuses e dos homens sensatos? Que se deve mais veneração, obediência e carinho a uma Pátria do que a um pai? Que o dever é ou dissuadi-la ou cumprir seus comandos, sofrer quietamente o que ela manda sofrer, sejam espancamentos, sejam grilhões, seja a convocação para ser ferido ou morto na guerra?

Tudo isso deve ser feito e esse é o direito. Não esquivar-te, não recuar, não desertar de teu posto. Mas, seja na guerra, seja no tribunal, em toda a parte, cumpre-se executar as ordens da Cidade e da Pátria ou obter a revogação pelas vias criadas do direito. É impiedade usar de violência contra a mãe e o pai, mas ainda muito pior contra a Pátria do que contra eles.". O que responderei a isso, Críton? Que as Leis dizem a verdade, ou que não?

Críton: Acho que sim.

Sócrates: "Veja, portanto, Sócrates", as Leis talvez diriam, "temos razão em dizer que é injusto o que pensa em fazer contra nós. Somos tuas genitoras, criadoras, educadoras. Aceitamos-te em todos os benefícios que podemos proporcionar a ti e a todos os cidadãos, sem embargo, proclamamos termos dado ao ateniense o quiser, uma vez entrada na posse dos direitos civis e no conhecimento da vida pública e de nós, as Leis, se não formos de teu agrado, a liberdade de juntar o que é teu e partir para onde bem entender. Se, ao não agradarmos a cidade, algum de vós quiserdes rumar para uma colônia ou quiserdes fixar residência em qualquer outro país, nenhuma de nós, as Leis, o impede ou proíbe de seguir para onde lhe parecer melhor, levando o que é seu. Mas aqueles que aqui permanecem, vendo a maneira pela qual distribuímos justiça e desempenhamos as outras atribuições do Estado, passamos a dizer que convencionou conosco de fato cumprir nossas determinações. Desobedecer, é ser réu três vezes: porque a nós, que o geramos, não nos presta obediência; porque não nos obedece porque, tendo convencionado nos obedecer, nem obedece nem nos dissuade se incidimos em algum erro; nós propomos, não impomos com aspereza o cumprimento de nossas ordens, e facultamos a escolha entre nos persuadir do contrário e nos obedecer. Ele, porém, não faz nem uma coisa nem outra. Tais são os crimes, Sócrates, em que, se puserem em prática o teu plano, iremos te declarar incurso, mais do que os outros atenienses". Se então eu perguntasse: "Como assim?", talvez ralhassem comigo com razão, dizendo estar eu, mais do que os outros atenienses, preso àquele compromisso para com elas. Diriam: "Dispomos de fortes provas de que nós e a Cidade somos do teu agrado. Tu não terias vivido nela mais do que todos os outros atenienses, se ela não te agradasses mais do que a todos: nem para uma festa jamais deixaste esta cidade, salvo uma única vez para os jogos do Istmo. E nem para qualquer lugar do exterior, a não ser como combatente. E nenhuma outra viagem jamais empreendeste como os demais, nem tiveste vontade de conhecer outras cidades e outras leis. Nós e a nossa Cidade somos o suficiente, a tal ponto, que nos preferias e convinha que tu fosses um cidadão sob a nossa soberania. Por sinal que até tiveste filhos nela, dando a entender que a cidade te agradava. E, mesmo durante o processo, se quisesses, terias obtido a condenação ao exílio e farias então, com o consentimento da Cidade, o que pretendes fazer agora sem ele. Então, falavas em alto e bom tom que não te revoltarias se houvesses de morrer. Que, ao contrário, preferias, como declaravas, a morte ao exílio. Mas agora não fazes honra àquelas palavras, nem hesitas na tentativa de nos aniquilar, as Leis. Tua atitude é a do mais vil dos escravos, tentando a fuga contra as convenções e acordos aos quais estás obrigado. Responda a esta pergunta: "É verdade o que dizemos quando afirmamos que te obrigaste aos deveres de cidadão sob nosso império, não em palavras, mas de fato, ou é mentira?". O que eu poderia dizer a isso, Críton? Posso discordar?

Críton: Forçosamente que não, Sócrates.

Sócrates: "O que tu fazes", diriam, "senão ladear as convenções e acordos que conosco firmaste sem coação, sem engodo, sem a urgência de resolver em tempo exíguo, mas ao longo de setenta anos, durante os quais tu tinhas a faculdade de emigrar, se nós não te agradávamos e se descobrisses que as convenções eram injustas? Mas tu não nos trocaste nem por Esparta, nem por Creta, que vivem se dizendo dotadas de boas leis, nem qualquer das outras cidades, gregas ou estrangeiras. Daqui, tu nunca te afastaste mais do que os aleijados, os cegos e outros mutilados, tanto, mais do que aos outros atenienses, a cidade era do teu agrado, bem como nós, as Leis, evidentemente. Pois a que agradaria uma cidade com exceção das leis? Agora, porém, não é? Não manténs teus compromissos? Sim, Sócrates, tu os manterás, se nos atender, e não te sujeitarás ao ridículo de abandonar a cidade. Vamos, pensa: comparando os compromissos e semelhante falta, que benefício trarão para ti e para teus amigos? Seus amigos também correrão o perigo de serem exilados e privados de cidadania e de seus bens: isso está fora de dúvida. Quanto a ti, para começar, ao partir para uma das cidades mais próximas – seja Tebas ou Mégara, pois ambas têm boas leis –, entrarás nelas como um inimigo de suas instituições. Todos os que zelarem por suas cidades olharão desconfiados para ti, como um destruidor das Leis; consolidarás a reputação dos seus juízes, de modo que parecerá que teu julgamento foi justo, porque todo violador das leis bem pode ser tido como corruptor dos jovens e dos levianos. Ou, por acaso, evitarás as cidades de boas leis e os homens mais corretos? E valerá a pena viver com esse comportamento? Ou entrarás em contato com eles e discorrerás, sem acanhamento... sobre o quê, Sócrates? Sobre os teus assuntos daqui? Sobre o supremo valor que tem para a humanidade a virtude, a justiça, assim como a legalidade e as Leis? E não achas que o papel de Sócrates parecerá indecoroso? Sim, tu achas. Admitamos que, para longe desses lugares, chegues à Tessália, para junto dos hóspedes de Críton, porque lá dominam a desordem e a licença, e talvez gostassem de ouvir tua história de como foi cômica a fuga da prisão, disfarçado, em uma bolsa de couro ou em outro disfarce habitual dos fugitivos, e dissimulando esse jeito que é teu. Não haverá quem diga que um homem de idade, com pouco tempo provável de vida, não se envergonha de se agarrar tão desesperadamente à vida, burlando as leis mais veneráveis? Talvez, se não magoares ninguém; caso contrário, ouvirás, Sócrates, indignidades incontáveis. Viverás de granjear o favor de toda gente, assujeitado, a fazer o quê, senão levares a vida regalada na Tessália como se lá tivesses ido para um banquete? E aquelas palestras sobre a justiça e outras formas de virtude? Por onde andarão essas perdidas? Oh! Sim, é por amor dos filhos que desejas viver, para que os cries e eduques! Mas, e daí? Levá-los para Tessália e torná-los estrangeiros de criação e formação, para que te fiquem devendo mais esse benefício? Ou não? Será que, estando vivo e sendo eles criados por aqui, terão melhor criação e formação sem a tua companhia, pois teus amigos são quem cuidará deles? Então, se partires para a Tessália, eles cuidarão, mas não irão cuidar se partires para o Hades? Se tens algum préstimo, tu admitirás que sim. Não, Sócrates. Ouve a nós, tuas criadoras: não te sobreponhas à justiça nem a teus filhos, nem a tua vida, nem a qualquer outra coisa, para que, ao chegares ao Hades, possas alegar todas essas justificativas perante os que lá governam. Está claro que, com aquele procedimento, aqui não será melhor, nem mais justo, nem mais pio para ti, nem para nenhum dos teus. Não melhor, tu verás. Se partires como uma vítima da injustiça, não nossa, das Leis, mas dos homens; se, porém, fugires, retribuindo assim vergonhosamente a injustiça, o dano com o dano, logrando próprios compromissos e acordos conosco em detrimento daqueles a quem menos devia lesar, de ti próprio, dos teus amigos, da tua pátria e nosso, nós, enquanto viveres, estaremos indignadas contigo e, lá embaixo, nossas irmãs, Leis do Hades, não irão acolher Sócrates com benevolência ao saberem do que tentaste fazer a nós na medida de tuas forças. Oh! Não! Não possa mais Críton persuadi-lo a fazer o que ele dirá com mais força do que nós!". Essa recriminação, Críton, meu querido companheiro, que fique certo, parece-me que as estou ouvindo, tal como aos coribantes parece estarem ouvindo o som das flautas. É a ressonância dessas palavras que zumbe no meu íntimo e não me deixa ouvir nada mais. Por isso, acredita, tanto quanto creio agora, o que tu disseres em sentido diverso, será dito em vão. No entanto, se esperas algum resultado, podes falar.

Críton: Não, Sócrates. Não tenho nada a dizer.

Sócrates: Então desiste, Críton. Vamos proceder daquela forma, porque este é o caminho por onde a divindade nos guia.

GLOSSÁRIO

ALMA: Princípio vital do ser humano segundo diversas teorias filosóficas. No caso do Fédon, a alma (psyché) é algo que se movimenta. Ela é comparada com lira, um instrumento musical que, como qualquer outra coisa do mundo real, pode se quebrar, porém, a música e a harmonia que a lira produz, por possuírem um vínculo com o mundo das ideias, ficam por mais tempo na memória dos ouvintes.

DIALÉTICA: Arte do diálogo e da discussão. Para Platão, consistia no método empregado por Sócrates por meio do qual ele demonstrava verdades. Os diálogos platônicos estão repletos de debates nos quais Sócrates faz uso da dialética. Quando isso ocorre, ele demonstra e busca a verdade pelo diálogo.

DIÁLOGO: Forma de investigação filosófica que encontrou seu mais alto estágio nos escritos de Platão. Consiste em um mecanismo de debate no qual o mestre leva os discípulos a descobrir um conhecimento que eles possuem, mas não sabem. O exemplo mais claro desse método está no diálogo

Mênon, no qual Sócrates leva um escravo, que jamais havia estudado geometria, a deduzir "por si só" o teorema de Pitágoras.

IDEIA: Para Platão, as ideias são formas, modelos perfeitos ou paradigmas. São sempre eternas e imutáveis, seu mundo é o transcendente. Comparado a elas, a realidade do mundo concreto e da nossa experiência sensível são cópias ou imagens imperfeitas derivadas desse mundo imutável das ideais.

MAIÊUTICA: Método dialético de investigação da verdade. No diálogo Teeteto, Platão escreve que a maiêutica socrática consiste em assistir o interlocutor na parturição das ideias, fazendo-o descobrir as verdades que traz em si pelo processo de multiplicar as perguntas a fim de obter, por indução dos casos particulares e concretos, um conceito geral do objeto.

METEMPSICOSE: Esse termo grego (metempsykhosis) significa literalmente "passagem da alma de um corpo para o outro". É citado por Platão na obra *República*. No *Fédon*, é feita uma importante defesa da teoria pitagórica da metempsicose. Pitágoras, o primeiro pensador grego a falar da imortalidade da alma, defendia que havia uma recompensa além-túmulo para aqueles que levassem uma vida de retidão.

REMINISCÊNCIA: Parte importante da maiêutica socrática, a reminiscência é a recordação de algo que nossa alma conheceu no mundo eterno e perfeito das ideias. Em *Fédon*, Platão diz que a alma, antes de sua encarnação no corpo, teria tido contato direto com as formas que constituem o mundo inteligível e delas se recordaria posteriormente quando já encarnada. A recuperação desse contato estaria na base da possibilidade do conhecimento e constituiria seu ponto de partida. Isso explicaria a possibilidade de termos um conhecimento prévio e independente à experiência.

VERDADE: Termo fundamental para a reflexão filosófica. Sobre ele, muitas correntes se debruçaram. No caso de Platão, verdade é aquilo que não foi esquecido. Nossa alma, segundo ele escreve em *Fédon*, conheceu a verdade quando estava no mundo das ideias. Ao reencarnar, ela relembra aquilo que não foi completamente esquecido, mas apenas estava escondida em algum canto da memória. Portanto, para ele, quando aprendemos um conceito como Justiça, Amor ou o Bem, não estamos conhecendo algo completamente novo. Estamos apenas nos relembrando do que nossa alma viu no mundo das ideias. Nesse sentido, é importante citar o termo grego para verdade aléthea. Essa palavra é composta do prefixo negativo a- e pelo substantivo léthe, que pode ser traduzido por "esquecimento". Logo, aléthea é não esquecimento. Aléthes, que significa "verdadeiro", também pode ser traduzido por não esquecido ou não escondido.

Σ
Páginas: 96
Família Tipográfica: Electra LT Std

II

II

A teoria das ideias

PLATÃO - A TEORIA DAS IDEIAS

1ª edição – Outubro de 2013
2ª edição – Julho de 2014

Grafia atualizada segundo o Acordo Ortográfico da Língua Portuguesa
de 1990, que entrou em vigor no Brasil em 2009.

Publisher: **Claudio Varela**
Publisher: **Ednaldo Varela (Ado)**

Produção Editorial: **Equipe Hunter Books**
Capa e projeto gráfico: **Lumiar Design**
Revisão: **Ab Aeterno Produção Editorial**
Soraya Leme

DADOS INTERNACIONAIS DE CATALOGAÇÃO NA PUBLICAÇÃO (CIP)
(Elaboração: Aglaé de Lima Fierli CRB- 9/412)

P777t Platão, 427 - 347 a. C
A teoria das ideias / Platão; tradução de Adalberto Roseira; Projeto gráfico e capa de Lumiar Design – São Paulo: Hunter Books, 2013.
208p. : il ; 13x21cm.

Contém glossário de Filosofia
ISBN: 978-85-65042-21-5

1. Platão – Filosofia grega. 2. Sofistas - Filosofia. 3. Fédon – Diálogos. 4. Ideias (Filosofia). I. Título. II. Roseira, Adalberto, trad. III. Luminar Design, Ilust.

CDD 184

INDICE PARA CATÁLOGO SISTEMÁTICO

Platão : Filosofia grega 184
Sofistas : Filosofia 183.1
Filosofia antiga 180
Fédon : Diálogos 184
Ideias : Filosofia 121.4

IMPRESSO NO BRASIL
PRINTED IN BRAZIL

Impressão e Acabamento
OCEANO INDÚSTRIA GRÁFICA E EDITORA LTDA

Direitos cedidos de edição à Hunter Books Ltda.
www.hunterbooks.com.br
www.editorahb.com.br
editorial@editorahb.com.br

Platão

A teoria das ideias

Tradução
Adalberto Roseira

HUNTER
BOOKS EDITORA

SUMÁRIO

A teoria das ideias

O Sofista.. 11

Prefácio.. 13

O Sofista.. 19

Fédon.. 103

Prefácio.. 105

Fédon.. 111

Glossário.. 197

Platão

O SOFISTA

PREFÁCIO

Platão foi o principal discípulo de Sócrates e o maior professor de Aristóteles. Após a morte de seu mestre, Platão decidiu fazer inúmeras viagens pelas regiões onde hoje encontram-se a Grécia, a Itália e o Egito.

Sua Academia, fundada em 380 a.C., é uma das primeiras versões das atuais universidades. Nela, Platão deu corpo à sua tese central: a teoria das formas ideais. Para ele, os erros ocorrem quando não compreendemos as formas das coisas, as quais, segundo ele, não eram acessíveis aos sentidos, mas apenas à mente.

Em razão disso, ao contrário de Aristóteles, que aparece apontando para o chão no famoso afresco de Rafael, localizado no Vaticano, Platão está, nessa mesma imagem, com o dedo em riste, indicando o mundo das ideias — das formas ideais —, que para Rafael ficava nos céus.

O afresco é intitulado *Escola de Atenas*, está no palácio papal e é uma obra-prima da Renascença, época em que o mundo europeu católico redescobriu o trabalho das grandes mentes da Antiguidade.

A representação dos dois mostra o quanto esse debate é importante e a enorme distância que ele alcançou. Na verdade, ainda hoje esses dois lados do pensamento ocidental se enfrentam. Platão aponta para cima, para o mundo que transcende; Aristóteles aponta para baixo, para o mundo próximo a ele. Essas duas maneiras distintas de pensar dominam a filosofia ocidental. Platão visa os conceitos perfeitos e presentes apenas no mundo das ideias; Aristóteles quer entender a realidade que acessamos através dos nossos sentidos. Platão defende as formas e o mundo das ideias; Aristóteles se volta para as coisas reais.

Para Platão, o mundo das ideias possui uma hierarquia, na qual o ponto supremo é a ideia do bem. Ele acredita que a parte mais importante da ética é o Bem em si, ideia que determina tudo. Para Aristóteles, o Bem é o bem para os seres humanos. Platão, portanto, acredita que as coisas são representações imperfeitas de uma forma ideal e que seu mais perfeito estado é o Bem ideal; Aristóteles, por sua vez, entende que é exatamente essa ideia que faz as coisas serem como elas são, para ele, todos os seres vivos buscam o Bem.

O debate desses dois titãs chegou até os nossos dias. Muitas escolas filosóficas se dividem entre platonistas, que acreditam na existência da realidade última das ideias ou formas eternas, a qual é cognoscível apenas por meio da reflexão e da razão, e aristotélicos, que procuram entender a realidade última presente nos objetos físicos, cognoscíveis através da experiência. Aristóteles, no entanto, não consegue se desvencilhar completamente das teses defendidas por seu mestre. Para o Estagirita, todos os objetos, incluindo os organismos, são resultado de um potencial, ou seja, a matéria das coisas, sua realidade e sua forma estão presentes em potência — o que se aproxima muito da forma ideal de Platão. Por exemplo, um bloco de mármore, que para os aristotélicos é a matéria, carrega em si o potencial de assumir qualquer forma que um escultor for capaz de produzir. Da mesma maneira, uma semente tem em si o potencial de se transformar em uma árvore. Um dos pensadores que percebeu tais problemas entre Platão e Aristóteles foi Abelardo (1079-1142), o qual afirmou que ideias universais como "homem", só existem em cada um dos homens, como queria Aristóteles, ou em nossas mentes. Abelardo foi um dos primeiro a dizer que a ideia "homem" não existia concretamente no mundo das ideias, como afirmava Platão.

É essa mesma luta para encontrar uma definição que toma conta de O *Sofista*. Trata-se de um diálogo entre um estrangeiro de Eleia e Teeteto, um dia após este ter conversado com Sócrates. O ponto principal é definir o que é um sofista. Se ele é um filósofo ou apenas alguém que ensina outra coisa. Para o filósofo alemão Boris Groys, como já indicou Antonio Cicero, "na Grécia antiga, os sofistas produziam verdades para o mercado. Ao contrário deles, Sócrates se definia como filósofo, isto é, como aquele que ama a verdade, mas não a possui ou produz, ou como aquele que está disposto a adquirir verdades, desde que se convença de que o que lhe oferecem como verdade é o produto autêntico, e não uma falsificação. Assim, a diferença entre o sofista e o filósofo é que este é o consumidor crítico, enquanto aquele é o produtor de verdades"[1].

O texto trata o sofista como um caçador de jovens ricos, os quais pagavam para os sofistas os ensinarem a debater em público com a arte da retórica.

O sofista seria o responsável por criar possibilidades para jovens gananciosos que sonhavam com o sucesso na vida política de Atenas. Já o verdadeiro filósofo teria como objetivo apenas encontrar a verdade.

Logo, o diálogo rapidamente estabelece que se o sofista é uma pessoa que ensina técnicas de convencimento sem se preocupar com a verdade. Ele é, portanto, um comerciante que vende sua arte aos moradores da cidade. Podemos dizer que o sofista é um mercador de argumentos, uma espécie de professor de retórica.

Nesse sentido, Platão ataca a questão do discurso falso, pois, para ele, o sofista é aquele que cria e vende imagens, as quais não são a verdadeira realidade das coisas, apenas construções mentais criadas com o intuito de se vencer um debate.

De certa forma, o texto demonstra a oposição existente entre as teses de Heráclito e de Parmênides. Platão, por sua vez, concorda com o primeiro, principalmente no que diz respeito à teoria das ideias. Destarte, a discussão em torno do que é e do que não é um sofista acaba se tornando um debate sobre o problema do não ser.

Para Platão, as ideias não estão presentes no mundo. Elas são imutáveis e fazem parte de uma realidade última, em que ficam as coisas perfeitas. Nós, segundo Platão, conhecemos tais ideias apenas por reminiscência.

O diálogo tem, portanto, um objetivo claro: discutir a estrutura da realidade, explicá-la ontologicamente. Para Platão, as ideias exis-

---

[1] CICERO, Antonio; *Folha de S.Paulo*, 20 mar. 2010, Ilustrada.

tem de uma forma diferente do mundo real. É por isso que ataca a tese de Parmênides que afirma: "o ser é, o não ser não é". Para Parmênides, ou as coisas existem ou não existem. Não há uma existência intermediária. Ou algo é ou não há esse algo.

Platão responde que nós não podemos atribuir o ser ao não ser, porque este é inefável, impensável e inexprimível. Não é possível atribuir, portanto, qualidades de ser ao não ser.

Exatamente nesse ponto reside um paradoxo que perdura até hoje: quando nos referimos ao não ser, dizendo que ele é impensável, estamos dando uma qualidade a ele. Quando isso ocorre, o não ser passa, pelo caminho da negação, a ser algo. De certa forma, fica evidente o seguinte problema: o não ser está fora do discurso racional. Ele representa o limite do método filosófico do diálogo. É, de certa forma, um ataque contra a maiêutica criada por Sócrates, a qual, através do diálogo, produz conhecimento.

Nesse momento, o estrangeiro recorre às formas tentando explicar por que as coisas têm as propriedades que elas têm. Em O *Sofista*, esse debate chega ao seu ápice. Platão acaba demonstrando que a questão em torno do não ser se transforma em uma espécie de buraco no qual o sofista se esconde. Sem esse recurso, o sofista se torna, para Platão, um dissimulador, um malabarista das palavras. De certa forma, o texto se torna um ataque ao homem político, educador e filósofo representado pelo sofista.

Como os sofistas estavam envolvidos com os debates políticos da época e eram, em sua maioria, estrangeiros, o texto de Platão se torna um ataque ao cosmopolitismo e ao debate democrático. Esse diálogo da maturidade filosófica de Platão joga luz sobre muitos pontos fundamentais do pensamento do filósofo em seus últimos anos de vida. De certa forma, o texto transmite certo conservadorismo, pois, em função de trabalhos como o do filósofo francês Francis Wolff, hoje sabemos que os sofistas eram profundos defensores da democracia ateniense. O fato de eles receberem dinheiro para ensinar era malvisto por Platão em razão das noções aristocráticas na qual o filósofo havia sido criado. Para os gregos de Atenas, o trabalho assalariado era um demérito. Os sofistas, com sua presença cada vez mais intensa na formação dos novos líderes atenienses, acabavam engajados nas questões da cidade. O ataque de Platão aos sofistas vai contra o poder que esses novos formadores de opinião estavam conquistando. Segundo as palavras de Roger-Pol Droit, "os sofistas gregos não são tão estúpidos e cúpidos quanto Platão quer dar a entender"[2].

---

[2] DROIT, Roger-Pol; Demagogia do pensamento, *Folha de S.Paulo*, 26 fev. 2006, +mais!

O SOFISTA

I

Teodoro — Fiéis, Sócrates, à nossa combinação de ontem, aqui estamos na melhor ordem. Trouxemos este Estrangeiro, natural de Eleia. É amigo dos discípulos de Parmênides e de Zenão, e filósofo de grande merecimento.

Sócrates — Não é o caso, Teodoro, de saber que trouxe um dos deuses em vez de um Estrangeiro, segundo aquilo de Homero, quando diz que, de regra, os deuses, e particularmente aquele preside à hospitalidade, acompanham os cultores da justiça para observarem o orgulho ou a equidade dos homens? Quem sabe se não veio contigo uma dessas divindades, para nos surpreender e nos refutar — argumentadores tão fracos que somos. Seria algum deus disputador?

Teodoro — Não, Sócrates. Não é esse o caráter do nosso Estrangeiro. Ele é mais modesto do que todos esses amantes de discussões. Não acho, absolutamente, que o homem seja alguma divindade. Porém, divino terá de ser, sem dúvida. Não é outro o qualificativo que costumo dar aos filósofos.

Sócrates — E com razão, amigo. Porém talvez a raça dos filósofos não seja, por assim dizer, muito mais fácil de conhecer do que a dos deuses. Em virtude da ignorância da maioria, esses varões percorrem as cidades sob as mais variadas aparências, contemplando, sobranceiros, a vida cá de baixo. Não me refiro aos pretensos filósofos, porém aos de verdade. Aos olhos de algumas pessoas, eles carecem em absoluto de merecimento. Para outros, são dignos de toda a consideração. Ora se apresentam como políticos, ora como sofistas, havendo, até, quem dê a impressão de ser completamente louco. Por isso, gostaria de perguntar ao nosso Estrangeiro, caso nada tenha a opor, como pensam a esse respeito lá por suas bandas e como os denominam.

Teodoro — A que te referes?

Sócrates — Sofista, político, filósofo.

Teodoro — Mas, ao certo, de que se trata, que te deixa tão alvoroçado para interrogá-lo desse modo?

Sócrates — É o seguinte: desejo saber se seus compatriotas os classificam em um só gênero ou em dois. Ou, ainda, por se tratar de três nomes, se atribuem um gênero diferente para cada nome.

Teodoro — A meu ver, ele não se esquivará de nos elucidar esse ponto. O que diremos, Estrangeiro?

Estrangeiro — Isso mesmo, Teodoro. Não me negarei, absolutamente, nem há dificuldade em dizer que os distribuem em três gêneros. Porém, definir com exatidão o que venha a ser cada um não é tarefa pequena nem fácil.

Teodoro — Nem de propósito, Sócrates. Está a sugerir um tema assaz parecido com o assunto sobre que o interrogamos pouco antes de virmos para cá. Suas desculpas de agora são em tudo iguais às que nos apresentou, conquanto admitisse que sobre isso já ouvira muitas discussões e que nada havia esquecido de quanto conversara.

II

Sócrates — Sendo assim, Estrangeiro, não te esquives de satisfazer ao nosso primeiro pedido. Diga apenas se, por uma questão de hábito, preferes desenvolver em um discurso corrido o tema que quer apresentar, ou seguir o método de perguntas, a exemplo do que fez Parmênides na minha presença? Foi uma discussão memorável. Nesse tempo, eu era muito moço e ele já de idade avançada.

Estrangeiro — Quando se acha um interlocutor dócil e complacente, é mais agradável o diálogo, Sócrates. Não sendo isso possível, será melhor falar apenas um.

Sócrates — Convida entre os presentes quem quiseres. Todos te ouvirão de muito bom grado. Porém, se aceita um conselho, sugiro escolher um dos jovens, Teeteto, por exemplo, ou quem julgar mais indicado.

Estrangeiro — Estou acanhado, Sócrates, por ser a primeira vez que falo aqui, com medo de não poder sustentar um diálogo de períodos curtos, em que os interlocutores se alternem, e de me alongar em uma fala estirada como em solilóquio, ou então conversar com meu parceiro como se estivesse em alguma exibição pública. A verdade é que, formulada nesses termos, tal questão não exige resposta concisa, mas uma longa explanação. Por outro lado, me esquivar de tão amável convite, de todos os presentes, depois do que me disse, seria revelar uma rusticidade destoante ao seu bom acolhimento. Muito me agrada ter Teeteto como companheiro nesse diálogo, ainda mais por já termos conversado antes, e agora tu o recomendas.

Teeteto — Resta saber, Estrangeiro, se essa escolha será do agrado de todos, como Sócrates imagina.

Estrangeiro — A meu ver, Teeteto, não há o que discutir. Daqui por diante, parece, terei de dialogar com ti. Se o tamanho do meu discurso o incomodar, não te queixes aos seus amigos, mas a mim.

Teeteto — Não creio que conseguirás me cansar, mas se tal acontecer, chamarei em meu auxílio este outro Sócrates, homônimo de Sócrates, meu coetâneo e companheiro de ginásio. Já estamos habituados a trabalhar juntos.

III

Estrangeiro — Belas palavras, mas sobre isso tu mesmo resolverás no decorrer da discussão. No momento, o que importa é que te associes a mim para darmos início ao estudo, a começar, segundo penso, pelo sofista. Vamos investigá-lo e mostremos com nossa análise o que ele vem a ser. Por enquanto, nós temos apenas um ponto de acordo: o nome. Mas, quanto à coisa designada por esse nome, talvez cada um de nós faça uma ideia diferente. Porém, em toda discussão, o que importa é ficar em concordância com relação à própria coisa, por meio da explicação adequada e não apenas a respeito do nome. A tribo dos sofistas que nos dispomos a investigar não é fácil de definir. Mas para levar a bom termo grandes esforços, segundo o preceito antigo de aceitação geral, só será de vantagem experimentar antes as forças em temas menores e mais fáceis, e só depois passar para os maiores. Por isso, Teeteto, o que na presente situação sugiro para nós dois, já que reconhecemos ser difícil e trabalhosa a raça dos sofistas, é nos exercitarmos primeiro em algum tema simples, a menos que queiras indicar um caminho mais cômodo.

Teeteto — Não. Nada me ocorre nesse sentido.

Estrangeiro — Concordas, então, em escolhermos um exemplo singelo e apresentá-lo como modelo para o maior?

Teeteto — Concordo.

Estrangeiro — Que assunto escolheremos, simples, a um tempo e fácil de conhecer, mas cuja explicação não exija menor número de características do que temas importantes? O do pescador, talvez? Não é assunto bastante conhecido e não nos merece a maior atenção?

Teeteto — Isso mesmo.

Estrangeiro — Espero que nos aponte o caminho procurado e propicie a definição mais condizente com o nosso intento.

Teeteto — Seria ótimo.

IV

Estrangeiro — Pois então vamos começar. Diga-me uma coisa: como devemos concebê-lo? É artista ou sujeito que não usa de arte, porém dotado de alguma outra capacidade?

Teeteto — De jeito nenhum não usa de arte.

Estrangeiro — Mas todas as artes se reduzem a duas espécies.

Teeteto — Como assim?

Estrangeiro — A agricultura e tudo o que trata do corpo mortal mais tudo o que se relaciona com os objetos compostos e manipulados, aos quais damos o nome de utensílios e, por último, a imitação: não será justo designar tudo isso por um único nome?

Teeteto — Como assim? E que nome será?

Estrangeiro — Damos o nome de produtor a quem traz para a existência o que antes não existia, como denominamos produto o que passa a existir em cada caso particular.

Teeteto — Certo.

Estrangeiro — Então, designemos tudo isso por um nome único: serão as artes produtivas.

Teeteto — Seja.

Estrangeiro — Depois dessas, vem a classe inteira das artes da aprendizagem e do conhecimento, as do ganho, a da luta e a da caça, as quais nada fabricam, mas que, por meio da palavra ou da ação, procuram se apropriar do que existe ou foi produzido, ou impedir que outros se apropriem. O nome genérico mais indicado para todas essas atividades seria o de arte aquisitiva.

Teeteto — Sem dúvida.

V

Estrangeiro — Ora, uma vez que todas as artes ou são criadoras ou aquisitivas, em que classe, Teeteto, colocaremos a do pescador?

Teeteto — Na aquisitiva, é claro.

Estrangeiro — Porém, não há duas modalidades de aquisição? De um lado, temos a troca, sempre voluntária, por meio de presentes, locação e compra. E do outro, tudo o que visa à captura por meio da ação ou da palavra: a arte da captura.

Teeteto — É o que se conclui a partir do que acabou de expor.

Estrangeiro — E então? A captura, por sua vez, não pode ser subdividida?

Teeteto — De que jeito?

Estrangeiro — Classificando no gênero da luta tudo o que é feito a descoberto, e no da caça o que for às ocultas.

Teeteto — Bem.

Estrangeiro — Porém, seria ilógico não dividir também em dois a arte venatória.

Teeteto — Então, explica o modo.

Estrangeiro — De um lado, a caça de objetos sem vida, e, do outro, a dos seres animados.

Teeteto — E por que não dividirmos assim mesmo, se ambos existem?

Estrangeiro — Existem, não há dúvidas. Para a classe dos inanimados não há nome específico, se não for apenas a parte que entende com a arte de mergulhar e outras igualmente insignificantes, que deixaremos de lado. Mas para a dos seres animados, referente à caça de animais vivos, reservaremos o nome de caça animal.

Teeteto — Que seja.

Estrangeiro — E relativamente à caça animal, seria lícito distinguir duas subclasses. De um lado, a dos animais que andam na terra, subdividida em muitas espécies, cada uma delas com seu nome particular, a que daremos a denominação genérica de caça aos animais marchadores, e, do outro, a que compreende os nadadores?

Teeteto — Perfeitamente.

Estrangeiro — No gênero dos nadadores temos, ainda, a tribo dos voláteis e a dos aquáticos.

Teeteto — Como não?

Estrangeiro — Para conjunto da caça referente ao gênero dos voláteis damos o nome de caça aos pássaros, não é isso mesmo?

Teeteto — É como a denominam.

Estrangeiro — E à caça de quase todos os animais que vivem na água se dá o nome de pescaria.

Teeteto — Isso mesmo.

Estrangeiro — E então? Essa última caça, por sua vez, não poderia ser separada em duas grandes seções?

Teeteto — Quais seriam?

Estrangeiro — A caça realizada por meio de cercados e a que consiste no golpeamento da vítima.

Teeteto — Que queres dizer com isso e em que se diferenciam?

Estrangeiro — Na primeira, tudo o que retém envolve a caça, para impedir que fuja, chama-se naturalmente cercado.

Teeteto — Perfeitamente.

Estrangeiro — Covos, redes, laços, cestas e outros engenhos do mesmo tipo. Que denominação mais certa daremos a essas, se não for a de cercados?

Teeteto — Não há outra.

Estrangeiro — Então, a essa modalidade de caça daremos o nome de caça por cerco ou coisa parecida.

Teeteto — Exato.

Estrangeiro — A outra, feita por meio de golpes de anzol ou de tridente, para ser englobada em um só nome poderá ser denominada caça vulnerante, a menos, Teeteto, que sugerisses algum nome mais adequado.

Teeteto — Não façamos questão de nomes. Esse mesmo está bom.

Estrangeiro — A caça vulnerante apresenta ainda a variedade noturna, feita ao clarão de archotes. Os caçadores a denominam caça ao fogo.

Teeteto — Perfeitamente.

Estrangeiro — A realizada de dia, pelo fato de serem os tridentes munidos de fisgas nas extremidades, é chamada pesca de fisga.

Teeteto — Esse é, de fato, o nome que lhe dão.

VI

Estrangeiro — À pesca de fisga, quando praticada de cima para baixo, dá-se o nome de pesca de tridente, por ser este o instrumento usualmente empregado.

Teeteto — Há quem a denomine desse modo.

Estrangeiro — Tudo o mais se inclui em uma só espécie.

Teeteto — Qual será?

Estrangeiro — A que fere em sentido inverso da precedente, com o recurso do anzol e não fere o peixe em qualquer parte do corpo, como o faz o tridente, porém sempre na cabeça e na boca, e o puxa de baixo para cima — o contrário, justamente, do processo anterior — com a ajuda de varas e caniços. A essa modalidade de pesca, Teeteto, que denominação daremos?

Teeteto — Ao que parece, trata-se, precisamente, da que nos propusemos a descobrir e que, de fato, descobrimos.

VII

Estrangeiro — Desse modo, no que diz respeito à arte da pesca, eu e tu chegamos a um completo acordo, e não apenas quanto ao nome, pois demos uma explicação cabal da própria coisa. Vimos, em verdade, que metade da arte em geral é aquisição. Metade da aquisição é captura. Metade da captura é caça, cuja metade, por sua vez, é caça aos animais, com uma das metades reservada à caça aos animais aquáticos. A parte inferior dessa porção é inteiramente dedicada à pesca. A porção inferior da pesca consiste na pesca vulnerante, e a desta, na pesca por fisga. Essa modalidade de pesca, a que apanha a vítima e a puxa de baixo para cima, tira a denominação do próprio ato da tração da linha naquele sentido, do qual vem ser chamada aspaliêutica.

Teeteto — Em tudo é perfeita a explicação apresentada.

VIII

Estrangeiro — Pois então, de acordo com esse modelo, procuremos descobrir o que venha a ser sofista.

Teeteto — Perfeitamente.

Estrangeiro — A primeira questão levantada a respeito do pescador com anzol foi a de saber se ele deve estar na conta de ignorante no seu mister ou na de artista.

Teeteto — Certo.

Estrangeiro — E agora, Teeteto, com referência ao nosso homem, iremos apresentá-lo como ignorante ou como sofista, no sentido lato da expressão?

Teeteto — Ignorante, de jeito nenhum. Compreendo o que queres dizer. Quem se adorna com aquele nome, terá de honrá-lo em toda a linha.

Estrangeiro — Sendo assim, precisaremos admitir que ele domina alguma arte.

Teeteto — E qual poderá ser?

Estrangeiro — Oh! Pelos deuses! Passou-nos despercebido que este aqui é aparentado do outro.

Teeteto — Este, qual? E de quem é parente?

Estrangeiro — O pescador de anzol é parente do sofista.

Teeteto — Como assim?

Estrangeiro — Acho que ambos são caçadores.

Teeteto — Que caça ele persegue? Pois do pescador já falamos.

Estrangeiro — Não dividimos em duas partes a caça em geral? A dos seres que nadam e a dos que marcham.

Teeteto — Dividimos.

Estrangeiro — Na primeira, apontamos todas as espécies de animais que nadam. Os que andam sobre a terra não subdividimos. Dissemos apenas que apresentam inúmeras formas.

Teeteto — Perfeitamente.

Estrangeiro — Até aqui, então, o sofista e o pescador de linha trilham a mesma estrada, a da arte aquisitiva.

Teeteto — Pelo menos, é o que parece.

Estrangeiro — Porém, separam-se a partir da caça aos animais. O primeiro, em direção do mar, dos rios e dos lagos, em busca dos animais que aí vivem.

Teeteto — Sem dúvida.

Estrangeiro — O outro procura a terra e as correntes de várias naturezas. Rios de riqueza e prados pululantes de jovens, a fim de caçar as criaturas aí existentes.

Teeteto — Que queres dizer com isso?

Estrangeiro — A caça dos marchadores compreende duas grandes divisões.

Teeteto — Quais são?

Estrangeiro — A dos animais domesticados e a dos selvagens.

IX

Teeteto — Como! Há também caça aos animais domesticados?

Estrangeiro — Sem dúvida, no caso de incluirmos o homem na classe desses animais. Formula a hipótese que te aprouver. Ou não há animal domesticado ou há, realmente, mas o homem é selvagem. Ou então, se considera o homem um animal domesticado e não admite que possa haver caça ao homem. Declara qual dessas hipóteses é mais do teu agrado.

Teeteto — Nesse caso, Estrangeiro, sou levado a admitir que somos animais domesticados e declaro que há, realmente, uma caça ao homem.

Estrangeiro — Então que fique claro desde já que também é dupla a caça aos animais domesticados.

Teeteto — Em que sua proposição se apoia?

Estrangeiro — A pirataria, o tráfico de escravos, a tirania e a arte bélica em geral são definidas como pertencentes à caça violenta.

Teeteto — Ótimo.

Estrangeiro — Os discursos do foro, das assembleias populares, a arte da conversação englobaremos em uma só classe, a que daremos o nome de arte da persuasão.

Teeteto — Certo.

Estrangeiro — Vamos declarar, ainda, que a arte da persuasão comporta dois gêneros.

Teeteto — Quais serão?

Estrangeiro — Uma caça é particular e a outra é pública.

Teeteto — São dois, realmente, os gêneros.

Estrangeiro — E na caça aos particulares, uma parte não é feita mediante salário, e outra, por meio de presentes?

Teeteto — Não compreendo.

Estrangeiro — Pelo que vejo, ainda não atentou para a caça aos amantes.

Teeteto — De que jeito?

Estrangeiro — É que, além de apanharem a presa, dão presentes a ela.

Teeteto — É muito certo o que dizes.

Estrangeiro — Demos, pois, a essa espécie o nome de arte de amor.

Teeteto — Perfeitamente.

Estrangeiro — Porém, da arte com base no salário, a modalidade que se manifesta nas conversas, com o simples objetivo de agradar e que só usa o prazer como isca, sem nada mais exigir para sua subsistência, acho que todos nós concordaríamos em qualificá-la como aduladora ou simplesmente arte recreativa.

Teeteto — Sem dúvida nenhuma.

Estrangeiro — E a modalidade que promete ensinar a virtude por meio da conversação e que se faz pagar em espécie não merece, como gênero à parte, uma denominação especial?

Teeteto — Como não?

Estrangeiro — E que nome será? Qual sua sugestão?

Teeteto — Muito fácil. Acho que encontramos o sofista. Designando-o desse modo, é o nome mais acertado.

X

Estrangeiro — Assim, Teeteto, de acordo com a presente exposição, a caça de jovens ricos e proeminentes é uma arte que envolve negociação e venda. Nela, pretensamente, o dinheiro compra a educação e a habilidade para falar em público. Essa caça de seres humanos ocorre no âmbito privado e em terra firme. É, portanto, uma aquisição na qual mancebos ricos e de famílias ilustres pagam para receber uma aparente instrução, conforme indica a presente exposição.

Teeteto — Exato.

Estrangeiro — Consideremos também o seguinte, pois o que procuramos não participa de uma arte simples, senão de múltiplas facetas. De tudo o que expusemos até agora, só nos surgiu um simulacro, como se o sofista não fosse o que acabamos de dizer, mas pertencesse a um gênero diferente.

Teeteto — Como assim?

Estrangeiro — A arte aquisitiva compreende duas espécies. Uma, na base de donativos, e a outra, na de compra e venda.

Teeteto — Sim, digamos isso mesmo.

Estrangeiro — Acrescentemos, ainda, que esta última, a de compra e venda, é também dupla.

Teeteto — De que jeito?

Estrangeiro — Uma parte consiste na venda direta da produção. A outra é a troca de produtos de origem diferente.

Teeteto — Perfeitamente.

Estrangeiro — E então? As trocas efetivadas na cidade e que abrangem quase metade dessas transações não constituem a atividade própria dos varejistas?

Teeteto — Certo.

Estrangeiro — E a outra modalidade, de trocas efetuadas entre cidades diferentes, por meio de compra e venda, não define exatamente os mercadores?

Teeteto — Como não?

Estrangeiro — Porém já não observamos que no comércio há uma parte em que se vende e compra, e que serve para uso e alimento do corpo, e outra para uso da alma?

Teeteto — Que quer dizer com isso?

Estrangeiro — Talvez estejamos ignorando a que diz respeito à alma, pelo fato de conhecermos muito bem a outra.

Teeteto — Isso mesmo.

Estrangeiro — Vamos declarar, então, que a arte da música em geral sempre que é levada de cidade em cidade, comprada aqui, transportada e vendida em outro lugar. A pintura, a arte da prestidigitação e muitas outras que se relacionam com a alma e são transportadas e vendidas, ora como simples meio de deleite ora para fins mais sérios, conferem aos que as compram e vendem, com o mesmo direito com que o faz o comércio de alimentos e de bebidas, o nome de negociantes.

Teeteto — Nada mais certo.

Estrangeiro — E a quem vai de cidade em cidade e compra conhecimento por atacado, para trocá-lo por dinheiro, não será designado pelo mesmo nome?

Teeteto — Com toda a segurança.

XI

Estrangeiro — E a uma parte desse comércio de mercadorias da alma, não caberia, com justiça, a denominação de ostentação, como a outra, não menos risível do que a primeira e que também vende conhecimentos, não precisará ser designada por algum nome relacionado com sua atividade?

Teeteto — Perfeitamente.

Estrangeiro — Sendo assim, daremos um nome a essa modalidade de comércio de conhecimentos que se relaciona com o conhecimento das outras artes, e que outro nome à que se ocupa com a virtude?

Teeteto — Como não?

Estrangeiro — Tráfico de artes é a designação mais indicada para a primeira. Quanto à outra, que nome podes me sugerir?

Teeteto — E por que nome poderíamos defini-la sem perigo de errar, se não for justamente pelo que procuramos, o gênero sofístico?

Estrangeiro — Não há outro. Então, vamos resumir tudo isso, para dizer que, pela segunda vez, a sofística nos foi revelada como a parte da aquisição, da troca, do comércio, do tráfico, do negócio de mercadorias da alma relativo aos discursos, aos conhecimentos e à virtude política.

Teeteto — Perfeitamente.

Estrangeiro — O terceiro seria, segundo creio, o de quem se estabelecesse na cidade com o intuito de viver da venda de conhecimentos desses objetos por ele mesmo fabricados ou comprados. Ouso dizer que aplicaria a mesma denominação que usamos há pouco.

Teeteto — Sem dúvida.

Estrangeiro — Assim, a essa parte da arte aquisitiva que se exerce por troca e consiste na revenda a varejo ou na venda de seus próprios produtos, de qualquer forma, uma vez que esse comércio diz respeito ao gênero de conhecimentos de que já falamos, sempre se dará o nome de sofística.

Teeteto — Necessariamente. Não posso perder de vista as pegadas do argumento.

XII

Estrangeiro — Vejamos agora se o gênero por nós procurado não tem alguma semelhança com tudo isso.

Teeteto — Semelhança? De que jeito?

Estrangeiro — Já vimos que a disposição para a luta constitui uma das condições da arte aquisitiva.

Teeteto — Sem dúvida.

Estrangeiro — Então, não será fora de propósito dividi-la em duas partes.

Teeteto — Declaremos logo quais são.

Estrangeiro — Uma é competição. A outra, pugna.

Teeteto — Exato.

Estrangeiro — A parte da luta que se exerce corpo a corpo pode ser natural e convenientemente aplicado o qualificativo de violenta.

Teeteto — Isso mesmo.

Estrangeiro — E a que consiste no entrechoque de discursos, que nome lhe daremos se não for o de controvérsia?

Teeteto — Não há outro.

Estrangeiro — Mas o gênero da controvérsia terá, por sua vez, de ser subdividido.

Teeteto — De que maneira?

Estrangeiro — Quando o debate consta de digressões a respeito do justo e do injusto, recebe o qualificativo de forense ou judicial.

Teeteto — Certo.

Estrangeiro — Porém, quando é realizado entre particulares e cortado em pedacinhos, por meio de perguntas e respostas, não temos o costume de dar-lhe o nome de contenda?

Teeteto — Não há outro.

Estrangeiro — E na contenda, a parte que consiste na mera discussão sobre contratos, sem método nem regras de arte, deve ser considerada de espécie diferente, já que nossa argumentação a reconhece como tal, embora os antigos não lhe tenham aplicado nome, nem mereça, agora, que lhe reservemos designação especial.

Teeteto — É muito certo, pois está subdividida em pequeninas e variadas partes.

Estrangeiro — E a que é feita com arte, acerca do justo e do injusto e de outros assuntos gerais, não temos por hábito denominar erística?

Teeteto — Como não?

Estrangeiro — Mas há uma erística que sabe ganhar dinheiro, e outra que o dissipa.

Teeteto — Perfeitamente.

Estrangeiro — Tentemos, agora, encontrar a designação adequada para cada uma.

Teeteto — Sim, façamos isso.

Estrangeiro — Para mim, a disputa levada a cabo como simples jogo verbal e com negligência dos interesses próprios, em estilo nada agradável para a maioria dos ouvintes, na minha maneira de pensar só merece o de verbosidade.

Teeteto — É realmente como a denominam.

Estrangeiro — Por outro lado, a que junta dinheiro com discussões particulares, sugiras tu mesmo um nome conveniente.

Teeteto — O que posso dizer sem perigo de errar, a não ser que, pela quarta vez, nos apareceu aquele tipo estupendo, em cujo encalce nos achamos: o sofista?

A PURIFICAÇÃO

Estrangeiro — Isso mesmo. Segundo provou nossa argumentação, o sofista provém do gênero lucrativo, da arte erística, da arte de disputas, das controvérsias, da arte do combate, da arte da luta e do ganho.

Teeteto — Nada mais verdadeiro.

XIII

Estrangeiro — É muito acertado dizer que se trata de um animal de múltiplas facetas. Daí, confirma-se o dito de que nem tudo se pode pegar só com uma das mãos.

Teeteto — Pois empreguemos duas.

Estrangeiro — Sim, é o que precisaremos fazer, empenhando nisso todos os nossos recursos, a fim de acompanhar seu rastro. Diga-me se não temos designações especiais para determinadas ocupações servis?

Teeteto — Muitas, até. Porém, no meio de tantas, a quais se refere, em especial?

Estrangeiro — Penso nas seguintes: coar, peneirar, joeirar, debulhar.

Teeteto — E daí?

Estrangeiro — E também cardar, fiar, urdir e mil outras de emprego corrente em ocupações congêneres, não é isso mesmo?

Teeteto — Aonde queres chegar com tais exemplos e para que tantas perguntas?

Estrangeiro — De modo geral, todos esses vocábulos exprimem a ideia de separação.

Teeteto — Certo.

Estrangeiro — De acordo com o meu raciocínio, se uma arte abrange todas essas ocupações, teremos de atribuir a ela um único nome.

Teeteto — E como a denominaremos?

Estrangeiro — Arte de separar.

Teeteto — Que seja.

Estrangeiro — Considera agora que será possível distinguir duas espécies?

Teeteto — É uma tarefa muito rápida.

Estrangeiro — Porém, nas distinções feitas por nós, já tratamos da separação entre o pior e o melhor, e também entre semelhante e diferente.

Teeteto — Dita dessa maneira, parece-me bastante clara.

Estrangeiro — Não conheço o nome que geralmente se aplica a esta última separação, mas sei o que dão à outra, a que retém o melhor e rejeita o pior.

Teeteto — E qual é?

Estrangeiro — No meu entender, todas as separações desse tipo são geralmente chamadas de purificação.

Teeteto — Com efeito, é como as denominam.

Estrangeiro — E todo o mundo não perceberá que há duas espécies de purificação?

Teeteto — Depois de refletir, é possível. Eu, pelo menos, não percebo purificação alguma.

XIV

Estrangeiro — Será conveniente abranger em uma designação única as diferentes modalidades de purificação do corpo?

Teeteto — Quais seriam e como se chamam?

Estrangeiro — Primeiro, as dos seres vivos que operam no interior do corpo. Graças a uma discriminação exata pela ginástica e a medicina, como a purificação externa, de designação corriqueira, alcançada pela arte do banho. Depois, a dos corpos inanimados, que compreende a arte do pisoeiro e a dos adornos em geral, de infinitas modalidades, cujos nomes são considerados ridículos.

Teeteto — É muito certo.

Estrangeiro — Certo, não, Teeteto. Certíssimo. Mas o método argumentativo não dá maior nem menor importância à purificação por meio da esponja do que à obtida com poções medicamentosas, jamais perguntando se os benefícios de uma são mais ou menos relevantes do que os da outra. Para alcançar o conhecimento é que ela se esforça por observar as afinidades ou diferenças entre as artes, honrando a todas igualmente e quando chega a compará-las, não conclui que uma seja mais ridícula do que a outra. Não considera, ainda, mais importante quem ilustra a arte da caça com o exemplo do estratego do que com o do matador de pulgas, porém mais pretensioso. Do mesmo modo, agora, no que entende com o nome para designar o conjunto das forças purificadoras dos corpos, quer sejam animados quer não sejam, não se preocupa no mínimo de saber que nome é de aparência mais distinta. Limitar-se-á a separar a purificação da alma, deixando num único feixe às outras purificações, sem indagar do objeto sobre que se exercem. Seu intento exclusivo consiste nisto, precisamente: separar das demais purificações a que tem por objetivo a alma, se é que compreendemos o seu fim.

Teeteto — Penso que já compreendi e admito que haja duas espécies de purificação, sendo diferente da do corpo a que se exerce sobre a alma.

Estrangeiro — Ótimo! Agora, ouça o que segue e procura partir ao meio esta última seção.

Teeteto — Sob tua direção, tentarei dividir conforme sua vontade.

XV

Estrangeiro — A maldade na alma não é algo diferente da virtude?

Teeteto — Como não?

Estrangeiro — E purificação não consiste em jogar fora a parte ruim e conservar tudo o mais?

Teeteto — Isso mesmo.

Estrangeiro — Sendo assim, todo meio que encontrarmos de expungir a alma de maldade, se escolhermos o nome de purificação, teremos falado com acerto.

Teeteto — Perfeitamente.

Estrangeiro — Precisamos admitir que na alma há duas espécies de maldade.

Teeteto — Quais serão?

Estrangeiro — Uma está na alma como a doença está no corpo. A outra, como a fealdade.

Teeteto — Não compreendo.

Estrangeiro — Talvez não consideres a doença a mesma coisa que discórdia.

Teeteto — Sobre isso, também, não sei o que devas responder.

Estrangeiro — Parece que a discórdia não é a dissolução de elementos aparentados pela ação de algum dissídio intercorrente?

Teeteto — Não será outra coisa.

Estrangeiro — E fealdade não é o defeito de proporção, gênero por demais nocivo à vista?

Teeteto — Sim, terá de ser isso, simplesmente.

Estrangeiro — E então? Já não observamos que na alma dos indivíduos ruins estão sempre em conflito as opiniões e os desejos, a coragem e os prazeres, a razão e as tristezas, e tudo o mais da mesma natureza, em constante oposição?

Teeteto — Sem dúvida.

Estrangeiro — Logo, tudo isso apresenta afinidade recíproca?

Teeteto — Como não?

Estrangeiro — Nesse caso, se designarmos a maldade como doença e discórdia da alma, teremos encontrado o termo exato.

Teeteto — Corretíssimo.

Estrangeiro — Como? Se as coisas que participam do movimento e tendem para determinada meta errarem o alvo e passarem de lado a cada tentativa no propósito de alcançá-la, diremos que isso acontece em virtude da simetria existente entre eles ou da assimetria?

Teeteto — Da assimetria, evidentemente.

Estrangeiro — Por outro lado, sabemos muito bem que nenhuma alma ignora voluntariamente seja o que for.

Teeteto — É muito certo.

Estrangeiro — Ora, errar nada mais é do que desviar a alma de seu caminho quando em busca da verdade, sem passar ao lado dela o entendimento.

Teeteto — Exato.

Estrangeiro — Nesse caso, precisaremos atribuir fealdade e assimetria à alma ignorante.

Teeteto — É claro.

Estrangeiro — Há nela, portanto, dois gêneros de males. Um, designado geralmente como maldade, é, sem dúvida, doença da alma.

Teeteto — Certo.

Estrangeiro — O outro tem o nome de ignorância. Mas, por ser o único vício da alma, de regra não a consideram como tal.

Teeteto — Evidentemente, tenho de admitir o que a princípio duvidava quando declarou haver dois gêneros de maldade na alma, e que a covardia, a intemperança e a injustiça devem ser consideradas em conjunto como uma doença, e as manifestações da ignorância, tão variadas quanto frequentes, como deformidade.

XVI

Estrangeiro — E para o caso do corpo, não se formaram duas artes que se ocupam com essas duas afecções?

Teeteto — Quais serão?

Estrangeiro — Para a fealdade, ginástica, e para a doença, medicina.

Teeteto — É evidente.

Estrangeiro — E onde há insolência, injustiça e covardia, não é a correção, dentre todas as artes, a mais de acordo com a justiça?

Teeteto — Com toda a probabilidade. Pelo menos, assim pensa a maioria.

Estrangeiro — E então? Para a ignorância em geral, podemos destacar uma arte mais adequada do que a da instrução?

Teeteto — Não há outra.

Estrangeiro — Com respeito à arte do ensino, diremos que só há um gênero, ou que há pelo menos dois, e ambos de grande importância? Pense no caso.

Teeteto — Já pensei.

Estrangeiro — A meu ver, assim resolveremos mais facilmente a questão.

Teeteto — Como será?

Estrangeiro — Examinando a ignorância, para ver se pode ser dividida ao meio. Sendo dupla, é evidente que o ensino deverá também constar de duas partes, uma para cada divisão da ignorância.

Teeteto — E, com isso, já se revelou o que procuramos?

Estrangeiro — Acho que consegui isolar uma espécie grande e um tanto nociva de ignorância, que sozinha vale por todas as outras reunidas.

Teeteto — Qual é?

Estrangeiro — Quando se imagina conhecer o que não se conhece. Talvez seja essa a origem dos erros a que está sujeito o intelecto.

Teeteto — É verdade.

Estrangeiro — Essa espécie de ignorância, quero crer, é a única que recebeu o nome de tolice.

Teeteto — Perfeitamente.

Estrangeiro — E como designaremos a parte do ensino que nos livra de tal inconveniente?

Teeteto — Por mim, Estrangeiro, acho que a parte restante tem o nome de ensino profissional. A outra, pelo menos entre nós, é denominada educação.

Estrangeiro — O mesmo se observa, Teeteto, entre os demais helenos. Porém, ainda nos falta considerar se a educação é um todo indivisível ou se comporta alguma divisão merecedora de nome especial?

Teeteto — Falta isso, realmente.

XVII

Estrangeiro — Parece-me que neste ponto ela é divisível.

Teeteto — Onde?

Estrangeiro — No ensino pelo discurso, ao que parece, há um trecho mais áspero e outro mais liso.

Teeteto — E que qualificativo daremos?

Estrangeiro — Um deles é o método vetusto e venerável que nossos pais geralmente seguiam na educação dos filhos e que ainda hoje muitos adotam quando os veem cometer alguma falta, misto moderado de reprimenda e advertência, que no todo poderia ser chamado exortação.

Teeteto — Isso mesmo.

Estrangeiro — Por outro lado, depois de maduras reflexões, há os que opinam que toda ignorância é involuntária e que nenhum dos que se julgam sábios estão dispostos a aprender seja o que for daquilo em que se considera forte. Assim, com todo seu trabalho, o método educativo pela admoestação alcança resultados medíocres.

Teeteto — Têm razão de pensar dessa maneira.

Estrangeiro — Daí, adotarem outro processo para se livrarem de semelhante presunção.

Teeteto — Qual é?

Estrangeiro — Formulam uma série de perguntas sobre o assunto em que o interlocutor pensa responder com vantagem, quando a verdade é que não diz coisa com coisa. Depois, aproveitando-se de sua desorientação rebatem facilmente as opiniões, que se amontoam na crítica e as submetem. Ao confrontar com as outras, mostram como se contradizem sobre os mesmos objetos em idênticas relações e igual sentido. Os que se veem assim confundidos, acabam por cair em desgosto de si próprios e se mostrar mais dóceis com relação aos outros. Isso os livra do exagerado conceito que faziam deles mesmos, o que, de todas as liberações, é a mais agradável de ser ouvida e a de melhor efeito para o interessado. O que se dá, meu caro, é que esses purificadores pensam exatamente como os médicos do corpo, que acreditam que o corpo não tira benefício algum dos alimentos sem que primeiro alguém remova o que o perturba. O mesmo pensam aqueles a respeito da alma, que não pode colher vantagem dos ensinamentos ministrados enquanto não for submetida à crítica rigorosa e à refutação. Se não a fizer enrubescer de vergonha e livrá-la das falsas opiniões que servem de obstáculo ao conhecimento não poderá ser purificada. Precisa levá-la à convicção de que só sabe o que realmente sabe, nada mais do que isso.

Teeteto — Sem dúvida. Essa é a melhor e mais sábia disposição.

Estrangeiro — Por isso mesmo, Teeteto, devemos admitir que a refutação é a maior e mais eficiente purificação, sendo necessário concluir que o indivíduo que se eximir desse processo, ainda mesmo que se trate do Grande Rei, é impuro no mais alto grau. É ignorante e deformado naquilo em que deveria mostrar-se verdadeiramente abençoado caso fosse o mais justo e puro.

Teeteto — Perfeitamente.

ANTILOGIA

A ANTILOGIA SOFÍSTICA

XVIII

Estrangeiro — E então? E os que praticam semelhante arte? Como os denominaremos? Eu, de mim, tenho medo de considerá-los sofistas.

Teeteto — Por quê?

Estrangeiro — Para não lhes conferir demasiada honra.

Teeteto — Mas a descrição se parece maravilhosamente com eles.

Estrangeiro — Como o lobo se parece com o cão, o animal mais selvagem com o mais manso. Quem é precavido emprega com cautela semelhantes comparações. É um gênero escorregadio. Mas, que fique. Quero crer que não suscitaremos conflitos por pequena diferença de palavras, se sempre os mantivermos sob vigilância severa.

Teeteto — Com toda a probabilidade.

Estrangeiro — Destaquemos, então, da arte de separar a de purificar. Da de purificar, a parte que se relaciona com a alma, desta a do ensino, e da do ensino a arte da educação. Na arte da educação, conforme já vimos de relance, a refutação das vãs ostentações de sabedoria nada mais é do que a sofística de nobre nascimento.

Teeteto — Façamos isso mesmo. Mas, em virtude de já nos ter sido apresentado sob tantos aspectos, confesso dificuldade em formular com verdade e segurança a definição certa do sofista.

Estrangeiro — Compreendo que te encontres em dificuldade. Mas teremos de admitir que ele, também, não estará menos atrapalhado para achar maneira de escapar de nossa argumentação. É muito certo o ditado: "Não é fácil fugir de tudo". Por isso, apertemo-lo até o fim.

Teeteto — Falaste bem.

XIX

Estrangeiro — Inicialmente, aproveitemos esta pausa para tomar fôlego, e enquanto descansamos, cá entre nós façamos a conta das formas sob que o sofista já nos apareceu. Se me lembro bem, de início achamos que ele era um caçador que sabia cobrar seus serviços para pegar moços ricos.

Teeteto — Isso mesmo.

Estrangeiro — Em segundo lugar, um mercador de conhecimentos para a alma.

Teeteto — Perfeitamente.

Estrangeiro — E em terceiro, revelou ser um retalhista desses mesmos conhecimentos?

Teeteto — Sim. E, em quarto, fabricante dos conhecimentos que ele próprio vende.

Estrangeiro — Tens boa memória. A quinta fica a meu cargo definir: uma espécie de atleta nos certames da palavra e por demais habilidoso na arte das disputas.

Teeteto — Isso mesmo.

Estrangeiro — A sexta forma suscitou discussões. Não obstante, concordamos em atribuir a ele o papel de purificador das opiniões que na alma servem de obstáculo para o conhecimento.

Teeteto — Perfeitamente.

Estrangeiro — Ainda não foi possível perceber que o indivíduo versado em diferentes conhecimentos, sempre que é designado profissionalmente pelo nome de uma única arte, não nos proporciona uma imagem sadia? É evidente que quem faz tal ideia de determinada arte é incapaz de distinguir nela o ponto de convergência daqueles conhecimentos. Essa é a razão de ser ele designado por muitos nomes, não apenas por um.

Teeteto — É bem provável que tudo se passe como disseste.

XX

Estrangeiro — Precisamos de cautela para que não nos aconteça a mesma coisa por falta de diligência em nossa investigação. Voltemos para o começo e recapitulemos o que ficou dito a respeito do sofista. Uma particularidade me parece designá-lo à maravilha.

Teeteto — Qual é?

Estrangeiro — Se estou bem lembrado, dissemos que era disputador.

Teeteto — Certo.

Estrangeiro — E então? E também não afirmamos que ele ensinava a outras pessoas essa mesma arte?

Teeteto — Afirmamos.

Estrangeiro — Determinemos, então, que essa gente se considera competente para ensinar aos outros a arte de disputar. De início, orientemos nosso exame da seguinte maneira: será acerca das coisas divinas de modo geral, ocultas aos homens, que eles comunicam a seus discípulos a capacidade de discutir?

Teeteto — Pelo menos, é o que todos dizem.

Estrangeiro — E também acerca de tudo o que vemos na terra e no céu e de quanto em ambos se contém.

Teeteto — Por que não?

Estrangeiro — Mas, em suas reuniões particulares, quando discutem problemas gerais da geração e do ser, sabemos perfeitamente que são tão fortes na arte de se contradizerem, como capazes de transmitir aos outros essa mesma habilidade.

Teeteto — Perfeitamente.

Estrangeiro — E a respeito das leis e dos negócios públicos, não se comprometem a fazer dos outros bons disputadores?

Teeteto — Ninguém, por assim dizer, os procuraria, se da parte deles não houvesse tal promessa.

Estrangeiro — No que entende com as artes em geral e com cada uma em particular, que todas as objeções a que os respectivos profissionais precisarão responder foram redigidas em forma popular e se encontram ao alcance de quem quiser estudá-las.

Teeteto — Parece-me se referir aos escritos de Protágoras sobre a luta e outras artes similares.

Estrangeiro — Isso mesmo, meu caro, e a muitas outras coisas mais. E sua arte de contradizer não se afigura, em resumo, uma faculdade capaz de discutir todos os assuntos?

Teeteto — Parece mesmo que pouquíssima coisa lhe escapa.

Estrangeiro — Mas, pelos deuses, meu rapaz, acha possível semelhante coisa? Talvez nossos olhos ingênuos distingam com nitidez o que para os nossos é confuso.

Teeteto — A que te referes, e qual a razão de se manifestar desse modo? Não apanho bem o sentido da questão.

MIMÉSIS

A PRODUÇÃO MIMÉTICA DE IMAGENS

Estrangeiro — Pergunto se é possível conhecer-se tudo.

Teeteto — Se fosse assim, Estrangeiro, a raça humana seria composta só de eleitos.

Estrangeiro — De que maneira, então, em num debate com algum indivíduo atilado poderá o ignorante dizer algo sadio?

Teeteto — Não é possível.

Estrangeiro — E qual será o segredo dessa habilidade sofística?

Teeteto — A respeito de quê?

Estrangeiro — Como chegam a convencer os moços de que eles sabem tudo? Pois é evidente que se não discutissem nem lhes deixassem a impressão de bons disputadores, ou, ainda que o fizessem, se esses mesmos dotes de controversistas não lhes granjeassem fama de sábios, conforme acabaste de dizer, de maravilha se decidiria alguém a dar-lhes dinheiro só para ter a honra de tornar-se seu discípulo.

Teeteto — Sim, fora difícil.

Estrangeiro — Mas o certo é que todos o fazem.

Teeteto — E de muito bom grado.

Estrangeiro — É que, a meu ver, eles dão a impressão de serem assaz instruídos nos assuntos que discutem.

Teeteto — Como não?

Estrangeiro — Porém, não dissemos que discutem a respeito de tudo?

Teeteto — Sim.

Estrangeiro — É assim que eles aparecem aos olhos dos alunos, como sábios universais.

Teeteto — Como não?

Estrangeiro — Muito embora não o sejam, pois já vimos não ser possível tal coisa.

Teeteto — Sim, é de todo em todo impossível.

XXI

Estrangeiro — Logo, o sofista revelou-se um possuidor de um conhecimento aparente sobre todos os assuntos, não do verdadeiro conhecimento.

Teeteto — Exato. Dissemos que talvez seja o que de mais pertinente já se falou a esse respeito.

Estrangeiro — Sendo assim, para melhor ilustração formulemos um exemplo mais claro.

Teeteto — Como será?

Estrangeiro — Deste jeito. Presta atenção, para que me dê a resposta certa.

Teeteto — A respeito de quê?

Estrangeiro — Se alguém se apresentasse não como entendido na arte de falar e contestar, mas como capaz de fazer e de executar tudo...

Teeteto — Tudo, como? Que quer dizer com isso?

Estrangeiro — Não entendeste nem o começo do que eu disse? Ao que parece, ignoras o que seja "Tudo".

Teeteto — Não entendi, realmente.

Estrangeiro — Ora, por Tudo, compreendemos a mim, a ti e também a todos os animais e a todas as árvores.

Teeteto — Como assim?

Estrangeiro — Imagino alguém que se declarasse capaz de fazer a mim e a ti e a todas as plantas.

Teeteto — A que vem esse "Fazer"? Certamente não está falando de algum homem da terra, visto que ele faz animais.

Estrangeiro — Isso mesmo. E também o mar, o céu, os deuses e tudo o mais. E depois de fazer todas essas coisas em um abrir e fechar de olhos, irá vendê-las por alguma tutameia.

Teeteto — Decerto estás brincando.

Estrangeiro — Como! Quando alguém presume saber tudo e se julga capaz de tudo ensinar a outra pessoa por preço de nada e em pouquíssimo tempo, como não acreditar que seja brincadeira?

Teeteto — Sem dúvida.

Estrangeiro — E, por acaso, conheces alguma brincadeira mais graciosa e artística do que a mimética?

Teeteto — Não, de fato, pois exprime uma infinidade de coisas só por mencionar esse único gênero, o mais vasto, por assim dizer, e mais variado.

XXII

Estrangeiro — Desse modo, quando algum indivíduo se gaba de ser capaz de tudo criar por meio de uma única arte, sabemos muito bem que pela imitação de imagens homônimas dos seres, como a arte da pintura, ele é capaz de enganar meninos pouco avisados ao apresentar de longe seus desenhos. E acaba por convencê-los de que é, realmente, capaz de produzir o que quiser.

Teeteto — Isso mesmo.

Estrangeiro — E então? E a respeito dos discursos, não devemos admitir que há outra arte capaz de iludir os jovens e os que ainda se encontram longe da verdade dos fatos, como um feitiço aos ouvidos por meio de imagens faladas, deixando-os convencidos de ser verdade o que ele diz e de que o orador é o mais sábio dos homens?

Teeteto — E por que não existiria uma arte desse tipo?

Estrangeiro — Mas a maioria das pessoas, Teeteto, presente a tais discussões, não serão levadas, com a idade e o passar do tempo, quando entrarem em contato mais íntimo com a realidade e a experiência? E se estas os forçarem a sentir a verdade das coisas, a modificar as opiniões então admitidas, de forma que o que era grande lhes pareça pequeno, o que era fácil, difícil, vindo a tudo desmoronar em contato com a realidade, todas aquelas fantasias de palavras?

Teeteto — Sem dúvida, tanto quanto posso julgar na minha idade, conquanto me inclua no número dos que só apanham muito por cima semelhantes questões.

Estrangeiro — Por isso mesmo, todos nós nos esforçamos, como fazemos desde agora, para te aproximar o mais possível de tudo isso antes de passares por tal experiência. Porém, voltando ao sofista, me diga o seguinte: já não está evidente que ele pertence à classe dos ilusionistas, como simples imitador que é das realidades? Ou ainda seremos inclinados a acreditar que possui o verdadeiro conhecimento de todos os assuntos em que se revela disputador habilidoso?

Teeteto — Como acreditar nisso, Estrangeiro? Muito pelo contrário. De tudo exposto, concluímos que ele pertence à classe dos que não fazem outra coisa senão brincar.

Estrangeiro — Logo, podemos classificá-lo como imitador ilusionista.

Teeteto — Como não?

XXIII

Estrangeiro — Então, prossigamos! Nosso trabalho, agora, consistirá em não dar trégua à caça. Já conseguimos envolvê-la quase de todo nas malhas usadas pela dialética em semelhantes casos. De uma coisa, ao menos, não conseguirá escapar.

Teeteto — Qual é?

Estrangeiro — De ser incluído no gênero dos prestidigitadores.

Teeteto — É também o que eu penso a seu respeito.

Estrangeiro — Proponho dividir, com a maior rapidez possível, a arte dos simulacros e, uma vez firmados nela os pés, no caso de o sofista tentar resistir ao nosso raciocínio, sujigá-lo segundo as determinações do edito real da razão, a quem apresentaremos a presa. E se ele se enfiar pelos recessos da arte de imitar, continuaremos a acompanhar seu rastro, subdividindo sem parar a seção a que se acolher, até colocarmos a mão em cima dele. De um jeito ou de outro, nem ele nem espécie alguma poderá se gabar de haver escapado dos que sabem tratar com igual proficiência o geral e o particular.

Teeteto — Falaste bem. Assim mesmo é que devemos proceder.

Estrangeiro — Continuando a aplicar o método da divisão, creio perceber agora duas espécies de arte mimética. Em qual delas se encontra a forma que procuramos? É o que ainda não me considero em condições de decidir.

Teeteto — Porém, antes disso, declaremos quais são essas espécies.

Estrangeiro — Vejo primeiro a arte de copiar, que consegue os melhores resultados quando o original é reproduzido em suas proporções de comprimento, largura e profundidade, além das cores apropriadas a cada parte, do que resulta uma cópia perfeita.

Teeteto — Como? Não é isso, justamente, que todos os imitadores procuram fazer?

Estrangeiro — Pelo menos, não é o que se verifica com os que modelam ou pintam obras monumentais. Se quiserem reproduzir as verdadeiras proporções do belo, tenha certeza de que as partes superiores parecerão menores do que o natural, e maiores as de baixo, por contemplarmos umas de longe e outras de perto.

Teeteto — Sem dúvida.

Estrangeiro — E então? O que dá a impressão de belo, por ser visto de posição desfavorável, mas que, para quem sabe contemplar essas criações monumentais em nada se assemelha com o modelo que presume imitar, por que nome o designaremos? Não merecerá o de simulacro, por apenas parecer sem ser realmente parecido?

Teeteto — Sem dúvida.

Estrangeiro — E não constitui isso parte considerável tanto da pintura como da arte da imitação em geral?

Teeteto — Como não?

Estrangeiro — E a arte que produz simulacros, não imagens, não seria mais acertado denominá-la ilusória?

Teeteto — Certíssimo.

Estrangeiro — Aí temos, pois, as duas espécies de fabricação de imagens a que me referi: a imitativa e a ilusória.

Teeteto — Certo.

Estrangeiro — A questão que há pouco me deixava em dúvida, sobre sabermos em qual das duas classes devemos incluir o sofista, não me parece ainda muito clara. Nosso homem é, realmente, tão admirável quanto difícil de conhecer, pois mais uma vez soube se esconder com bastante finura em uma espécie dura de analisar.

Teeteto — Parece mesmo.

Estrangeiro — Concordas comigo por convicção ou te deixas levar pelo hábito e pela corrente do discurso, para dares teu assentimento assim tão rapidamente?

Teeteto — De que modo? E por que me fazes tal pergunta?

XXIV

Estrangeiro — O fato, meu bem-aventurado amigo, é que nos metemos em uma investigação espinhosa. Este se manifesta e este se parece sem que o seja. O poder dizer o que não é verdade sempre foi um problema inextricável, assim na antiguidade como no nosso tempo. Pois afirmar que é realmente possível falar ou opinar em falso sem se deixar colher de nenhum modo nas malhas da contradição é o que é difícil, Teeteto, de compreender.

Teeteto — Por quê?

Estrangeiro — É que semelhante proposição se atreve a afirmar a existência do não ser, sem o que o falso também não existiria. Parmênides, o grande, meu caro, desde o nosso tempo de criança e enquanto viveu, protestou contra essa doutrina, repetindo sempre, tanto em prosa corrente como em verso: "Nunca", falou, "chegarás a entender que o não ser possa ser. A alma conserva afastada de tais reflexões". Aí está seu testamento. Porém, o mais certo será submeter a sentença à prova adequada. É o que teremos de ver desde já, se não te ocorrer alguma objeção.

Teeteto — Não se preocupe comigo. Pense apenas na melhor maneira de conduzir o discurso que eu acompanharei de perto as pegadas.

XXV

Estrangeiro — Sem intenção de brigar ou de pilheriar, mas se algum dos ouvintes se visse na contingência de refletir a que se deve aplicar a expressão "não ser", teremos de acreditar que ele saberia indicar o objeto adequado e mostrá-lo ao seu interlocutor?

Teeteto — Para um espírito como o meu, trata-se de uma pergunta difícil e quase impossível de responder.

Estrangeiro — Porém, uma coisa é certa: não podemos atribuir o não ser a nenhum ser.

Teeteto — Como seria possível?

Estrangeiro — E se não podemos atribuí-lo ao ser, também não poderemos relacioná-lo com coisa alguma.

Teeteto — Como assim?

Estrangeiro — É evidente para todos nós que ao empregarmos a expressão "alguma coisa", sempre nos referimos a um ser, pois seu emprego isolado e, por assim dizer, nu e despido de todo o ser é absolutamente impossível. Ou não?

Teeteto — Impossível.

Estrangeiro — Ao concordar, reconhece que sempre que alguém diz alguma coisa, refere-se a um determinado objeto?

Teeteto — Isso mesmo.

Estrangeiro — Alguma coisa, portanto, é expressão de unidade, como "ambas as coisas", a de dual, e "várias coisas", a de objetos no plural.

Teeteto — Exato.

Estrangeiro — Porém, ao que parece, quem não diz alguma coisa, por força não dirá nada.

Teeteto — Sim, de toda a necessidade.

Estrangeiro — Então, nem mesmo devemos conceder que semelhante indivíduo fale, porém não diga nada. Não. O certo será dizer que ele não fala quando se dispõe a enunciar o não ser.

Teeteto — Seria a única maneira de solucionar essa questão intricada.

XXVI

Estrangeiro — É cedo para cantar vitória, meu bem-aventurado amigo, porque ainda falta considerar a maior e a primeira das dificuldades, que diz respeito ao próprio começo da questão.

Teeteto — De que se trata? Fale sem omitir nada.

Estrangeiro — A qualquer ser pode-se acrescentar outro ser.

Teeteto — Como? Não!

Estrangeiro — E poderemos também concordar que é possível acrescentar algum ser ao não ser?

Teeteto — Como o poderíamos?

Estrangeiro — Classificaremos entre os seres os números em geral?

Teeteto — Sem dúvida, se a alguma coisa couber semelhante classificação.

Estrangeiro — Sendo assim, nem valerá a pena tentar atribuir pluralidade ou unidade ao não ser.

Teeteto — Se o tentássemos, como parece, não procederíamos com acerto, conforme prova nosso argumento.

Estrangeiro — De que jeito podemos exprimir com a boca ou conceber de algum modo em pensamento os não seres ou o não ser, sem recorrer a números?

Teeteto — Diga como.

Estrangeiro — Quando falamos em não seres, não atribuímos um número plural?

Teeteto — Sem dúvida.

Estrangeiro — E quando em não ser, não emprestamos unidade?

Teeteto — É mais do que claro.

Estrangeiro — No entanto, afirmamos não ser correto nem justo procurar acomodar o ser ao não ser.

Teeteto — Só dizes a verdade.

Estrangeiro — Estás vendo que é absolutamente impossível enunciar ou dizer alguma coisa, ou sequer pensar, seja o que for, a respeito do não ser em si mesmo, por ser ele inconcebível, indizível, impronunciável e indefinível.

Teeteto — Perfeitamente.

Estrangeiro — Se for assim, há pouco não disse a verdade quando falei que iria tratar da maior dificuldade de nosso tema?

Teeteto — Como? Haverá outra maior?

Estrangeiro — Como não, amigo? Depois de tudo o que ficou exposto, não percebeu em que dificuldade enleia o não ser a quem se propõe refutá-lo, levando-o a contradizer-se logo às primeiras expressões?

Teeteto — Que queres dizer com isso? Seja mais claro.

Estrangeiro — Não é de mim que se deve exigir maior clareza. Ao afirmar que o não ser não poderá participar nem do uno nem do múltiplo, então e agora me referi a ele como unidade. Disse: o não ser. Apanhas a questão?

Teeteto — Perfeitamente.

Estrangeiro — No entanto, neste momento declarei que ele era impronunciável, indivisível e indefinível. Estás acompanhando?

Teeteto — Acompanho, como não?

Estrangeiro — E ao tentar atingir o ser, não contradizia o que afirmara antes?

Teeteto — Parece.

Estrangeiro — E então? Ao fazer essa junção, não me expressava como se o ligasse a alguma coisa?

Teeteto — Certo.

Estrangeiro — E ao chamá-lo de indefinível, indizível e impronunciável, não falava como se ele fosse um?

Teeteto — Como não?

Estrangeiro — No entanto, também afirmamos que quem quiser expressar-se com acerto, não deverá enunciá-lo nem como uno nem como múltiplo. E nem referir-se a ele de maneira nenhuma, pois qualquer indicação a seu respeito implica a ideia de unidade.

Teeteto — É absolutamente certo.

XXVII

Estrangeiro — Sendo assim, como acreditar no que eu falo? Pois tanto agora como antes, estava redondamente na tentativa de refutar o não ser. Vamos procurá-lo agora em sua pessoa.

Teeteto — Que queres dizer com isso?

Estrangeiro — Prossigamos! Com a galhardia própria dos moços, faça um esforço e, sem atribuir ao não ser nem existência nem unidade nem pluralidade numérica, tente dizer algo razoável a respeito do não ser.

Teeteto — Precisava ser temerário além da conta para tentar alguma coisa, depois de ver o que aconteceu contigo.

Estrangeiro — Então, se estás de acordo, deixe-o de lado, até encontrarmos quem se sai bem desta enrascadela, e até lá vamos declarar que, com sua astúcia muito própria, o sofista se meteu em algum buraco indevassável.

Teeteto — É muito certo.

Estrangeiro — Por isso mesmo, se admitirmos que ele possui uma espécie de arte ilusionista, com a maior facilidade saberá tirar partido da expressão, para apontá-la contra nós, e o próprio instante em que o acoimarmos de fazedor de imagens, perguntará o que, afinal, entendemos por imagem. Por isso, Teeteto, urge combinar o que iremos responder a esse jovem impertinente.

Teeteto — Evidentemente, nos reportaremos às imagens na água e nos espelhos, e também às pintadas ou esculpidas e a quantas mais houver do mesmo gênero.

XXVIII

Estrangeiro — Pelo que vejo, Teeteto, seu olhos nunca viram um sofista.

Teeteto — Por quê?

Estrangeiro — Acredita mesmo que ele ande com os olhos fechados ou que não tenha olhos?

Teeteto — Como assim?

Estrangeiro — Quando lhe der resposta como esta e lhe falar em imagens de espelho ou em esculturas, cairá no riso o que disseres, como se estivesse falando com quem enxerga. Iria, até, a ponto de simular que nada conhece de espelhos nem de água nem da própria vista para insistir apenas no que se pode tirar do que acabou de enumerar.

Teeteto — Que será?

Estrangeiro — O que há de comum a tudo o que mencionou antes como múltiplo e que te aprouve designar por um único nome, quando se referiu à imagem, como se todas aquelas coisas fossem apenas uma única? Fala, então, e se defenda, sem ceder ao homem nenhum pedacinho de terreno.

Teeteto — Que mais, hóspede, poderemos dizer que seja imagem, se não for outra coisa tirada da verdadeira?

Estrangeiro — E se essa outra coisa também é verdadeira, por que razão a cita como outra?

Teeteto — Verdadeira não será, porém semelhante.

Estrangeiro — E por verdadeiro não entendemos o que realmente existe?

Teeteto — Isso mesmo.

Estrangeiro — E agora: o não verdadeiro não é o oposto do verdadeiro?

Teeteto — Exato.

Estrangeiro — Sendo assim, o semelhante não existe, já que o consideras não verdadeiro.

Teeteto — Não. De certo modo, existe.

Estrangeiro — Porém, não verdadeiramente, conforme declarou.

Teeteto — De fato, apenas como imagem.

Estrangeiro — Logo, muito embora realmente não exista, ele é realmente o que denominamos imagem.

Teeteto — Só parece que o ser e o não ser se deixaram enredar na mais estranha complicação.

Estrangeiro — Como não há de ser estranha? De qualquer forma, percebemos que, com essas mudanças rápidas, nosso sofista de cem cabeças nos obrigou a admitir que, de alguma forma, o não ser existe.

Teeteto — Percebi muito bem.

Estrangeiro — E depois? Como definiremos sua arte, sem ficarmos incoerentes?

Teeteto — Ora! Qual é o seu receio para falar dessa maneira?

Estrangeiro — Ao dizermos que ele nos engana com fantasmas e possui uma arte ilusória, queríamos entender, provavelmente, que com sua arte nossa alma se nutre de opiniões falsas. Ou o que diremos?

Teeteto — Isso mesmo. Que mais poderá ser?

Estrangeiro — Porém, formar opinião falsa é pensar o contrário do que realmente existe. Ou como será?

Teeteto — O contrário disso.

Estrangeiro — Então admitimos que a opinião falsa é um pensamento do que não existe.

Teeteto — Necessariamente.

Estrangeiro — E como te parece: o que não existe não existe mesmo, ou de algum jeito existirá o que de nenhum modo existe?

Teeteto — Por força, o não ser terá de existir de algum modo, se tivermos de aceitar, embora em grau mínimo, a possibilidade do erro.

Estrangeiro — E agora? Admite, também, que o que não existe absolutamente existe de maneira absoluta?

Teeteto — Admito.

Estrangeiro — E que isso também é falso?

Teeteto — Também.

Estrangeiro — A esse modo, deve ser considerada falsa a proposição que afirma a existência do não ser ou a não existência do ser.

Teeteto — Realmente, pois, de que maneira chegaria a ser falsa?

Estrangeiro — Não há jeito. Mas isso é o que o sofista não quer admitir. E como o admitiria qualquer pessoa de bom senso, se antes concordou que semelhante asserção não pode ser expressa nem falada nem descrita nem pensada? Será que compreendemos, Teeteto, o que ele quer dizer?

Teeteto — Como não compreender, se ele declara que nós dissemos o contrário do que afirmamos antes, quando tivemos a ousadia de proclamar que há erros nas opiniões e nos discursos? Fomos obrigados um sem-número de vezes a ligar o ser ao não ser, quando havíamos acabado de declarar ser isso de todo em todo impossível.

XXIX

Estrangeiro — Bem lembrado. Porém passaremos a considerar o que será preciso fazer com o sofista. Se insistirmos em procurá-lo na classe dos falsos obreiros e charlatães, ficam claras as dificuldades e as objeções que surgem aos montes.

Teeteto — Sem dúvida. Em grande quantidade, mesmo.

Estrangeiro — E note que só nos ocupamos com uma parte mínima, porque elas são, a bem dizer, infinitas.

Teeteto — Se é assim, nunca apanharemos o sofista.

Estrangeiro — Como? Vamos desistir do nosso propósito só por comodidade?

Teeteto — Não por minha causa, enquanto houver um pingo de possibilidade de segurar nosso homem.

Estrangeiro — Pelo que acabou de dizer agora mesmo, te mostrarás indulgente e até satisfeito se conseguirmos afrouxar um pouquinho a pressão desse argumento tão obstinado?

Teeteto — Como não?

Estrangeiro — Porém ainda quero fazer outro pedido.

Teeteto — Qual será?

Estrangeiro — Não me classifique como parricida.

Teeteto — Como assim?

Estrangeiro — Por nos vermos forçados, a fim de nos defender, a pôr à prova a tese de nosso pai Parmênides e arrancar a conclusão de que, seja como for, o não ser existe, e que o ser, por sua vez, de algum modo não existe.

Teeteto — Evidentemente, essa é a tese que precisamos debater em nossa discussão.

Estrangeiro — Sim, até um cego, por assim dizer, seria capaz de enxergar isso, pois, a menos que a aceite ou a refute, ninguém poderá falar de discursos ou opiniões falsas, ou de simulacros e de imagens, de imitações e de aparências, nem das respectivas artes, sem cometer o ridículo de cair nas mais grosseiras contradições.

Teeteto — É muito certo o que dizes.

Estrangeiro — Por isso, precisamos ter a coragem de refutar desde já a tese paterna, ou, no caso de termos escrúpulo, abandonar definitivamente o assunto.

Teeteto — Nada nos impede de proceder dessa maneira.

Estrangeiro — Então, pela terceira vez, vou te apresentar uma pergunta.

Teeteto — Diga.

Estrangeiro — Disse há pouco que me considero absolutamente inapto para semelhantes refutações, o que se comprovou agora mesmo.

Teeteto — Sim, disse.

Estrangeiro — Depois de confissão tão franca, receio que me tenha como louco por tomar posição diametralmente oposta. Só para ser agradável com ti, tentaremos refutar a proposição, se é que conseguiremos nosso intento.

Teeteto — De minha parte, não tema nenhum reparo, se titubear em coligir provas para o debate. Crie coragem e continue.

XXX

Estrangeiro — Então, por onde devemos começar tão perigosa discussão? Parece-me, filho, que seremos forçados a enveredar por tal caminho.

Teeteto — Qual é?

Estrangeiro — Iniciar a investigação pelo que nos parece evidente, para não nos atrapalharmos nem chegarmos muito cedo a um acordo, como se tudo houvesse sido bem solucionado.

Teeteto — Seja mais claro.

Estrangeiro — O que eu acho é que Parmênides e quantos outros que se empenharam no exame e na determinação do número e da natureza dos seres não se preocuparam nada de conversar conosco.

Teeteto — Por quê?

Estrangeiro — Minha impressão é que cada um nos contava uma história, como se fôssemos crianças: um dizia que os seres são três e que, por vezes, entre eles surgia uma briga, mas que quando se tornavam amigos, então havia casamento, filhos e educação da prole. Outros falavam em dois princípios: úmido e seco, ou quente e frio, que faziam casar e morar juntos. Nossa gente de Eleia, desde o tempo de Xenófanes, senão antes, conta sua história como se o que denominamos múltiplo não fosse mais do que um. Porém, certas musas jônicas ou sicilianas chegaram posteriormente à conclusão de que seria mais seguro fundir as duas teses e afirmar que o ser é múltiplo e também uno, e que se mantém coeso pelo ódio e pela amizade. Sua discordância, dizem as musas mais tensas, acaba sempre em harmonia, enquanto as mais frouxas relaxam algum tanto esse estado de tensão permanente e afirmam que as duas condições se alternam, ora passando o todo a ser uno, graças ao amor de Afrodite, ora múltiplo e em guerra consigo mesmo, por certa discordância. Em tudo isso é difícil decidir quem está com a verdade ou com a mentira, sobre ser indecoroso lançar alguma pecha em varões de tão elevado conceito e vetustade. Porém, o seguinte pode ser afirmado sem a menor ofensa.

Teeteto — Que é?

Estrangeiro — É que não tiveram a mínima consideração com o vulgo, do qual fazemos parte. Prosseguem seu caminho sem perguntarem se os acompanhamos ou se ficamos para trás.

Teeteto — Que queres dizer com isso?

Estrangeiro — Quando algum deles abre a boca para afirmar que existe ou nasceu ou se tornou muitos ou um ou dois, e mistura quente com frio ou imagina combinações e separações... Pelos deuses, Teeteto, saberia dizer o que todos eles entendem por essas expressões? Eu, de mim, no meu tempo de moço, quando me falavam do que ora nos deixa tão confusos, do não ser, ficava convencido de que compreendia tudo. Porém, fica claro como essa questão agora nos deixa embaraçados.

Teeteto — Vejo, sim.

Estrangeiro — É possível que em nossa alma se passe a mesma coisa com relação ao ser, e imaginamos compreender facilmente o que sobre isso falam, sem nada entendermos do não ser, quando, de fato, num e noutro caso nossa situação é uma só.

Teeteto — Sem dúvida.

Estrangeiro — O mesmo se diga de todos os termos que admitimos antes.

Teeteto — Perfeitamente.

XXXI

Estrangeiro — Se estiveres de acordo, deixemos para depois a apreciação da maior parte dessas expressões. Urge examinar o chefe principal, o maioral do bando.

Teeteto — A que te referes? Evidentemente, queres dizer que devemos iniciar nossa investigação pelo ser, isto é, para vermos o que entendem por essa expressão os que a enunciam.

Estrangeiro — Muito bem, está me acompanhando rente ao calcanhar, Teeteto. A meu ver, o método aconselhável seria interrogar da seguinte maneira, caso estivessem presentes: "Vejamos, defensores da ideia de que o todo é o quente e o frio ou dois princípios semelhantes. O que pretendem, ao certo, enunciar quando dizem que um e outro ou cada um em separado é ou existe? Como devemos entender esse seu 'É'?". Teremos de admitir um terceiro princípio acrescentado aos dois primeiros e aceitar que o todo é três, conforme foi dito, e não dois apenas? Pois se dão o nome de Ser a um dos dois, não significa que ambos igualmente o sejam? De qualquer forma, um, apenas, terá de ser, não dois.

Teeteto — Só dizes a verdade.

Estrangeiro — Ou quem sabe se querem dar ao par o nome de ser?

Teeteto — Talvez.

Estrangeiro — "Mas assim, amigos", voltaríamos a falar, "eu diria abertamente que ambos são um".

Teeteto — E teria dito com muito acerto.

Estrangeiro — "Já que nos encontramos em dificuldades, compete a vós esclarecer o que estão a indicar quando pronunciam a palavra Ser. É evidente que há muito sabem seu significado. Já houve tempo em que nós, também, julgávamos saber. Porém, agora nos encontramos seriamente atrapalhados. Comeceis por nos ensinar esse ponto, a fim de não imaginarmos que compreendemos o que dizeis, quando se dá precisamente o contrário". Falando dessa maneira e exigindo resposta, não apenas deles, mas de quantos afirmam que o todo é mais do que um acaso, estaremos exorbitando, meu rapaz?

Teeteto — Absolutamente.

XXXII

Estrangeiro — E então? Não precisaremos nos alinhar junto dos que afirmam que o todo é um, se é a propriedade que eles atribuem ao ser?

Teeteto — Como não?

Estrangeiro — Então, que me respondam a isto: "Estão a dizer que só existe o Uno?". "É o que afirmamos", responderiam. Não é isso mesmo?

Teeteto — Sim.

Estrangeiro — E agora: "Dão o nome de Ser a alguma coisa?".

Teeteto — Sem dúvida.

Estrangeiro — Que será o mesmo que Um, recorrendo, assim, a duas denominações para a mesma coisa, ou como diremos?

Teeteto — Qual poderá ser, Estrangeiro, a resposta deles a semelhante pergunta?

Estrangeiro — Evidentemente, Teeteto, para quem parte de tal hipótese não é fácil responder nem a essa pergunta nem a qualquer outra.

Teeteto — Como assim?

Estrangeiro — Reconhecer que há dois nomes, depois de admitir que só o Uno existe, é qualquer coisa ridícula.

Teeteto — Como não?

Estrangeiro — Como também seria ilógico concordar com quem afirmasse que o nome tem existência à parte.

Teeteto — Por quê?

Estrangeiro — Aplicar primeiro algum nome a determinado objeto como algo diferente é enunciar duas coisas.

Teeteto — Certo.

Estrangeiro — E no caso de identificar o nome com a coisa, seria o mesmo que declarar que é nome de nada ou, então, se preferir dizer que é nome de alguma coisa. Em consequência, é simplesmente o nome de nome, nada mais.

Teeteto — Isso mesmo.

Estrangeiro — E também que o Uno, como unidade do um, não será senão a unidade do nome.

Teeteto — Forçosamente.

Estrangeiro — E isto, agora: dirão que o todo é diferente do um que é, ou que lhe é idêntico?

Teeteto — Dirão, como sempre disseram, que é idêntico.

Estrangeiro — Se o Ser for um todo, como Parmênides também afirma: "Tal como a esfera perfeita, redonda por todas as partes e equidistantes do centro. Pois ter certa porção num lado ou noutro maior ou menor é de todo impossível. O ser, como tal, possuirá meio e extremidades, e tendo tudo isso, forçosamente será dotado de partes. Ou não?".

Teeteto — Isso mesmo.

Estrangeiro — Contudo, nada impede que uma coisa assim dividida constitua uma unidade, como conjunto e como todo.

Teeteto — Por que não?

Estrangeiro — Porém, em tais condições, não é impossível que essa coisa seja o próprio Uno?

Teeteto — De que jeito?

Estrangeiro — O verdadeiro Uno, na sua mais rigorosa acepção, terá de ser absolutamente indivisível.

Teeteto — Sem dúvida.

Estrangeiro — O que for constituído de muitas partes não corresponderá a essa definição.

Teeteto — Compreendo.

Estrangeiro — Como, então, diremos que o ser a quem de todo quadra esse caráter é todo e Uno, ou não afirmaremos em absoluto que o ser seja um todo?

Teeteto — Difícil escolha.

Estrangeiro — A observação é pertinente. Pois o ser a que se ajunta a essa espécie de unidade não ficará idêntico ao um, passando o conjunto a ser maior do que um.

Teeteto — Certo.

Estrangeiro — Por outro lado, se o ser não é tudo, por haver recebido o atributo da unidade, no caso de existir o todo, segue-se que o Uno faltará a si mesmo.

Teeteto — Perfeitamente.

Estrangeiro — E no rastro desse argumento, se vier a ficar privado de si mesmo, deixará de ser uno.

Teeteto — Certo.

Estrangeiro — Porém, se o todo absolutamente não existe, o mesmo se passa com o ser, que não somente não é como nunca poderá ser.

Teeteto — Por quê?

Estrangeiro — Tudo o que adquire existência só o faz como um todo, de forma que não se pode aceitar como reais nem a existência nem a geração, se não incluirmos o Uno ou o todo entre os seres.

Teeteto — De todo o jeito, parece que é assim mesmo.

Estrangeiro — E também: como poderá ter quantidade o que não for um todo? O que tem certa quantidade, qualquer que ela seja, será necessariamente o todo dessa quantidade.

Teeteto — Sem dúvida.

Estrangeiro — E como essa, se apresentarão mil outras dificuldades, a qual mais inextricável, para quem afirma que o ser é somente um ou somente dois.

Teeteto — É o que provam à saciedade as que já se apresentaram. Cada uma se prende à anterior, suscitando dúvidas sempre mais sérias e alarmantes acerca das questões já debatidas.

XXXIII

Estrangeiro — Estamos longe de ter esgotado o número dos pensadores meticulosos que se ocuparam com a questão do ser e do não ser, porém o que já vimos é suficiente. Precisamos agora considerar os que defendem outras doutrinas para, no final das contas, nos convencermos de que a natureza do ser não é absolutamente mais fácil de compreender do que a do não ser.

Teeteto — Então, que tal também examiná-los?

Estrangeiro — Temos a impressão de que todos estão travados em uma luta de gigantes, tal é sua discordância a respeito do ser.

Teeteto — Como assim?

Estrangeiro — Uns puxam para a terra tudo o que é do céu e do domínio do invisível, tomando nas mãos, literalmente, rochas e carvalhos, pois é em tais coisas que se aferram ao afirmarem obstinadamente que só existe o que oferece resistência e que, de algum modo, se pode tocar. Definem o corpo e o ser como idênticos, e se alguém do outro bando assevera que há seres sem corpo, não lhe concedem a mínima atenção e interrompem o diálogo nesse ponto.

Teeteto — É uma gente inconversável, realmente. Vi muitos tipos assim.

Estrangeiro — Por isso mesmo, os que contestam suas proposições se defendem cautelosamente do alto de alguma região invisível, forçando-os a admitir que a verdadeira essência consiste em certas ideias inteligíveis e incorpóreas. Quanto aos corpos, segundo os adversários e o que eles denominam ser a verdade, reduzem-nos a pedacinhos com seus argumentos e, em lugar de essência, lhes concedem apenas geração e movimento. Entre esses dois campos, Teeteto, a luta é encarniçada e ininterrupta.

Teeteto — É muito certo.

Estrangeiro — Perguntemos, então, a esses dois partidos, um por vez, o que eles entendem por essência.

Teeteto — E como arrancaremos deles tal explicação?

Estrangeiro — Dos que a fazem consistir de ideias, talvez seja mais fácil, por serem, de algum modo, mais tratáveis. Porém, dos que de viva força reduzem tudo a corpo, será muito mais difícil, senão impossível. Mas acho que com esses tais devemos proceder do seguinte modo.

Teeteto — Como será?

Estrangeiro — O melhor jeito, no caso de haver algum, é deixá-los realmente melhores. Porém, se tal coisa for inexequível, admitamos, pelo menos em nosso discurso, que eles condescendem em responder com um pouco mais de cortesia. É de mais valia o assentimento de homens de bem, que não o de indivíduos sem préstimo. Aliás, o que importa não são as pessoas, mas apenas a verdade.

Teeteto — É muito certo.

XXXIV

Estrangeiro — Então, pede que te respondam os que se tornaram melhores e atua como intérprete do que expuserem.

Teeteto — Sim, façamos isso mesmo.

Estrangeiro — Declare, pois, se admitem que animal mortal é alguma coisa.

Teeteto — E por que não admitir?

Estrangeiro — E estarão de acordo que seja um corpo dotado de alma?

Teeteto — Perfeitamente.

Estrangeiro — E a alma, incluem na categoria dos seres?

Teeteto — Sim.

Estrangeiro — E agora, a respeito da alma, não aceitam que alguma possa ser justa e outra injusta, ou essa sensata e aquela desarrazoada?

Teeteto — Como não?

Estrangeiro — E não é pela presença e posse da justiça que uma alma se torna justa, e pela presença do contrário, que se torna o oposto disso?

Teeteto — É o que terão de concordar.

Estrangeiro — Como certamente admitirão que é algo existente o que tanto pode estar presente a alguma coisa como estar ausente.

Teeteto — Admitirão, sem dúvida.

Estrangeiro — Ora, uma vez que existe a justiça, a sabedoria e as demais virtudes, e também seus contrários, bem como a alma, sede deles todas, como dirão que elas sejam algo visível e palpável. Ou todas serão invisíveis?

Teeteto — Dizem que dificilmente qualquer delas poderá ser visível.

Estrangeiro — E então? Afirmarão que alguma é dotada de corpo?

Teeteto — Neste ponto, não respondem de modo simples. Para eles, a alma seria dotada de uma espécie de corpo. Quanto à sabedoria e tudo o mais a respeito do que lhes perguntaste, se envergonhariam, sem dúvida, ao afirmar que carecem absolutamente de existência, como de teimar que todas têm corpo.

Estrangeiro — Salta aos olhos, Teeteto, que os homens ficaram mais tratáveis, pois os que foram semeados e são legítimos autóctones de jeito nenhum se envergonhariam de sua afirmativa inicial, mas insistiriam que não existe em absoluto o que eles não possam esmigalhar entre os dedos.

Teeteto — É assim mesmo que todos pensam.

Estrangeiro — De volta ao interrogatório. Se estão dispostos a admitir que alguma parte do ser, embora mínima, é incorpórea, é o que nos basta. Terão agora de explicar o que há de comum, por natureza, nessa parte e em tudo o mais que tem corpo e a que eles visam quando declaram não existir. Talvez se atrapalhem nessa resposta. Sendo esse o caso, verifique se, por sugestão de nossa parte, não estarão dispostos a aceitar e a reforçar a seguinte definição.

Teeteto — Qual é? Enuncia-a logo, para vermos o que sairá disso.

Estrangeiro — Declaro, então, que tudo o que possui uma determinada faculdade, seja de atuar de algum modo sobre outra coisa, seja de sofrer a influência, embora mínima, do mais insignificante agente, mas que fosse uma única vez, é um ser real. Minha definição para explicar os seres é que não passam de capacidade ou força.

Teeteto — Como não podem apresentar, assim de pronto, definição melhor, terão de aceitar essa.

Estrangeiro — Muito bem. É possível que mais para diante tanto nós como eles mudemos de parecer. Por enquanto, vamos aceitar essa fórmula como expressão do nosso acordo.

Teeteto — Certo.

XXXV

Estrangeiro — Agora, vamos passar para os outros, os amigos das ideias. Interprete também o que disserem.

Teeteto — Farei isso mesmo.

Estrangeiro — A essência e a geração diferem e aceitam ambas como distintas, não é isso mesmo?

Teeteto — Sim.

Estrangeiro — E que só participamos da geração por intermédio do corpo, como é com a alma, por meio do pensamento, que nos comunicamos com o ser verdadeiro, o qual, como afirmam, é sempre o mesmo e imutável, ao passo que a geração varia.

Teeteto — Sim, é o que afirmarão.

Estrangeiro — Mas por essa comunicação, excelentíssimos, em um caso e no outro como diremos que pensam? O que enunciamos agora mesmo?

Teeteto — Que foi?

Estrangeiro — A ação ou a reação de alguma força que se origina do encontro de dois objetos. É possível, Teeteto, que não esteja ouvindo o que eles respondem. Mas eu ouço, por estar habituado a tratar com essa gente.

Teeteto — E qual é a resposta deles?

Estrangeiro — Não aceitam o que acabamos de expor aos filhos da terra, a respeito do ser.

Teeteto — O que foi?

Estrangeiro — Apresentamos como definição cabal do ser a presença do poder de influir em determinado objeto, por menor que seja, ou de ser influenciado por ele.

Teeteto — Certo.

Estrangeiro — A esse respeito o que eles dizem é que a geração participa, de fato, da faculdade de agir ou de sofrer influências, mas que nenhuma dessas faculdades convém ao ser.

Teeteto — E no que eles dizem não haverá um grão de verdade?

Estrangeiro — Certo, porém sobre isso teremos de exigir que nos digam claramente se declaram estar de acordo que a alma conhece e que o ser é conhecido.

Teeteto — É o que sem dúvida confirmarão.

Estrangeiro — E então? O conhecer e ser conhecido, como dirá que são? Trata-se de ação ou de paixão? Ou de ambas as coisas ao mesmo tempo? Ou ambos não terão absolutamente que ver com uma nem com outra?

Teeteto — Evidentemente, esse é o caso. Nem um nem outro nada têm a ver com as duas. Desse modo, não cairão em contradição com o que disseram antes.

Estrangeiro — Compreendo. Porém, terão de concordar: se conhecer é algo ativo, necessariamente o conhecido terá de sofrer sua ação. E, de acordo com essa explicação do ser, sendo conhecido pelo conhecimento, na medida em que for conhecido se movimentará em virtude de sua própria passividade, o que não poderia dar-se, conforme dissemos, com o que está em repouso.

Teeteto — Certo.

Estrangeiro — Mas, por Zeus! Como poderá ser tal coisa? Teremos de admitir que, de fato, o movimento, a vida, a alma, o pensamento não participam verdadeiramente do ser absoluto, e que este nem vive nem pensa, mas, venerável, sagrado e privado de inteligência, permanece imóvel?

Teeteto — Uma concessão um tanto dura, hóspede.

Estrangeiro — Então, afirmaremos que é dotado de inteligência, mas que não tem vida?

Teeteto — Como fora possível?

Estrangeiro — Ou diremos que é dotado desses dois atributos, porém não possui uma alma?

Teeteto — De que modo, então, chegaria a possuí-los?

Estrangeiro — Ou teremos de aceitar que o ser é dotado de inteligência, vida e alma, mas que, embora vivo, se conserva inteiramente imóvel?

Teeteto — Isso agora me parece completamente ilógico.

Estrangeiro — Assim, teremos de considerar como seres tanto o que é movido como o próprio movimento?

Teeteto — Como não?

Estrangeiro — De onde vem, Teeteto, que se tudo for imóvel, ninguém poderá saber nada de nada.

Teeteto — É mais do que claro.

Estrangeiro — Por outro lado, se admitirmos que tudo se movimenta e se altera, por força desse mesmo argumento, teremos de privar o ser de inteligência.

Teeteto — Como assim?

Estrangeiro — Podes conceber que sem estabilidade exista o idêntico a si mesmo, no mesmo estado e relativamente ao mesmo objeto?

Teeteto — De jeito nenhum.

Estrangeiro — E então? Sem essas condições, compreende que a inteligência pode surgir ou existir em qualquer parte?

Teeteto — Absolutamente não!

Estrangeiro — Urge, pois, combater por todos os meios quem suprime, assim, o conhecimento, o pensamento e a inteligência, e ainda se abalança a afirmar alguma coisa.

Teeteto — Sem dúvida.

Estrangeiro — Logo, o filósofo que tem tudo isso na mais alta estima tanto será obrigado a rejeitar, segundo creio, a doutrina dos adeptos do Uno junto com a dos sequazes do múltiplo, que proclama a imobilidade do todo universal, como a fazer ouvidos moucos para os que movimentam o ser em todos os sentidos, e, à maneira de crianças quando preferem as duas gulodices que lhes damos a escolher, afirmar simultaneamente ambas as coisas a respeito do ser e do todo: que é imóvel e que está em movimento.

Teeteto — É muito certo.

XXXVI

Estrangeiro — E então? Não te parece que com essa definição já abarcamos muito bem o ser?

Teeteto — Perfeitamente.

Estrangeiro — Que pena, Teeteto! Pelo que vejo chegou a hora de termos de reconhecer quanto é ingrato nosso empreendimento.

Teeteto — Como? Que queres dizer?

Estrangeiro — Meu bem-aventurado amigo, não percebes que atingimos o ponto mais elevado da ignorância a teu respeito, muito embora tenhamos a presunção de haver dissertado com proficiência?

Teeteto — Era realmente o que eu pensava. Por isso mesmo, não compreendo como nos extraviamos desse ponto.

Estrangeiro — Considera com mais calma, depois de tudo o que admitimos até agora, se não poderiam apresentar-nos as mesmas perguntas que já formulamos aos que afirmam que o todo consiste no quente e no frio.

Teeteto — Que pergunta? Avive minha memória.

Estrangeiro — Perfeitamente. Vou me esforçar em fazer isso mesmo, interrogando sua pessoa como fiz com os outros, para, assim, avançarmos um pouquinho.

Teeteto — Certo.

Estrangeiro — Muito bem. Não consideras como contrários movimento e repouso?

Teeteto — Como não?

Estrangeiro — No entanto, afirmas que os dois e cada um deles existem?

Teeteto — Afirmo, sem dúvida.

Estrangeiro — Quer dizer que aceitas que ambos e cada um em particular se movem quando lhes atribui existência?

Teeteto — Isso, não.

Estrangeiro — Então achas que estão em repouso quando declaras que ambos existem?

Teeteto — De que forma?

Estrangeiro — Sendo assim, concebe na alma o ser como um terceiro elemento acrescentado aos primeiros, por incluir neles repouso e movimento. Foi levando em consideração sua comunhão com o ser, que culminou na conclusão da existência dos dois.

Teeteto — É bem possível que aceitemos o ser como um terceiro elemento, quando dizemos que o movimento e o repouso existem.

Estrangeiro — Então, o ser não será a combinação de movimento e repouso, porém algo diferente de ambos.

Teeteto — Parece.

Estrangeiro — Logo, por coerência com sua própria natureza, o ser não está nem em repouso nem em movimento.

Teeteto — É possível.

Estrangeiro — Para que lado, então, terá de se voltar o pensamento de quem quiser adquirir noções precisas a respeito do ser?

Teeteto — Para qual se voltará?

Estrangeiro — Não me parece fácil decidir porque, se alguma coisa não se move, como não há de estar em repouso? E o que não repousa de maneira nenhuma, como não estar em movimento? Porém, o ser se revelou alheio a esses dois estados. Mas será possível tal coisa?

Teeteto — É absolutamente impossível.

Estrangeiro — Sobre isso há uma particularidade a qual seria justo recordar.

Teeteto — Qual é?

Estrangeiro — Quando nos perguntaram a que poderíamos aplicar a expressão "não ser", nos vimos em grande perplexidade, lembra?

Teeteto — Como não?

Estrangeiro — E agora, será menor a dificuldade a respeito do ser?

Teeteto — Sinceramente, Estrangeiro, me parece que a presente dificuldade é muito maior.

Estrangeiro — Pois deixemos assim mesmo a questão inextricável. E uma vez que tanto o ser como o não ser nos ensejam iguais perplexidade, há esperança de que tudo o que contribui para nos apresentar um dos dois sob perspectiva mais clara ou mais escura será de igual auxílio com relação ao outro. E, no caso de não podermos ver nem um nem outro, pelo menos temos de firmar o propósito de levar avante, da melhor maneira possível, nossas considerações a respeito dos dois, sem nunca separá-los.

Teeteto — Ótimo.

Estrangeiro — Agora digamos por que razão empregamos nomes diferentes para designar a mesma coisa.

Teeteto — Em que casos? Cita um exemplo.

XXXVII

Estrangeiro — Aplicamos ao homem as mais variadas denominações, como cor, forma, estatura, vícios e virtudes e, com todas essas conotações, e mais dez mil diferentes, não dizemos apenas que se trata de um homem, mas de certo homem bondoso e possuidor de um sem-número de atributos. O mesmo se passa com muitas outras coisas que a princípio imaginamos como unidades, mas depois tratamos como múltiplas e as designamos por uma infinidade de nomes.

Teeteto — O que dizes é a pura verdade.

Estrangeiro — Com isso, aprestamos um genuíno banquete para os moços e também para os velhos de cabeça dura. Nada mais fácil do que contestar que o Uno possa ser múltiplo e o múltiplo, uno. Por isso mesmo, exultam ao poderem negar que o homem é bom. Não. Só permitem dizer que o bom é bom e o homem é homem. Ouso afirmar, Teeteto, que já cruzou com muitos tipos que se deliciam com tais disquisições e, por vezes, até mesmo velhos que, por pobreza de espírito, admiram semelhantes futilidades, consideradas por eles como o suprassumo da sabedoria.

Estrangeiro — Para que nossa investigação abranja todos os que já trataram do ser, não importando a época, que fique desde já assentado que o que vamos expor sob a forma de perguntas se dirige tanto a eles como aos que agora mesmo conversaram conosco.

Teeteto — Que perguntas serão?

Estrangeiro — Recusemo-nos a emprestar existência ao movimento e ao repouso, e também qualquer atributo a seja o que for, considerando todas as coisas como não misturáveis e incapazes de se comunicarem umas com as outras. Isso é o que devemos incluir em nosso discurso. Ou será melhor reunir as coisas em uma só classe e considerá-las capazes de se comunicarem? Ou algumas sim e outras não? Das três alternativas, Teeteto, qual te pareces que eles escolherão?

Teeteto — A esse respeito não sei como responder.

Estrangeiro — E por que não examinas uma de cada vez, para sentirmos suas consequências?

Teeteto — Ótima ideia.

Estrangeiro — Então, para começar, se estás de acordo, vamos admitir que afirmaram que nada tem o poder de se comunicar de qualquer maneira seja com o que for. Nessa hipótese, o repouso e o movimento não participarão, em absoluto, do ser.

Teeteto — Não, evidentemente.

Estrangeiro — Mas, como? Qualquer deles poderá existir, se não participar do ser?

Teeteto — Não é possível.

Estrangeiro — A consequência imediata dessa primeira concessão, como vês, é subverter a tudo: a doutrina dos que movimentam o todo e a dos que o imobilizam como um, e também a dos que admitem a distribuição dos seres em ideias imutáveis e eternas. Todos acrescentam às coisas a noção do ser, alguns afirmam que elas são realmente móveis, e outros, que estão, de fato, em repouso.

Teeteto — É evidente.

Estrangeiro — O mesmo se passa com os que ora unem o todo ora o separam, seja reduzindo à unidade ao infinito, seja fazendo-a sair dela ou decompondo o universo em número limitado de elementos, com os quais, depois, voltam a reconstruí-lo, pouco importando se consideram tais mudanças como sucessivas ou coexistentes. De qualquer jeito, se não houver mistura, tudo o que disserem não terá sentido.

Teeteto — Exato.

Estrangeiro — Porém, ao maior ridículo expõem sua própria tese os que chegam ao ponto de não permitir que a coisa que participa da qualidade de outra receba denominação diferente da sua.

Teeteto — Como assim?

Estrangeiro — É que a todo instante se veem forçados a empregar expressões como "Ser", "À parte", "Dos outros", "Em si mesmo", e uma infinidade mais. Como não podem dispensá-las e são obrigados a entremeá-las em seus discursos, não precisam que os outros os refutem, pois levam consigo, como se diz, o inimigo e contraditor que por toda a parte eles carregam e que lhes fala de dentro deles mesmos, tal como fazia o famoso ventríloquo Euricles.

Teeteto — O símile é muito oportuno e verdadeiro.

Estrangeiro — E então? E se concedêssemos a todas as coisas a faculdade de se comunicarem entre si?

Teeteto — Eis uma questão que eu sou capaz de resolver.

Estrangeiro — De que jeito?

Teeteto — Ora, porque o próprio movimento ficaria em repouso e o repouso se moveria, se ambos se reunissem.

Estrangeiro — Porém, é de todo em todo impossível parar o movimento ou movimentar-se o repouso.

Teeteto — Sem dúvida.

Estrangeiro — Só nos resta uma alternativa.

Teeteto — Certo.

XXXVIII

Estrangeiro — Por força, uma das três terá de ser verdadeira: ou tudo se mistura, ou nada; ou ainda, algumas coisas o fazem, outras não.

Teeteto — Sem dúvida.

Estrangeiro — As duas primeiras já excluímos, por impossíveis.

Teeteto — Realmente.

Estrangeiro — Logo, quem quiser responder certo, terá de adotar a terceira.

Teeteto — Perfeitamente.

Estrangeiro — Mas como algumas coisas desejam comunicar-se e outras se recusam a isso, comportam-se todas mais ou menos como as letras: umas não combinam em absoluto entre elas; outras ficam em perfeita consonância.

Teeteto — É muito certo.

Estrangeiro — As vogais, principalmente, se distinguem das demais letras por servirem de vinculo para as outras, de forma que, sem vogal, não é possível haver combinação entre as letras.

Teeteto — Sim, é de todo impossível.

Estrangeiro — E qualquer pessoa estará em condições de saber que as letras permitem combinações, ou haverá uma arte apropriada, a que terá de recorrer quem quiser proceder com acerto?

Teeteto — Sim, uma arte.

Estrangeiro — Qual é?

Teeteto — A gramática.

Estrangeiro — Como? E o mesmo não acontece com os sons agudos e graves? Músico é quem conhece a arte de distinguir os sons que se combinam e os que destoam, sendo leigo na matéria quem nada entende de tudo isso.

Teeteto — Certo.

Estrangeiro — Igual distinção iremos encontrar nas demais artes, no que tange ao conhecimento ou à ignorância de seus princípios.

Teeteto — Como não?

Estrangeiro — E agora? Uma vez que já nos declaramos de acordo sobre os gêneros se comportarem de igual modo, no que diz respeito às combinações recíprocas, não será de toda a necessidade conhecer uma arte para orientar-se do começo ao fim do discurso para indicar os gêneros que combinam e os que se repelem? E mais: se há gêneros que atuam como elo para outros, permitindo que se misturem, e o contrário disso, na divisão, que sejam motivo de virem alguns a separar-se?

Teeteto — Como não existir esse conhecimento, talvez mesmo o mais importante de todos?

XXXIX

Estrangeiro — E que nome lhe daremos, Teeteto? Por Zeus! Por acaso, viemos bater no conhecimento do homem livre e, empenhados em encontrar o sofista, primeiro descobrimos o filósofo?

Teeteto — O que quer dizer com isso?

Estrangeiro — Dividir por gêneros e não tomar a ideia de um pela do outro, e o inverso, a deste pela daquele. Não diremos ser esse, precisamente, o conhecimento dialético?

Teeteto — É o que diremos, sem dúvida.

Estrangeiro — Então, quem for capaz de distinguir uma ideia única em uma multidão de ideias independentes, ou um sem-número de ideias diferentes entre si, porém abrangidas por outra mais ampla, e, de novo, uma ideia apenas que se estende por muitas outras e todas elas ligadas a uma unidade, e também muitas inteiramente isoladas ou separadas. Eis o que se chama a arte de distinguir os gêneros, conforme a capacidade de se combinarem ou de não combinarem.

Teeteto — Perfeitamente.

Estrangeiro — Porém, tenho certeza de que não atribuirás essa capacidade dialética senão a quem souber filosofar com pureza e justiça.

Teeteto — Como atribuí-la a mais alguém?

Estrangeiro — O filósofo, se bem o procurarmos, só nesta região é que poderemos encontrá-lo, agora e no futuro, conquanto não seja fácil distingui-lo. O sofista também, mas no seu caso a dificuldade é de outra espécie.

Teeteto — Como assim?

Estrangeiro — É que o sofista se acoita nas trevas do não ser, com cuja convivência já se familiarizou. A escuridão do meio é que torna difícil reconhecê-lo. Não é isso mesmo?

Teeteto — Parece.

Estrangeiro — Quanto ao filósofo, com a razão sempre aplicada à ideia do ser, em virtude mesmo do excesso de luz, não é também fácil de perceber. A alma da maioria dos homens carece de olhos capazes de se fixarem nas coisas divinas.

Teeteto — Essa explicação é tão elucidativa como a precedente.

Estrangeiro — De futuro, com melhor disposição, estudaremos mais a fundo o filósofo. Quanto ao sofista, é claro que não abriremos mão dele antes de o examinarmos em todos os sentidos.

Teeteto — Muito bem.

XL

Estrangeiro — E já que chegamos à conclusão de que alguns gêneros desejam comunicar-se entre si, outros não, alguns com poucos, outros com muitos, e uns tantos, ainda, por isso mesmo que em tudo penetram, nada encontram que os proíba de se comunicar com todos, continuemos a desenvolver nosso argumento da seguinte maneira: em vez de considerar todas as ideias, a fim de não nos atrapalharmos em tamanha abundância, vamos escolher apenas as de maior relevo para inquirir sobre a natureza de cada uma e depois acerca da capacidade de se comunicarem umas com as outras. Desse jeito, se não conseguirmos apreender o ser e o não ser em toda sua clareza, pelo menos não deixaremos de chegar a uma explicação compatível com a índole de nossa investigação, o que nos facultará, no caso de conseguirmos concluir pela não existência do não ser, podermos nos retirar sem maiores prejuízos.

Teeteto — Sim, façamos isso mesmo.

Estrangeiro — Ora, os mais importantes gêneros entre os que acabamos de considerar são o próprio ser, o repouso e o movimento.

Teeteto — Sem dúvida, da maior importância.

Estrangeiro — Como diremos, também, que os dois últimos absolutamente não se misturam.

Teeteto — De forma alguma.

Estrangeiro — Porém o ser se mistura com ambos, pois, de uma forma ou de outra, ambos são.

Teeteto — É evidente.

Estrangeiro — Por conseguinte, serão três.

Teeteto — Como não?

Estrangeiro — Cada um deles, então, é diferente dos outros dois, porém igual a si mesmo.

Teeteto — Certo.

Estrangeiro — Mas o que enunciamos neste momento, ao dizer "Outro" e "Mesmo"? Serão dois gêneros diferentes daqueles três, embora sempre e fatalmente misturados com eles, o que nos levaria a considerá-los como cinco, não três, ou com esse "Mesmo" e esse "Outro", sem o percebermos, designamos um daqueles três gêneros?

Teeteto — É possível.

Estrangeiro — Contudo, repouso e movimento não são nem "Outro" nem "Mesmo".

Teeteto — Como assim?

Estrangeiro — Seja o que for o que atribuímos em comum ao repouso e ao movimento, não terá de ser nenhum dos dois.

Teeteto — Por quê?

Estrangeiro — Porque o movimento ficaria em repouso e o repouso em movimento. Pois logo que um deles, não importa qual, se aplicasse aos dois, obrigaria o outro a mudar-se para o contrário de sua natureza, visto participar do seu contrário.

Teeteto — Evidente.

Estrangeiro — No entanto, ambos participam do mesmo e do outro.

Teeteto — Certo.

Estrangeiro — Não digamos, então, que o movimento é o mesmo ou o outro e tampouco o repouso.

Teeteto — Sim, não vamos afirmar tal coisa.

Estrangeiro — Mas não teremos de conceber o ser e o mesmo como idênticos?

Teeteto — É possível.

Estrangeiro — Porém, se o ser e o mesmo em nada diferem, ao dizermos do movimento e do repouso que ambos são, no mesmo passo afirmamos que são o mesmo.

Teeteto — O que é absurdo!

Estrangeiro — Logo, não é possível que o ser e o mesmo sejam um.

Teeteto — Dificilmente.

Estrangeiro — Assim, teremos de admitir uma quarta ideia, a do mesmo, ao lado das outras três.

Teeteto — Perfeitamente.

Estrangeiro — Exato! E o outro não deverá também ser apresentado como uma quinta ideia? Ou teremos de considerá-lo, e também ao ser, como dois nomes para um único gênero?

Teeteto — Quem sabe?

Estrangeiro — Agora concordarás comigo. Parece-me que, entre os seres, alguns são considerados em si mesmos e outros sempre em suas relações recíprocas.

Teeteto — Como não?

Estrangeiro — Como o outro sempre está em relação com outro.

Teeteto — Certo.

Estrangeiro — O que não se daria, se o ser e o outro não se diferenciassem ao máximo. Porque, se o outro participasse das duas ideias, tal como o ser, haveria, por vezes, algum outro que não se relacionaria com nenhum outro. Ora, o que se revelou de maneira certíssima foi que não pode haver outro a não ser em relação com outra coisa.

Teeteto — É exatamente como dizes.

Estrangeiro — Então, precisamos admitir a natureza do outro como a quinta ideia ao lado das que já aceitamos.

Teeteto — Certo.

Estrangeiro — Ideia essa, é o que diremos, que penetra em todas as outras, pois cada uma em separado é diferente das demais, não por sua própria natureza mas por participar da ideia do outro.

Teeteto — Perfeitamente.

XLI

Estrangeiro — Então é hora de recapitular tudo isso a respeito das cinco, isoladamente consideradas.

Teeteto — Como será?

Estrangeiro — Começaremos pelo movimento, que é de todo em todo diferente do repouso. Certo?

Teeteto — Isso mesmo.

Estrangeiro — Logo, não é repouso.

Teeteto — De jeito nenhum.

Estrangeiro — No entanto, é o que terá de ser, por participar da existência.

Teeteto — Sem dúvida.

Estrangeiro — Por outro lado, o movimento é diferente do mesmo.

Teeteto — Pode ser.

Estrangeiro — Não sendo, por conseguinte, o mesmo.

Teeteto — Não.

Estrangeiro — Porém, já vimos que ele era o mesmo consigo mesmo, porque tudo participa do mesmo.

Teeteto — Certíssimo.

Estrangeiro — Logo, o movimento é o mesmo e não é o mesmo: eis o que seremos obrigados a admitir, sem nos amofinarmos muito com esse fato. Quando dizemos que ele é o mesmo, pretendemos significar que nele próprio ele participa do mesmo. E, ao declarar que não é o mesmo, queremos dizer o contrário, que assim é por causa de sua comunhão com o outro, a qual o leva a separar-se do mesmo, deixando-o não como o mesmo, mas como outro, de onde vem que, mais uma vez e a rigor, ele não poderá ser denominado o mesmo.

Teeteto — Perfeitamente.

Estrangeiro — De onde fica certo que se o movimento participa, de algum modo, do repouso não será absolutamente descabido denominá-lo estável.

Teeteto — Sim, estará certo, se admitirmos que alguns gêneros consentem com a mistura, e outros não.

Estrangeiro — Pois foi essa mesma prova que já apresentamos, antes de chegarmos até aqui e demonstrarmos que, por natureza, terá de ser desse jeito.

Teeteto — Sem dúvida.

Estrangeiro — Recapitulemos: o movimento é outro que não o outro, como é também outro que não o mesmo e o repouso?

Teeteto — Forçosamente.

Estrangeiro — Logo, de algum modo, não será outro, como também o será, de acordo com o presente raciocínio.

Teeteto — É muito certo.

Estrangeiro — E depois? Diremos que ele é diferente dos três primeiros, porém não diferente do quarto, se concordarmos que são cinco os gêneros que nos dispusemos a examinar?

Teeteto — De que jeito? Não podemos admitir um número menor do que o encontrado antes.

Estrangeiro — Sem medo algum, portanto, e com a máxima energia, afirmaremos que o movimento é outro que não o ser.

Teeteto — Sim, sem medo nenhum.

Estrangeiro — Desse modo, com toda a segurança, não é ser o movimento, como também é ser, visto participar da existência.

Teeteto — Certíssimo.

Estrangeiro — De onde fica também certo, necessariamente, que o não ser está no movimento e em todos os gêneros, pois a natureza do outro, entrando em tudo o mais, deixa todos diferentes do ser, isto é, como não ser, de forma que, sob esse aspecto, poderemos, com todo o direito, denominá-los não existentes, e o inverso: afirmar que são e existem, visto participarem da existência.

Teeteto — É possível.

Estrangeiro — Em cada ideia, pois, há muitos seres e uma multidão incontável de não seres.

Teeteto — Parece.

Estrangeiro — Logo, teremos de dizer que o ser em si mesmo é diferente dos outros.

Teeteto — Forçosamente.

Estrangeiro — Então, concluiremos que quantas vezes os outros são, outras tantas o ser não é, pois não sendo eles, será um em si mesmo, enquanto os outros, de número infinito, não serão.

Teeteto — Terá de ser mais ou menos assim.

Estrangeiro — Esse ponto, por conseguinte, já não nos causará aborrecimento. Quem não aceitar semelhante conclusão, cuide primeiro de refutar o argumento anterior, para depois atacar o que lhe vem no rastro.

Teeteto — Nada mais justo.

Estrangeiro — Consideremos também o seguinte.

Teeteto — Que será?

Estrangeiro — Sempre que nos referimos ao não ser, não temos em vista, como parece, o oposto do ser, porém algo diferente.

Teeteto — De que jeito?

Estrangeiro — Quando falamos de algo não grande, achas que nos referimos mais ao pequeno do que ao igual?

Teeteto — Como assim?

Estrangeiro — Não podemos concordar que com o emprego da negação indicamos o contrário da coisa enunciada, mas apenas que o "não" colocado antes dos nomes que se seguem indica algo diferente das coisas cujos nomes vêm enunciados depois da negação?

Teeteto — Perfeitamente.

XLII

Estrangeiro — Consideremos agora mais este ponto, se estiveres de acordo.

Teeteto — Qual será?

Estrangeiro — A natureza do outro me parece tão partida em pequeninos pedaços como seu próprio conhecimento.

Teeteto — De que maneira?

Estrangeiro — O conhecimento também é Uno, porém são separadas as partes relacionadas com determinados objetos e recebem denominações específicas. Daí haver tanta variedade de artes e de conhecimentos.

Teeteto — Perfeitamente.

Estrangeiro — O mesmo se passa com a natureza do outro, conquanto seja apenas uma.

Teeteto — E possível. Mas como se dá tal coisa?

Estrangeiro — Não há uma parte do outro que se contrapõe ao belo?

Teeteto — Há.

Estrangeiro — E diremos que tem nome ou que não tem?

Teeteto — Tem. O que sempre designamos como não belo, que de nada mais diferirá, se não for da natureza do belo.

Estrangeiro — Vamos agora responder a mais uma pergunta.

Teeteto — Qual será?

Estrangeiro — Alguma coisa que foi separada de um dos gêneros dos seres e depois contraposto, em novas conexões, a outro ser. Não será isso o não belo?

Teeteto — Exato.

Estrangeiro — Logo, ao que parece, o não belo é a oposição de um ser a outro.

Teeteto — Exato.

Estrangeiro — Mas, como? De acordo com essa explicação, teremos de aceitar que o belo participa da existência em grau maior, e o não belo em menor?

Teeteto — Em absoluto.

Estrangeiro — Sendo assim, precisaremos dizer que tanto existe o não grande como o grande.

Teeteto — Sem dúvida.

Estrangeiro — Como teremos de pôr em pé de igualdade o justo e o injusto, para que um não tenha mais existência do que o outro.

Teeteto — Como não?

Estrangeiro — E o mesmo diremos de tudo o mais, pois a natureza do outro se revelou como incluída entre os seres. Ora, se ela existe, suas partes também terão de ser consideradas como existentes.

Teeteto — Como não?

Estrangeiro — Assim, ao que parece, a oposição da natureza de uma parte do outro e da natureza do ser, dada a contraposição das duas, não terá menos existência, se assim posso me expressar, do que o próprio ser, pois ela não indica absolutamente o contrário do ser, porém algo diferente dele.

Teeteto — Sem dúvida nenhuma.

Estrangeiro — E que nome lhe daremos?

Teeteto — O de não ser, evidentemente. Esse mesmo não ser à procura do qual andávamos por causa do sofista.

Estrangeiro — Então, conforme disse, em nada ele será inferior aos outros, com relação ao ser, sendo lícito afirmar sem vacilações que o não ser possui incontestavelmente natureza própria, e assim como o grande era grande e o belo, belo, e também o não grande, não grande, e o não belo, não belo: do mesmo modo diremos que o não ser tanto era como é não ser, tendo, pois, de ser contado como uma ideia no conjunto dos seres. Ou ainda teria alguma dúvida a esse respeito, Teeteto?

Teeteto — Nenhuma, absolutamente.

XLIII

Estrangeiro — Não percebeu que com nossa rebeldia ultrapassamos em muito a proibição de Parmênides?

Teeteto — Como assim?

Estrangeiro — Violamos o limite por ele interditado e, em nossa investigação, lhe mostramos mais coisas do que o que ele próprio admitira.

Teeteto — De que jeito?

Estrangeiro — Em algum lugar, ele diz: "Nunca será possível compreender que o não ser possa ser". Desse caminho conservava afastado o intelecto curioso.

Teeteto — Sim, foi isso mesmo o que ele disse.

Estrangeiro — Porém, nós não apenas demonstramos que o não ser existe, como revelamos a forma de ser que o não ser reveste. Provamos, ainda, que existe a natureza do outro e que ela se subdivide ao infinito nas relações recíprocas dos seres, depois do que nos aventuramos a afirmar que cada parte do outro que se opõe ao ser precisamente o não ser.

Teeteto — Estou convencido, Estrangeiro, de que essa exposição foi muito bem conduzida.

Estrangeiro — Mas que ninguém venha nos confrontar por havermos apresentado o não ser como o contrário do ser, que nos atrevemos a dizer que ele existe. Há muito, dissemos adeus às pesquisas sobre qualquer contrário do ser no sentido de sabermos se existe ou não existe, se é definível ou avesso a toda explicação. Quanto ao que acabamos de afirmar a respeito do não ser, ou nos prove alguém que tudo aquilo está errado, ou, enquanto não puder fazê-lo, diga conosco que os gêneros se misturam uns com os outros e que o ser e o outro penetram em todos e se interpenetram reciprocamente, e que o outro, por participar do ser, existe pelo próprio fato dessa participação, sem ser aquilo de que ele participa, porém outro. E por ser outro que não o ser, é mais do que evidente que terá de ser o não ser. O ser, por sua vez, por participar do outro, torna-se um gênero diferente dos outros gêneros, e por ser diferente de todos, não será nem cada um em particular nem todos eles em conjunto, mas apenas ele mesmo. A esse modo, não é possível absolutamente contestar que há milhares e milhares de coisas que o ser não é, e que os outros, por sua vez, ou isoladamente considerados ou em conjunto, de muitas maneiras são, como de muitas maneiras também não são.

Teeteto — É muito certo.

Estrangeiro — Quem não acreditar nessas oposições, que estude o assunto por conta própria e apresente explicação melhor. E no caso de imaginar que excogitou algo difícil e de encontrar prazer em puxar os argumentos em todos os sentidos, só direi que perdeu tempo com o que nada vale, conforme o demonstrou a presente exposição, pois tudo aquilo nem é engenhoso nem difícil de encontrar. Árduo e nobre é apenas o seguinte.

Teeteto — Que será?

Estrangeiro — O que acabei de dizer: pôr de lado todas essas sutilezas e esforçar-se ao máximo em acompanhar e criticar um por um os argumentos de quem declara que, de certo modo, o outro é o mesmo e o mesmo é o outro, de acordo com sua maneira de encarar o assunto, e o que ele diz com respeito às duas afirmações. Porém, asseverar que, de qualquer jeito, o mesmo é outro e o outro é o mesmo, o grande é pequeno e o semelhante, dessemelhante, folgando por estadear em seus discursos todas essas oposições, não é verdadeira refutação, porém o balbuciar de algum novato que mal principia a entrar em contato com o ser.

Teeteto — Sem dúvida nenhuma.

XLIV

Estrangeiro — Realmente, meu caro, a tentativa de separar tudo de tudo é prova de grosseria e de absoluto alheamento das musas e da filosofia.

Teeteto — Por quê?

Estrangeiro — O mais radical processo para acabar com qualquer espécie de discurso é isolar cada coisa do seu conjunto, pois o discurso só nos surge pronto pelo entrelaçamento recíproco das partes.

Teeteto — É a pura verdade.

Estrangeiro — Considera agora como foi oportuna nossa campanha contra essa gente, no empenho de forçá-los a permitir que uma coisa se misturasse com outra.

Teeteto — Oportuna? Por quê?

Estrangeiro — Por incluirmos nosso discurso no gênero dos seres. Se nos víssemos privados dele, ficaríamos também privados do que há de mais importante, a saber, a própria filosofia. Porém, precisamos chegar a uma conclusão sobre o que venha a ser discurso. Se nos privassem dele, como negar qualquer espécie de existência? Ficaríamos daqui por diante inteiramente incapazes de falar e roubado nos seria, se chegássemos a admitir que não há o que se misture com outra coisa.

Teeteto — É muito certo tudo isso, porém não compreendo a necessidade de explicarmos o discurso.

Estrangeiro — Se estás disposto a me acompanhar, talvez compreenda sem dificuldade.

Teeteto — De que jeito?

Estrangeiro — O não ser se nos revelou como um gênero entre os demais, distribuído entre todos os seres.

Teeteto — Certo.

Estrangeiro — Passemos, então, a considerar se ele se mistura com a opinião e com o discurso.

Teeteto — Por quê?

Estrangeiro — Se não se misturar, a conclusão forçosa é que tudo é verdadeiro. Misturando tudo, é possível haver opinião falsa e também discurso falso, pois pensar e dizer o que não é constitui falsidade no pensamento ou no discurso.

Teeteto — Isso mesmo.

Estrangeiro — Logo, se há falsidade, também há fraude.

Teeteto — Certo.

Estrangeiro — Ora, havendo fraude, forçosamente tudo terá de ficar cheio de simulacros, imagens e fantasias.

Teeteto — Como não?

Estrangeiro — Como dissemos, o sofista se refugiou nessa região, porém nega que possa haver falsidade por não ser possível conceber nem exprimir o não ser. O não ser não participa, absolutamente, da existência.

Teeteto — Isso mesmo.

Estrangeiro — Porém, agora ele se revelou como participante do ser, o que talvez leve o sofista a não prosseguir na discussão desse ponto, limitando-se a declarar que só algumas espécies participam do não ser e outras, não, pertencendo os discursos e as opiniões à classe das que não participam. Daí negar com o maior empenho a existência daquela faculdade de criar imagens e simulacros em que pretendemos confiná-lo, por não terem absolutamente comunicação com o ser, a opinião e o discurso. E uma vez que não há participação, não poderá haver falsidade. Por tudo isso precisaremos, de início, investigar a fundo o que são discurso, opinião e imaginação, para que, depois de conhecidos, possamos descobrir sua comunhão com o não ser. Uma vez patenteada, vamos demonstrar que a falsidade existe e, demonstrada sua existência, amarrar nela o sofista, no caso de merecer ele semelhante castigo, ou soltá-lo, para irmos procurá-lo em outro gênero.

Teeteto — Evidentemente, Estrangeiro, é muito certo tudo o que no começo dissemos a respeito do sofista: como caça, pertence a um gênero difícil de apanhar. Sabe cercar-se de toda espécie de problemas, outras tantas barreiras por detrás das quais ele se acolhe, que precisamos tomar de assalto para podermos chegar ao próprio homem. Agora mesmo, mal acabamos de galgar a primeira estacada de sua defesa, a da não existência do não ser e ele nos opõe outra, para nos obrigar a provar a existência da falsidade, tanto nos discursos como nas opiniões, e depois desse decerto uma terceira e uma quarta, parecendo mesmo que nunca chegaremos ao fim.

Estrangeiro — É preciso coragem, Teeteto, sempre que se pode avançar, ainda que seja um pouquinho de cada vez. Quem desanima em um caso desses, ante a escassez dos resultados, como se comportaria em conjunturas mais sérias, em que não assinala nenhum avanço ou mesmo fosse obrigado a recuar? Nesse passo, como diz o provérbio, um tipo assim nunca tomará cidade alguma. Porém, agora, amigo, ao superarmos a dificuldade formulada, caiu em nosso poder a principal trincheira; tudo o mais será fácil e carente de importância.

Teeteto — Disse bem.

XLV

Estrangeiro — Para, começar, conforme já instituímos, vamos tomar o discurso e a opinião, para decidirmos com segurança se o não ser os atinge, ou se ambos, de todo o jeito, são verdadeiros, não vindo nunca, por conseguinte, a ser falso nem um nem outro.

Teeteto — Certo.

Estrangeiro — Então, vamos examinar as palavras da mesma maneira por que explicamos as ideias e as letras. Desse lado é que talvez nos surja a solução procurada.

Teeteto — O que iremos ouvir agora a respeito das palavras?

Estrangeiro — A questão consiste em saber se todas se combinam ou nenhuma. Ou se algumas admitem esse acordo e outras não.

Teeteto — É claro que umas o admitem e outras não.

Estrangeiro — Decerto, o que queres dizer é que as palavras pronunciadas em uma determinada sequência e que formam sentido, se combinam entre si, não combinando as que na sua seriação nada significam.

Teeteto — Que queres dizer com isso?

Estrangeiro — O que imaginei que estava a pensar quando concordou comigo. Há duas maneiras de exprimir o ser por meio da voz.

Teeteto — Quais serão?

Estrangeiro — Uma é o gênero dos substantivos e a outra, o dos verbos.

Teeteto — Pode enumerar.

Estrangeiro — Damos o nome de verbo aos sinais que denotam ação.

Teeteto — Certo.

Estrangeiro — Sendo substantivos os sinais articulados que usamos ao que realiza a ação.

Teeteto — Perfeitamente.

Estrangeiro — Ora, vários substantivos enunciados um depois do outro não chegam a formar sentença, o mesmo acontecendo com verbos enumerados sem substantivos.

Teeteto — Não compreendi.

Estrangeiro — É que há pouco estava pensando em outra coisa quando concordaste comigo. O que eu queria dizer é que a simples sequência de verbos ou de substantivos não forma um discurso.

Teeteto — Como assim?

Estrangeiro — É o seguinte: vai, corre, dorme e mil outros verbos denotadores de ação, ainda que eu enumerasse todos, em série, não chegariam a formar uma sentença.

Teeteto — E como poderiam?

Estrangeiro — O mesmo passa quando se diz: leão, cervo, cavalo e todos os nomes denotadores de agentes. Com semelhante sequência, também, jamais se comporá um discurso. Tanto neste caso como naquele, os vocábulos enunciados nem indicam ação nem inação, ou existência de um ser ou de um não ser, até o momento de alguém juntar substantivos com verbos. Só então eles se completam, surgindo o discurso desde a primeira combinação, o que com acerto se poderia denominar a forma primitiva do discurso, a menor passível de concepção.

Teeteto — O que quer dizer com isso?

Estrangeiro — Quando se enuncia: "O homem aprende", não diz que se trata do discurso mais elementar e mais conciso?

Teeteto — Sem dúvida.

Estrangeiro — É que, a partir desse instante, ele enuncia algo de alguma coisa que é ou se torna ou foi ou será. Não se limita a nomeá-la, porém conta que alguma coisa aconteceu, o que consegue pelo entrelaçamento de verbos com substantivos. Daí não dizermos simplesmente que essa pessoa nomeia, porém que discursa, sendo a essa conexão de palavras que damos o nome de discurso.

Teeteto — Certo.

XLVI

Estrangeiro — E assim como entre as coisas, algumas em parte se combinam e outras não, da mesma forma há sinais vocais que não se combinam. Mas os que o fazem dão origem à sentença.

Teeteto — Perfeitamente.

Estrangeiro — Ainda falta uma coisinha de nada.

Teeteto — O que é?

Estrangeiro — É que a sentença, desde que se forma, por força terá de se referir a alguma coisa. Sentença de nada é que não é possível haver.

Teeteto — Isso mesmo.

Estrangeiro — Como também terá de ser de certa natureza.

Teeteto — Como não?

Estrangeiro — Que tal nos submetermos a objetos de exame?

Teeteto — Sim.

Estrangeiro — Vou formular uma sentença em que um sujeito e uma ação se combinam por meio de um nome e um verbo. A tu cabes dizer a que se refere a sentença.

Teeteto — Farei o que puder.

Estrangeiro — "Teeteto está sentado". Não é longa, pois não?

Teeteto — Não, é bem razoável.

Estrangeiro — Cabes a tu dizer a quem se refere a sentença e de que se trata.

Teeteto — Evidentemente, fala de mim e se refere a mim mesmo.

Estrangeiro — E esta outra?

Teeteto — Qual?

Estrangeiro — "Teeteto, com quem converso neste momento, voa".

Teeteto — Desta, também, outra coisa não se poderá dizer, se não for que fala também de mim e a meu respeito.

Estrangeiro — Porém, já dissemos que toda sentença terá de ser, por força, de certa natureza.

Teeteto — Sim.

Estrangeiro — E qual é a natureza de cada uma dessas sentenças?

Teeteto — Uma delas, de algum modo, é falsa. A outra, verdadeira.

Estrangeiro — Das duas, a verdadeira diz de ti as coisas como realmente são.

Teeteto — Sem dúvida.

Estrangeiro — E a falsa, diferentes da realidade.

Teeteto — Certo.

Estrangeiro — Logo, fala de coisas não existentes como se existissem?

Teeteto — Quase.

Estrangeiro — A saber, como existentes, porém diferentes das que existem com relação à tua pessoa, pois já dissemos que com relação a cada coisa há muitos seres e muitos não seres.

Teeteto — Perfeitamente.

Estrangeiro — Quanto à segunda sentença que formulei a teu respeito, de acordo com a definição apresentada antes, para começar, é de toda a necessidade que seja concisa.

Teeteto — De fato, esse ponto já ficou assentado.

Estrangeiro — Depois, que se refere a alguém.

Teeteto — Sem dúvida.

Estrangeiro — E que se não se referir a ti, não se referirá a mais ninguém.

Teeteto — Como não?

Estrangeiro — Se não se referisse a ninguém, de jeito nenhum poderia ser sentença, pois já mostramos não ser possível discurso de nada.

Teeteto — Certíssimo.

Estrangeiro — Assim, quando se fala sobre ti, porém tratando de coisas outras como sendo as mesmas e do que não é como sendo, semelhante combinação, ao que parece, de substantivos e de verbos é, de fato e verdadeiramente, um falso discurso.

Teeteto — Muitíssimo certo.

XLVII

Estrangeiro — Mas, como? Pensamento, opinião e imaginação: não é evidente, de início, que todos esses gêneros ocorrem em nossa alma como verdadeiros e como falsos?

Teeteto — De que jeito?

Estrangeiro — É o que perceberá facilmente, logo que determinar o que todos eles são e em que uns diferem dos outros.

Teeteto — Podes explicar melhor?

Estrangeiro — Ora bem, pensamento e discurso são uma e a mesma coisa, com diferença de que o diálogo interior da alma, consigo mesma, que se processa em silêncio recebeu o nome de pensamento.

Teeteto — Perfeitamente.

Estrangeiro — E a corrente que sai dela, pela boca, por meio de sons, recebe o nome de discurso.

Teeteto — Certo.

Estrangeiro — Como também sabemos que no discurso há o seguinte.

Teeteto — Que será?

Estrangeiro — Afirmação e negação.

Teeteto — Sabemos, realmente.

Estrangeiro — Quando isso se passa na alma, em silêncio, poderia criar outro nome que não seja o de opinião?

Teeteto — Qual mais poderia ser?

Estrangeiro — E quando a opinião se forma em alguém, não por ela mesma, mas por intermédio de alguma sensação, haverá designação mais acertada do que a de imaginação?

Teeteto — Não há outra.

Estrangeiro — Logo, se há discurso verdadeiro e discurso falso, e o pensamento se revelou uma conversação da alma consigo mesma, e opinião, a conclusão do pensamento, vindo a ser o que designamos pela expressão, imagino, uma mistura de sensação e opinião. Forçoso é que algumas sejam falsas, dadas suas afinidades com o discurso.

Teeteto — Sem dúvida.

Estrangeiro — Como já percebeu, apanhamos mais depressa do que esperávamos a falsa opinião e o falso discurso, pois, não faz muito, tínhamos receio de haver empreendido com semelhante pesquisa uma tarefa irrealizável.

Teeteto — Já percebi, realmente.

XLVIII

Estrangeiro — Por isso, não vamos desanimar diante do que ainda nos falta realizar. Já que conseguimos chegar até aqui, voltemos a tratar de nosso processo de divisão.

Teeteto — Que divisão?

Estrangeiro — Distinguimos duas classes na arte de fazer imagens: a da cópia e a dos simulacros.

Teeteto — Certo.

Estrangeiro — E também nos confessamos em dificuldade para incluir o sofista em uma delas.

Teeteto — Isso mesmo.

Estrangeiro — E no auge de nossa confusão, trevas ainda mais densas nos envolveram, o argumento de contestação universal, de que não existe absolutamente nem cópia nem simulacro, visto não ser possível haver, seja onde for, qualquer espécie de falsidade.

Teeteto — Falaste com muito acerto.

Estrangeiro — Porém, uma vez provada a existência de falsos discursos e de opiniões falsas, é possível que haja imitação dos seres e que dessa disposição do espírito nasça uma arte da falsidade.

Teeteto — É possível.

Estrangeiro — Como também já admitimos no que ficou exposto que o sofista se incluía em uma dessas classes.

Teeteto — Certo.

Estrangeiro — Então, vamos experimentar de novo dividir em dois o gênero proposto, avançando metodicamente sempre pela parte do lado direito da secção e nos apegando ao que todas tiverem de específico com o sofista, até que, depois de identificarmos suas propriedades comuns, o deixemos com sua natureza peculiar para que seja exposta primeiro para nós mesmos e, a seguir, para os componentes do gênero que por natureza mais se coaduna com semelhante processo.

Teeteto — Certo.

Estrangeiro — E não é também certo que no começo firmamos a distinção entre a arte criadora e a aquisitiva?

Teeteto — Sim.

Estrangeiro — E na arte aquisitiva, a caça, a luta, o comércio e outras formas semelhantes não nos permitiram entrever o sofista?

Teeteto — Perfeitamente.

Estrangeiro — Porém, uma vez que a arte da imitação o absorveu, é mais do que claro que teremos de começar por dividir em dois a própria arte da criação. Pois imitação não deixa de ser criação, a saber, de imagens, simplesmente, e não da própria realidade. Não é isso mesmo?

Teeteto — Perfeitamente.

Estrangeiro — Para começar, a arte criadora consta de duas partes.

Teeteto — Quais são?

Estrangeiro — Uma é divina e a outra humana.

Teeteto — Não compreendi.

XLIX

Estrangeiro — Capacidade criadora, se ainda estamos lembrados do que dissemos no começo, é tudo o que for causa de vir a existir o que não existia.

Teeteto — Sim, lembro bem.

Estrangeiro — Todos os animais mortais e as plantas que nascem na terra, de semente ou raiz, e todas as substâncias inanimadas que se encontram em seu interior, fusíveis ou não fusíveis devemos dizer que tudo isso nasceu por outra influência que não a de alguma divindade, já que antes não existia? Ou aceitaremos a opinião comum, para falarmos como o povo?

Teeteto — Qual opinião?

Estrangeiro — Que a Natureza os gerou em virtude de uma causa natural e destituída de pensamento. Ou terá sido gerado por alguma força divina, dotada de razão e de conhecimento, oriunda de Deus?

Teeteto — Talvez, por causa da idade, tenho mudado muito de opinião, porém ao olhar para ti neste momento, suspeito que estás inclinado a acreditar que tudo isso nasce de um pensamento divino, conclusão que eu também aceito.

Estrangeiro — Muito bem, Teeteto. Se nós te tomássemos por um desses que de futuro viriam a julgar de outro modo, procuraríamos te converter à nossa maneira de pensar, assim pelo raciocínio como pela força da persuasão. Porém, como percebo que tua natureza dispensa argumentos estranhos e se dirige por si mesma para onde se sente atraída, não insistirei nesse ponto, pois com isso perderíamos tempo inutilmente. Limito-me a afirmar que todas as coisas que atribuímos à Natureza são produto de uma arte divina, e as que os homens compõem por meio daquelas o são de uma arte humana e que, de acordo com essa explicação, há duas espécies de arte criadora, a humana e a divina.

Teeteto — Certo.

Estrangeiro — Agora divide também em dois cada uma dessas partes.

Teeteto — De que jeito?

Estrangeiro — Assim como dividimos antes no sentido da largura o conjunto da arte criadora. Mas no sentido do comprimento.

Teeteto — Está dividida.

Estrangeiro — Desse modo, obtivemos quatro partes ao todo: duas humanas, que nos dizem respeito, e duas relativas aos deuses e que são divinas.

Teeteto — Certo.

Estrangeiro — Se considerarmos a divisão no primeiro sentido, em cada seção teremos uma parte produtora de realidades, sendo lícito darmos às duas partes restantes o qualificativo de imaginárias. A esse modo, a produção ficou de novo dividida em duas partes.

Teeteto — Torna a falar dessas divisões.

L

Estrangeiro — Nós e os outros animais e todos os elementos originários das coisas, o fogo, a água e substâncias congêneres, como sabemos, foram produzidas pelo Deus e são obra sua, cada coisa em particular e no conjunto.

Teeteto — Isso mesmo.

Estrangeiro — Para todas essas coisas, há simulacros que não são elas mesmas e que as acompanham, também originárias de uma arte divina.

Teeteto — Que simulacros?

Estrangeiro — Os dos sonhos e os que denominamos de dia aparições naturais, como as sombras que se formam quando as trevas tomam conta do fogo ou o reflexo em objetos lisos e brilhantes de duas luzes que se encontram, uma própria para os olhos e outra estranha e que produzem em nossos sentidos uma imagem de efeito inverso da visão ordinária.

Teeteto — São, de fato, as duas obras da produção divina, as próprias coisas e o simulacro que as acompanha.

Estrangeiro — E nossa arte? Não podemos dizer que com a arte do arquiteto construímos a própria casa e, por meio do desenho outra arte, que é como um sonho de criação humana para as pessoas acordadas?

Teeteto — Perfeitamente.

Estrangeiro — O mesmo acontece com as demais obras de nossa atividade produtora, que andam sempre aos pares. A própria coisa, digamos, oriunda da arte criadora, e sua imagem que só gera simulacros.

Teeteto — Agora compreendi melhor e reconheço que há duas espécies de arte produtiva que, por sua vez, são duplas: ponho em uma das seções as produções divina e humana. Na outra, a própria coisa e a criação de certas semelhanças.

LI

Estrangeiro — Não podemos esquecer de que um gênero da arte imitativa deveria se ocupar com cópias e o outro, com simulacros. Se o falso tiver de ser verdadeiramente falso e alcançar por natureza algum lugar entre os seres.

Teeteto — Isso mesmo.

Estrangeiro — É o que ficou demonstrado. Por isso, podemos admitir, sem vacilações, que se tratam de dois gêneros.

Teeteto — Certo.

Estrangeiro — Então, vamos dividir agora em duas partes a arte dos simulacros.

Teeteto — De que jeito?

Estrangeiro — Uma trabalha com instrumentos. Na outra, quem produz o simulacro serve de instrumento.

Teeteto — Que queres dizer com isso?

Estrangeiro — Quando alguém, quero crer, usando de seu próprio corpo, procura imitar tua aparência, ou tua voz com a dele, penso que a essa parte da arte fantástica se dá o nome de mímica.

Teeteto — Isso mesmo.

Estrangeiro — Assinalemos, então, o domínio próprio dessa parte a que demos o nome de mímica. Quanto à outra, sejamos práticos e vamos deixá-la de lado, ficando para terceiros o cuidado de conferir alguma unidade e lhe dar o nome adequado.

Teeteto — Sim, cercar o domínio de uma e abandonar o da outra.

Estrangeiro — Mas essa parte, Teeteto, também merece ser subdividida. E a razão é a seguinte.

Teeteto — Queremos ouvir.

Estrangeiro — Entre os imitadores, uns conhecem o que imitam, outros o fazem sem conhecer. E haverá, porventura, mais radical distinção do que a existente entre a ignorância e o conhecimento?

Teeteto — Não é possível.

Estrangeiro — O exemplo apresentado há pouco é de imitação por conhecimento, pois só poderá te imitar alguém que conhece tua figura e tua pessoa.

Teeteto — Sem dúvida.

Estrangeiro — E que diremos da figura da justiça ou das virtudes em geral? Mas, não há um sem-número de indivíduos que, sem conhecê-la, porém tendo dela apenas uma espécie de opinião, põem todo o empenho em fazer aparecer só o que presumem ter no íntimo, imitando-a, quanto possível, por atos e por palavras?

Teeteto — Há muitíssimos, até.

Estrangeiro — E por acaso todos eles falham no empenho de parecerem justos, conquanto em absoluto não o sejam, ou acontece precisamente o contrário disso?

Teeteto — O contrário, exatamente.

Estrangeiro — Importa, pois, declarar que esse imitador é diferente do outro, tal como o ignorante difere de quem sabe.

Teeteto — Certo.

LII

Estrangeiro — Aonde iremos, então, buscar a designação apropriada para cada um? Evidentemente, é tarefa por demais árdua, porque nisso de dividir os gêneros em espécies, parece que os antigos sofriam de uma velha e inexplicável indolência que nunca os levou pelo menos a tentá-la: daí essa carência tão acentuada de nomes. De um jeito ou de outro, e embora nos pareça um tanto forte a expressão, para melhor diferenciá-la, daremos o nome de doxomimética à imitação que se baseia na opinião, e a que se funda no conhecimento, mimética histórica ou erudita.

Teeteto — Isso mesmo.

Estrangeiro — Vamos olhar para a primeira: o sofista não se inclui no número dos que sabem, mas no dos que imitam.

Teeteto — Perfeitamente.

Estrangeiro — Examine, então, o imitador que se apoia na opinião, como o faríamos com um fragmento de ferro, para vermos se é uma peça uniforme ou se em algum ponto revela defeito de estrutura.

Teeteto — Sim, prossiga.

Estrangeiro — Pois, em verdade, aqui está ele e bem patente. Entre esses tais, há o tipo ingênuo que acredita saber o que apenas imagina. O outro, pelo contrário, que se deixa arrastar por seus próprios argumentos, não esconde a suspeita e o receio de ignorar o que diante de terceiros ele procura aparentar que sabe.

Teeteto — Sem dúvida, há esses dois tipos que descreveu.

Estrangeiro — Ao primeiro, então, daremos o nome de imitador simples, e ao outro, o de imitador dissimulado?

Teeteto — Seria de toda a conveniência.

Estrangeiro — E este último gênero, diremos que é simples ou duplo?

Teeteto — O que me diz?

Estrangeiro — Examino e creio perceber dois gêneros. No primeiro, distingo o indivíduo capaz de dissimular em público com discursos prolixos. No outro, o que em círculos mais restritos, com sentenças curtas, leva seu interlocutor a se contradizer.

Teeteto — É muito certo o que dizes.

Estrangeiro — E o homem dos discursos longos, como o designaremos? É estadista ou orador popular?

Teeteto — Orador popular.

Estrangeiro — E o outro, que denominação lhe cabe à justa: sábio ou sofista?

Teeteto — Sábio, não é possível, pois já provamos que ele é ignorante. Mas, por ser imitador do sábio, é fora de dúvida que alguma coisa do nome deste há de passar para ele. E agora me ocorre que de um tipo assim é que podemos dizer com toda a segurança: um sofista!

Estrangeiro — Nesse caso, fixemos aqui mesmo seu nome, como fizemos antes, entrelaçando-o de ponta a ponta em todos os seus elementos?

Teeteto — Perfeitamente.

Estrangeiro — Sendo assim, a espécie imitativa e suscitadora de contradições da parte dissimuladora da arte baseada na opinião, pertencente ao gênero imaginário que se prende à arte ilusória da produção de imagens, criação humana, não divina, desse malabarismo ilusório com palavras. Quem afirmar que é de semelhante sangue e dessa estirpe que provém o verdadeiro sofista, só dirá, como parece, a pura verdade.

Teeteto — Perfeitamente.

FÉDON

PREFÁCIO

Fédon é uma obra sobre a imortalidade da alma. Sua importância na cultura ocidental é incomensurável. Boa parte da nossa compreensão sobre a vida após a morte, a qual foi amplamente difundida pela Igreja Católica, tem o diálogo *Fédon* como uma de suas fontes. Por isso, muitos livros foram escritos a respeito desse clássico.

Nele, Platão apresenta um Sócrates que fala de uma dimensão imaterial do ser humano. Assim, é pela boca desse personagem, que não sabemos se realmente disse isso ou não, que Platão trata da imortalidade. Esse debate teria repercussões em inúmeros pensadores e marcaria profundamente o pensamento ocidental. Contudo, é importante lembrar que na Grécia de Sócrates e Platão, a crença na imortalidade da alma não era comum. Portanto, quando lemos *Fédon* estamos diante da seguinte situação: alguém condenado à morte explicando que falecer é só uma passagem para uma existência mais completa, algo que não era totalmente aceito na época.

Condenado a beber cicuta, Sócrates afirma que a vida não passa de mero ensaio para a morte, a qual ocorre no final do diálogo *Fédon*. Em sua cela, ele trava um intenso debate com Cébes e Símias. Procura, em seus últimos momentos de vida, convencer seus ouvintes de que a morte do corpo não é algo terrível. Sócrates se coloca, dessa forma, contra a tradição homérica. Segundo ele, o indivíduo que buscou conhecimento e não se deixou levar pelos prazeres do corpo, vai poder gozar uma excelente existência depois da morte.

Todo esse debate surge, portanto, na afirmação a respeito da imortalidade da alma. Sócrates se recusa a aceitar que o corpo e seus processos físicos sejam causas da organização das ações e do universo humano. Para ele, isso só é possível em razão da existência de uma alma imortal, a qual, através da reminiscência, é capaz de reconhecer as coisas do mundo das ideias.

Segundo José Paulo Paes, "Sócrates postula, no *Fédon*, que a alma do filósofo, por não se deixar escravizar as solicitações do corpo, mantém-se pura e, após a morte do seu envoltório terreno, dirige-se diretamente 'para o que é invisível, para o que é divino, imortal e sábio'"[3].

Assim, o texto é o primeiro no Ocidente a tratar com tamanho cuidado e afinco de dois temas, quais sejam, se há vida após a morte e que nós devemos tentar levar uma vida moderada. A frugalidade defendida por Platão é uma busca pelo despojamento das paixões e pela pureza da inteligência. Tal esforço, como já disse Shaerer em sua obra *La Question Platonicienne*, é uma preparação para a morte. É quando "a individualidade corporal cessa de existir no momento em que se exterioriza no *logos*"[4].

Essa concepção platônica da imortalidade alma, a qual após nossa morte passa a ficar na companhia dos deuses, baseia-se em três teorias: a dos contrários, a da reminiscência e a da semelhança, da qual Platão já havia tratado no Mênon.

A primeira teoria afirma que uma coisa nasce de seu contrário em uma relação cíclica, na qual ela ou gera ou é gerada. Já na segunda, sobre a reminiscência, Platão escreve que a alma, quando separada do corpo, entra em contato com o mundo das ideias. Assim, no momento em que ela reencarna em um corpo, tudo o que esse indivíduo aprende é, na verdade, uma recordação de algo que sua alma já sabia. Logo, aprender é lembrar.

A última tese afirma que a alma, por semelhança, se identifica com tudo que é eterno e perfeito. Por esse motivo, a realidade, sempre suscetível à decomposição, não se unifica com a alma. Nosso corpo, que envelhece e se corrompe com o passar do tempo, é múl-

---

[3] PAES, José Paulo. As andanças de uma alma brasileira; *Folha de S.Paulo*; 20 jul. 1997; +mais!

[4] SCHAERER, R. *La Question Platonicienne*, p. 41.

tiplo. Já a alma, que é eterna e formada de uma substância simples, é algo permanente, uno e imutável.

Platão também indica que a alma é o princípio gerador de movimento. Ela move a si mesma. Não é movida jamais. Por isso, o filósofo acredita que o corpo para de funcionar quando se separa de seu motor, a alma.

Portanto, para Platão, a alma imortal comanda o corpo. Foi isso que o levou a defender uma vida desapegada dos prazeres do corpo, os quais eram considerados inferiores quando comparados às vontades da alma. Tudo o que a alma procura aponta para o perfeito, por exemplo, a Justiça, a Sabedoria e o Bem. Esses três temas fazem parte do mundo das ideias, onde a alma, antes de reencarnar, os conheceu em sua totalidade.

Todo esse edifício intelectual foi amplamente utilizado pela religião católica, porém, quando Platão fala de imortalidade e fé, ele se dirige a outra crença: o orfismo.

Segundo o historiador Nicolau Sevcenko, Orfeu, filho de Apolo e sacerdote de Dionísio, era um "músico tão prodigioso, que, quando cantava e tocava sua lira, todas as mulheres e homens, todos os animais, árvores, plantas e até as pedras acorriam, irresistivelmente atraídos, compondo um círculo ao seu redor, fascinados pela melodia. Ele seduzia mesmo deuses, monstros e criaturas infernais com sua música, chegando, inclusive, a tentar resgatar sua amada, Eurídice, do reino dos mortos"[5].

Esse mito, que tinha enorme influência sobre Sócrates e Platão, acabou deixando uma obra que serviu para os pensadores cristãos argumentarem a favor de sua fé na vida eterna. Foi dessa religião, baseada no culto ao deus Orfeu, em que se proclamava a imortalidade da alma e a possibilidade de sucessivas reencarnações, da qual Platão retirou sua fé. Ele acreditava que os seres humanos são uma mistura de corpo e alma, seres duais, nos quais uma parte é corruptível e a outra, eterna.

Para o orfismo, a riqueza não é importante, por isso seus seguidores negam o mundo material. A grande preocupação das pessoas

[5] SEVCENKO, Nicolau. História; *Folha de S.Paulo*; 13 abr. 1997; +mais!

ligadas a essa fé é com a alma. Na prática, a religião órfica pregava a ascese e a purificação do corpo. É por esse motivo que Platão tratava Sócrates como uma espécie de médico da alma. Também é a razão de Sócrates fazer uma defesa tão corajosa da existência da vida após a morte. Afinal, ele tranquilamente bebe o veneno, se mata e caminha para o *logos*, onde todas as ideias são perfeitas e todo conhecimento, total.

Tal posição explica o que levou Platão a lutar tão arduamente para separar as opiniões variáveis, que correspondem ao mundo, das opiniões invariáveis, que estão vinculadas às ideias. Para ele, o filósofo deveria ter com as últimas. Elas seriam verdades.

Segundo Platão, nós somos levados a fazer esse esforço porque tudo que é transitório aspira ao eterno. Ele acreditava que existiam certos aspectos dos seres humanos que não podiam ser esclarecidos apenas em termos empíricos, em razão disso, sentiu a necessidade de apelar para a possibilidade da existência da alma.

Para Platão, a emoção que sentimos quando vemos um corpo belo é provocada por nossa lembrança da ideia de Beleza que nossa alma conheceu quando estava no mundo das ideias e não havia, ainda, reencarnado. O mesmo ocorre quando amamos: nesse momento, somos apresentados a uma fração do que seria, na opinião de Platão, o Amor total presente no mundo das ideias. Não por acaso, muitos pensadores cristãos se tornaram ávidos leitores dos diálogos. Beberam incansavelmente da fonte platônica. No entanto, também foi isso que levou Nietzsche a afirmar, no prefácio de sua obra *Além do Bem e do Mal*, que o "cristianismo é platonismo para o 'povo'"[6].

---

6 NIETZSCHE, Friedrich. *Além do Bem e do Mal*; p. 8.

FÉDON

I

Equécrates — Você mesmo esteve junto de Sócrates no dia em que ele tomou veneno na prisão, Fédon, ou alguém lhe contou a história?

Fédon — Não, eu mesmo, Equécrates.

Equécrates — Então, o que disse o homem antes de morrer? E como foi a sua morte? Gostaria de saber tudo o que se passou. Recentemente, nenhum cidadão de Fliunte tem ido a Atenas, e há muito não aparecem forasteiros capazes de dar informações seguras, salvo dizerem que morreu depois de tomar o veneno. Nada mais, além disso, nos informam.

Fédon — E também não sabem contar como foi o julgamento?

Equécrates — Ouvimos, sim. Alguém nos falou sobre isso. O que surpreende é justamente ter sido bem antes o julgamento e ele só vir a morrer muito depois. Que aconteceu, Fédon?

Fédon — Foi tudo obra do acaso, Equécrates, o que se passou com ele. Precisamente na véspera do julgamento coroaram a popa do navio que os atenienses enviam a Delo.

Equécrates — O que é isso?

Fédon — Segundo os atenienses, é o navio em que muito tempo atrás Teseu levou para Creta as duas septenas de jovens, moços e moças, que ele salvou, salvando-se também. Nessa ocasião, segundo contam, prometeram a Apolo enviar anualmente uma deputação a Delo, no caso de se salvarem, e até hoje todos os anos vão em romaria à divindade. Desde o início dos preparativos da viagem, determina a lei que se proceda à purificação do burgo, não sendo permitido executar ninguém por crime público antes de o navio chegar a Delo e retornar de lá. Por vezes, esse prazo fica muito dilatado, quando os ventos são adversos. O início da peregrinação é contado a partir do momento em que o sacerdote de Apolo coroa a popa do navio, o que se deu, conforme disse, na véspera do julgamento. É esse o motivo de ter estado Sócrates tanto tempo na prisão, desde o julgamento até à morte.

II

Equécrates — E as condições em que morreu, Fédon? Quais foram suas palavras? Como aconteceu tudo? Quais dos seus familiares se encontravam ao seu lado? Ou as autoridades não permitiram que entrassem, vindo ele a morrer privado da assistência dos amigos?

Fédon — De forma alguma. Vários estiveram presentes e em grande número.

Equécrates — Então, conte com mais detalhes como tudo se passou, caso disponha de tempo.

Fédon — Disponho, sim, e vou tentar contar como foi tudo. Para mim, nada é tão agradável como recordar-me de Sócrates. Seja quando falo nele, ou quando ouço alguém falar a seu respeito.

Equécrates — Pois tenha certeza, Fédon, de que esses ouvintes estão nessas mesmas condições. Portanto, use sua memória para contar o caso com todas as minúcias.

Fédon — Era por demais estranho o que eu sentia junto dele. Não podia lastimar, como o faria perto de um ente querido no transe derradeiro. O homem me parecia felicíssimo, Equécrates, tanto nos gestos como nas palavras, reflexo exato da intrepidez e da nobreza com que se despedia da vida. Minha impressão naquele instante foi de que sua passagem para o Hades não se dava sem disposição divina e que, uma vez lá chegando, Sócrates se sentiria tão venturoso como os outros em situação similar. Por isso mesmo, não me dominou nenhum sentimento de piedade, o que seria natural na presença de um moribundo. Também não me sentia alegre, como costumava ficar em nossas práticas sobre filosofia. Sim, porque toda nossa conversa girou em torno dos temas filosóficos. Era um estado difícil de definir, misto insólito de alegria e tristeza, por lembrar-me de que ele iria morrer dentro em pouco. As mais pessoas presentes se encontravam em condições quase idênticas, umas riam, outras choravam, principalmente Apolodoro. Você conhece o homem e sabe bem como ele é.

Equécrates — Sem dúvida.

Fédon — Pois foi desse jeito que se comportou o tempo todo. Eu também fiquei muito abalado. A mesma coisa se passava com todos os outros.

Equécrates — E quem se achava lá, Fédon?

Fédon — Além do mencionado Apolodoro, seus conterrâneos Critobulo e o pai, Hermógenes, Epígenes, Ésquines e Antístenes. Ctesipo de Peânia também esteve presente, Menéxeno e mais alguns da mesma região. Se não me engano, Platão se achava doente.

Equécrates — E havia também estrangeiros?

Fédon — Sim, os tebanos Símias, Cebes e Fedondes. De Mégara, Euclides e Térpsio.

Equécrates — Nesse caso, Aristipo e Cleômbroto também estiveram com ele?

Fédon — Não. Disseram que se encontravam em Egina.

Equécrates — Havia mais alguém?

Fédon — Creio que eram somente esses.

Equécrates — E depois? Quais foram os discursos que comentou antes?

III

Fédon — Vou me esforçar para contar tudo do começo. Tal como na véspera, todos os dias visitávamos Sócrates e, desde a manhãzinha, nos encontrávamos no tribunal em que se deu o julgamento. Fica perto da cadeia. Ali, esperávamos conversando até que a cadeia abrisse, pois não costumam abri-la muito cedo. Porém, logo que isso se dava, corríamos para junto de Sócrates e quase sempre passávamos com ele o dia todo. Nessa manhã, chegamos mais cedo porque na tarde anterior, ao nos retirarmos da prisão, soubemos que o navio viera de Delo. Por isso, combinamos de nos encontrar o mais cedo possível no lugar habitual. Ao chegarmos, o porteiro que sempre nos recebia veio ao nosso encontro para dizer que esperássemos fora e não entrássemos sem que ele nos avisasse. Nesse momento, nos disse, os "Cidadãos de Atenas" estão tirando os ferros de Sócrates e lhe comunicam que hoje ele terá de morrer. Depois de algum tempo, voltou para dizer que entrássemos. Ao penetrarmos no recinto, encontramos Sócrates, que acabava de ser aliviado dos ferros, e Xantipa – você a conhece, não? – com o filho pequeno, sentada junto do marido. Ao chegarmos, Xantipa começou a se lastimar e clamar como as mulheres o fazem sempre, dizendo: "Pela última vez, Sócrates, teus amigos conversarão contigo e você, com eles". Virando-se para Críton, Sócrates lhe disse: "Críton, leve Xantipa para casa". Diante disso, alguns dos homens de Críton a retiraram, Xantipa não cessava de gritar e se debater. Sócrates, de seu lado, sentado no catre, dobrou a perna sobre a coxa e começou a friccioná-la duramente com a mão, ao mesmo tempo que dizia: "Como é extraordinário, senhores, o que os homens denominam 'prazer', e como se associa admiravelmente com o sofrimento, que passa, aliás, a ser o seu contrário. Não gostam de ficar juntos no homem. Mal alguém persegue e alcança um deles, de regra é obrigado a apanhar o outro, como se ambos, como se fossem dois, estivessem ligados pela cabeça. Acaba me parecendo", continuou, "que se Esopo houvesse feito essa observação, não deixaria de compor uma fábula: Resolvendo Zeus pôr termo para suas dissensões contínuas, e não o conseguindo, uniu-os pela extremidade. Por isso, sempre que alguém alcança um deles, o outro lhe vem no rastro. Meu caso é parecido: após o incômodo da perna causada pelos ferros, agora me vem o prazer".

IV

A essa altura, falou Cebes: "Por Zeus, Sócrates", disse, "foi bom que me lembrasse. Diversas pessoas já me têm falado a respeito dos poemas que escreveu, aproveitando as fábulas de Esopo, e do hino em louvor de Apolo. Anteontem mesmo, o poeta Eveno me interpelou sobre a razão de ter composto versos desde que veio para cá, coisa que fez antes. Ajude-me a responder a Eveno quando ele voltar a falar comigo a esse respeito? Tenho certeza de que o fará. Diga-me: o que devo responder a ele?".

"Então diga a Eveno a verdade, Cebes", replicou: "que não me movia o desejo de ser um concorrente seu, nem aos seus poemas, quando compus os meus, o que, aliás, era uma tentativa de rastrear o significado de uns sonhos e assim cumprir minha obrigação, no sentido de saber se era essa a modalidade de música que me recomendavam com insistência. É o seguinte: muitas e muitas vezes em minha vida pregressa, sob formas diferentes me apareceu um sonho, porém dizendo sempre a mesma coisa: 'Sócrates', me falava, 'componha música e a toque'. Até agora, eu estava convencido de ser justamente o que eu fizera a vida toda o que o sonho me insinuava a fazer, à maneira de como costumamos estimular os corredores: desse mesmo modo, o sonho me exortava a prosseguir em minha prática habitual, a compor música, por ser a Filosofia a música mais nobre e a ela eu estar dedicado. Agora, porém, depois do julgamento e por haver o festival do deus adiado minha morte, perguntei a mim mesmo se a música que com tanta insistência o sonho me mandava compor não seria essa espécie popular, tendo concluído que não importava desobedecer ao sonho, porém fazer o que ele me ordenava. Seria mais seguro cumprir essa obrigação antes de partir, e compor poemas em obediência ao sonho. Assim, comecei por escrever um hino em louvor à divindade cuja festa então se celebrava. Depois da divindade, considerando que quem quiser ser poeta de verdade terá de compor mitos e não palavras, por saber-me incapaz de criar no domínio da mitologia, recorri às fábulas de Esopo que eu sabia de cor e tinha mais à mão, versificando as que me ocorreram primeiro".

V

"Isso, Cebes, é o que pode dizer a Eveno. Também, mande minhas saudações, acrescentando que, se ele for sábio, deverá me seguir o quanto antes. Parto, ao que parece, hoje mesmo, pois assim determinam os atenienses."

Símias exclamou: "Que conselho, manda dar a Eveno, Sócrates! Tenho estado bastante com o homem, e por tudo o que sei dele, não terá grande desejo em aceitar essa sua sugestão".

"Como assim?", perguntou. "Eveno não é filósofo?"

"Penso que é", retrucou Símias.

"Nesse caso, terá de aceitá-la. Tanto Eveno como quem quer que se aplique dignamente a esse estudo. O que é preciso é não empregar violência contra si próprio. Dizem que isso não é permitido."

Assim falando, sentou-se e apoiou os pés no chão, permanecendo nessa posição daí por diante e durante todo o tempo da conversa.

A essa altura, Cebes o interpelou: "Por que nos diz, Sócrates, que não é permitido a ninguém empregar violência contra si próprio, se, ao mesmo tempo, afirmas que o filósofo deseja ir após de quem morre?".

"Como pode nunca ter ouvido nada a esse respeito, Cebes? Você e Símias, quando conviveram com Filolau?"

"Ouvi, Sócrates, porém muito pela rama."

"Sobre isso eu também só posso falar de oitiva, mas nada me impede de lhes contar o que sei. Talvez, mesmo, seja a quem se encontra no ponto de imigrar para o outro mundo que compete investigar acerca dessa viagem e dizer como será preciso imaginá-la. Que melhor coisa se poderá fazer para passar o tempo até sol baixar?"

VI

"Qual o motivo, então, Sócrates, de dizerem que a ninguém é permitido o suicídio? De fato, sobre o que me perguntaste, ouvi Filolau afirmar, quando esteve entre nós, e também outras pessoas, que não devemos fazer isso. Porém, nunca ouvi de ninguém maiores particularidades."

"Então, o que importa é não desanimar", disse. "É possível que ainda venha a ouvir sobre isso no futuro. Talvez pareça estranho que entre todos os casos seja este o único simples e que não se comporte como as demais decisões arbitrárias. Segundo as circunstâncias: é melhor estar morto do que vivo. E havendo pessoas para quem a morte, de fato, é preferível, não se pode vetar aos homens procurarem para si mesmos semelhante benefício, mas precisarem esperar por benfeitor estranho."

"*Itto Zeus*", disse Cebes em seu dialeto, esboçando um sorriso. "Deus o saberá."

"Aparentemente", continuou Sócrates, "isso carece de lógica, mas o fato é que tem a sua razão de ser. Aquilo dos mistérios, de que nós, homens, estamos em uma espécie de cárcere no qual nos é impossível escapar, afigura-me de peso e anda fácil de entender. Uma coisa, pelo menos, Cebes, me parece bem enunciada: os deuses são nossos guardiães, e nós, homens, propriedade deles. Aceita esse ponto?".

"Perfeitamente", respondeu Cebes.

"E você também", continuou, "na hipótese de algum dos seus escravos se suicidar, sem que lhe houvesse dado a entender que estava de acordo em que se matasse, não lhe aborreceria com ele? E se fosse possível, não o puniria?".

"Sem dúvida", respondeu.

"Por conseguinte, não acho absurdo ninguém poder matar-se sem que a divindade o coloque nessa contingência, como é o nosso caso agora."

VII

"Essa parte", observou Cebes, "também me parece razoável. Porém, o que afirmou antes, sobre a disposição do filósofo para morrer, é um verdadeiro contrassenso, Sócrates. Se estiver certo o que dissemos há pouco, que Deus cuida de nós e que somos propriedades dele. Que os indivíduos mais sábios se insurjam contra semelhante tutela e procurem evitá-la, quando a exercem, precisamente, os deuses, os melhores dirigentes, é o que não chego a compreender. Pois ninguém ousará dizer que saberá cuidar melhor de si mesmo, uma vez em liberdade. Um indivíduo insensato poderia raciocinar dessa maneira por achar bom fugir do amo, sem considerar que não se deve fugir do bem, mas ficar junto dele o maior tempo possível. Foge por não ter senso. A pessoa inteligente, pelo contrário, deseja continuar junto de quem lhe seja superior. Por isso, Sócrates, o certo é, precisamente, o oposto do que foi dito há pouco: aos sábios é que fica bem insurgir-se contra a ideia da morte, e aos insensatos, exultar ante essa perspectiva".

Ao ouvi-lo assim falar, pareceu que Sócrates se alegrava com a agudeza de Cebes. Depois, voltando-se para nosso lado, disse: "Cebes anda sempre em busca de argumentos sem aceitar de pronto a opinião dos outros".

Símias observou: "Porém, me parece, Sócrates, que há bastante senso nas palavras de Cebes. Não se compreende, de fato, que indivíduos realmente sábios fujam de amos melhores do que eles e se alegrem com essa liberdade. A meu ver, o argumento de Cebes é dirigido contra você, por aceitar a ideia de nos abandonar com rapidez. E também aos seus amos cuja superioridade é o primeiro a proclamar".

"Tem razão", observou. "Pelo que vejo, parece que preciso me defender dessa acusação, como o fiz no tribunal."

"Perfeitamente", respondeu Símias.

VIII

"Pois que seja", disse. "Vejamos se diante de vocês minha defesa sairá mais convincente do que a feita na frente dos juízes. O fato", prosseguiu, "é que se eu não acreditasse, primeiro, que vou para junto de outros deuses, sábios e bons, e, depois, para o lugar de homens falecidos muito melhores do que os daqui, cometeria um grande erro por não me insurgir contra a morte. Porém podes crer que espero me juntar a homens de bem. Sobre esse ponto não me manifesto com muita segurança, mas no que se refere à minha transferência para junto de deuses que são excelentes amos, sim. Se há algo que eu defenda com convicção é precisamente isso. Esse é o motivo de não me revoltar a ideia da morte. Pelo contrário, tenho esperança de que alguma coisa há para os mortos e, de acordo com antiga tradição, muito melhor para os bons do que para os maus".

"Como assim, Sócrates", perguntou Símias. "Com essa sugestão quer nos deixar sem se dar a conhecer? Eu, pelo menos, acho que se trata de algo de grande relevância para nós todos. Ao mesmo tempo, com isso construirá a sua defesa se com o que nos disser conseguir nos convencer."

"É o que vou tentar", continuou. "Porém, primeiro vejamos o que nosso Críton quer me dizer há tanto tempo."

"Trata-se apenas do seguinte, Sócrates." falou Críton. "É que há muito vem insistindo a pessoa encarregada de te ministrar o veneno, para te avisar de que é melhor conversar o mínimo possível. Conversa muito animada esquenta, é o que ele diz, e isso prejudica a ação da droga. Do contrário, já tem acontecido de precisarem tomar duas ou três doses quem se comporta desse jeito."

"É Sócrates! Manda-o passear!", disse. "E que prepare dose dupla, e até tripla, se for preciso."

"Eu já sabia mais ou menos sua resposta", observou Críton. "Mas o homem não me dava sossego."

"Deixe estar", disse. "E agora, juízes, pretendo expor as razões de estar convencido de que o indivíduo que se dedicou a vida toda à Filosofia terá de se mostrar confiante na hora da morte pela esperança de vir a participar, depois de morto, dos mais valiosos bens. Como poderá ser dessa maneira, Símias e Cebes, é o que tentarei explicar."

IX

"Embora os homens não o percebam, é possível que todos os que se dedicam verdadeiramente à Filosofia a nada mais aspirem do que a morrer e continuarem mortos. Sendo isso um fato, seria absurdo, não fazendo outra coisa o filósofo toda a vida, ao chegar esse momento, revoltar-se contra o que ele mesmo pediu com tal empenho."

Símias disse, sorrindo: "Por Zeus, Sócrates!", interrompeu. "Você me fez rir, mesmo sem a mínima vontade para isso. O que penso é que, se os homens te ouvissem falar dessa maneira, achariam certo o que se diz dos filósofos – e nesse ponto contariam com a aprovação de nossa gente – que em verdade eles vivem a morrer, sabendo perfeitamente que não merecem outra coisa."

"E só diriam a verdade, Símias, como exceção do que se refere a estarem cientes desse ponto, pois, na verdade, não sabem de que modo o verdadeiro filósofo deseja a morte, nem como pode vir a alcançá-la. Porém vamos deixar essa gente de lado e perguntar a nós mesmos se acreditamos que a morte seja alguma coisa?"

"Sem dúvida", respondeu Símias.

"Que não será senão a separação entre a alma e o corpo? Morrer, então, consistirá em apartar o corpo da alma, ficando este reduzido a si mesmo e, por outro lado, em se libertar a alma do corpo e isolar-se em si mesma? Ou será a morte outra coisa?"

"Não, é isso. Precisamente", respondeu.

"Considera agora, meu caro, se pensas como eu. Estou certo de que desse modo ficaremos conhecendo melhor o que nos propomos a investigar. Acha que o próprio do filósofo tenha de se esforçar para se deleitar dos pretensos prazeres, tal como comer e beber?"

"De forma alguma, Sócrates", replicou Símias.

"E quanto aos prazeres do amor?"

"A mesma coisa."

"E os demais prazeres, que se alinham com a vaidade do corpo? Devemos atribuir algum valor a eles? Roupas vistosas ou calçados e toda a sorte de ornamentos do corpo, que acham? Ele os aprecia ou os despreza por não serem de estrita necessidade?"

"Eu, pelo menos", respondeu, "sou de parecer que o verdadeiro filósofo os despreza".

"Sendo assim, continuou, não acha que, de modo geral, as preocupações dessa pessoa não visam ao corpo mas tendem, na medida do possível, a se afastar dele para se aproximar da alma?"

"É também o que eu penso."

"É por isso, então, que o filósofo se diferencia dos demais homens: no empenho de retirar tudo quanto possível da alma na companhia do corpo."

"Evidentemente."

"Símias, essa é a razão de, na opinião da maioria dos homens, não merecer viver a quem nada disso agrada e que não se importa com tais práticas, por se achar muito mais perto da condição de morto e por não dar a menor importância aos prazeres alcançados por intermédio do corpo."

"Tem razão."

X

"E com referência à aquisição do conhecimento? O corpo constitui ou não um obstáculo quando chamado para participar da pesquisa? O que digo é o seguinte: a visão e os ouvidos asseguram aos homens alguma verdade? Ou será certo o que os poetas não se cansam de afirmar, que nada vemos nem ouvimos com exatidão? Ora, se esses dois sentidos não são nem exatos nem de confiança, que diremos dos demais, que são inferiores aos primeiros? Não pensa desse modo?"

"Perfeitamente", respondeu.

"Então", perguntou, "quando é que a alma atinge a verdade? Sem dúvida, desde o momento em que tenta investigar algo na companhia do corpo, se vê lograda por ele."

"Tem razão."

"E não é no pensamento – se tiver de ser de algum modo – que se patenteia de algo da realidade?"

"Perfeitamente."

"Ora, a alma pensa melhor quando não tem nada disso a perturbá-la, nem os olhos nem os ouvidos, nem dor nem prazer de espécie alguma. Concentrada ao máximo em si mesma, dispensa a companhia do corpo, evitando tanto quanto possível qualquer troca com ele e se esforça em apreender a verdade."

"Certo."

"E não é nesse estado que a alma do filósofo despreza o corpo e dele foge, trabalhando por se concentrar em si própria?"

"Evidentemente."

"E com relação a isso, Símias, afirmaremos ou não que o justo em si mesmo seja alguma coisa?"

"Afirmaremos, sem dúvida, por Zeus."

"E também o belo em si e o bem?"

"Também."

"E algum dia já percebeu com os olhos qualquer um deles?"

"Nunca", respondeu.

"Ou por intermédio de outro sentido corpóreo? Refiro-me a tudo: grandeza, saúde, força e o mais que for, em uma palavra: à essência de tudo o que existe, conforme a natureza de cada coisa. É por intermédio do corpo que percebemos o que neles há de verdadeiro, ou tudo se passará da seguinte maneira: quem de nós ficar em melhores condições de pensar em si mesmo o mais exatamente possível o que se propõe examinar, não é esse que estará mais perto do conhecimento de cada coisa? Ou não?"

"Perfeitamente."

"E não alcançará tal objetivo da maneira mais pura quem se aproximar de cada coisa só com o pensamento, sem arrastar para os olhos para ou qualquer outro sentido para a reflexão, nem associá-los ao seu raciocínio? Mas ainda assim valer-se do pensamento puro, esforçar-se em apreender a realidade de cada coisa em sua maior pureza, apartado, tanto quanto possível, dos olhos e dos ouvidos. Basicamente, por assim dizer, de todo o corpo, por ser o corpo fator de perturbação para a alma e impedi-la de alcançar a verdade e o pensamento, sempre que a ele se associa? Não será esse indivíduo, se houver alguém em tais condições, que alcançara o conhecimento do Ser, Símias?"

"Tem toda a razão, Sócrates", respondeu Símias.

XI

"Por tudo isso", continuou, "é natural nascer no espírito dos filósofos autênticos a convicção que os leva a discorrer entre eles mais ou menos nos seguintes termos: 'Tem de haver para nós, outros, algum atalho direto, quando o raciocínio nos acompanha na pesquisa. Enquanto tivermos corpo e nossa alma se encontrar atolada em sua corrupção, jamais poderemos alcançar o que almejamos. E o que queremos, vamos dizer de uma vez por todas, é a verdade. Os embaraços que o corpo nos apresenta não têm valor. Pela sua necessidade de se alimentar, sem falar nas doenças intercorrentes, são outros empecilhos na caça da verdade. Com amores, receios, cupidez, imaginações de toda a espécie e um sem-número de banalidades, ele nos satura e, por sua causa, jamais conseguiremos alcançar o conhecimento do quer que seja. Mais, ainda: guerras, batalhas, dissensões são atribuições exclusivas do corpo e seus apetites. Outra causa não têm as guerras senão o amor do dinheiro e dos bens que nos vemos forçados a adquirir por causa do corpo, pois somos obrigados a servi-lo. Se precisarmos vagar para nos dedicar à Filosofia, a causa é tudo isso que enumeramos. O pior é que, mal conseguimos alguma trégua e nos dispomos a refletir sobre determinado ponto, na mesma hora o corpo intervém para nos perturbar de mil modos, causando tumulto e inquietude em nossa investigação, até nos deixar inteiramente incapazes de perceber a verdade. Por outro lado, a experiência nos ensina que se quisermos alcançar o conhecimento puro de alguma coisa, teremos de nos separar do corpo e considerar apenas com a alma como as coisas são em si mesmas. Só nessas condições, parece, é que alcançamos o que desejamos, a sabedoria, ou seja, depois de mortos, conforme nosso argumento indica, mas nunca enquanto vivermos. Se, realmente, na companhia do corpo não é possível obter o conhecimento puro do que quer que seja, de duas uma: ou nunca conseguiremos adquirir esse conhecimento, ou só o faremos depois de mortos, pois só então a alma se recolherá em si mesma, separada do corpo. E nunca antes disso. Parece que, enquanto vivermos, a única maneira de ficarmos mais perto do pensamento é nos afastarmos o máximo possível da companhia do corpo e de qualquer comunicação com ele, salvo quando estritamente necessário. Não nos deixar saturar de sua natureza sem permitir que nos macule, até que a divindade nos venha libertar. Puros e livres da insanidade do corpo, é bem provável que nos uniremos a seres iguais a nós e reconheceremos por nós mesmos o que forem impurezas. É nisso, provavelmente, que consiste a verdade. Não é permitido ao impuro entrar em contato com o puro. Eis aí, meu caro Símias, o que necessariamente pensam entre si e conversam uns com os outros os verdadeiros amantes da sabedoria. Não é esse, também, o seu modo de pensar?"

"Perfeitamente, Sócrates."

XII

"Por conseguinte, companheiro", continuou Sócrates, "se tudo isso estiver certo, há muita esperança de que somente no ponto em que me encontro, e mais em tempo algum, é que alguém poderá alcançar o que durante a vida constitui nosso único objetivo. Por isso, a viagem que me foi imposta deve ser iniciada com uma boa esperança, o que se dará também com outros que tiverem a certeza de estarem com a mente preparada e, de algum modo, pura."

"Isso mesmo", observou Símias.

"E purificação não vem a ser, precisamente, o que dissemos antes: separar do corpo, tanto quanto possível, a alma, e habituá-la a concentrar-se e a recolher-se a si mesma, a afastar-se de todas as partes do corpo e a viver, agora e no futuro, isolada, e como que libertada dos grilhões do corpo?"

"É muito certo", respondeu.

"E o que denominamos morte, não será a liberação da alma e seu apartamento do corpo?"

"Sem dúvida", tornou a falar.

"E essa separação, como dissemos, os que mais se esforçam por alcançá-la e os únicos a consegui-la não são os que se dedicam verdadeiramente à Filosofia? Não consiste toda a atividade dos filósofos na libertação da alma e na sua separação do corpo?"

"Exato."

"Sendo assim, como disse no começo, não seria ridículo preparar-se alguém a vida inteira para viver o mais perto possível da morte e revoltar-se no instante em que ela chega?"

"Ridículo, como não?"

"Logo, Símias", continuou, "os que praticam verdadeiramente a Filosofia de fato se preparam para morrer, sendo eles, entre todos os homens, os que menos temor revelam à ideia da morte. Basta considerarmos o seguinte: se de todo o jeito eles desprezam o corpo e desejam, acima de tudo, ficar a sós com a alma, não seria o cúmulo do absurdo mostrar medo e revolta no instante em que isso acontecesse, em vez de partirem contentes para onde esperam alcançar o que a vida inteira tanto amaram – sim, pois eram justamente isso: amantes da sabedoria – e ficar livres para sempre da companhia dos que os molestavam? E como! Amores humanos, diante da perda de amigos, esposas e filhos, têm levado tanta gente a baixar voluntariamente, ao Hades, movidos apenas pela esperança de reverem o objeto de seus desejos e de com eles conviverem. No entanto, quem ama de verdade a sabedoria, e está firmemente convencido de que em parte alguma poderá encontrá-la a não ser no Hades, haverá de insurgir-se contra a morte, em vez de partir contente para lá? Sim, é o que teremos de admitir, meu caro, quando somos um verdadeiro amante da sabedoria. Pois teremos de estar firmemente convencidos de que somente lá, e em parte alguma poderemos encontrar a verdade em toda a sua pureza. Se as coisas se passam realmente como acabo de dizer, não seria dar prova de insensatez a semelhante indivíduo temer a morte?"

"Sem dúvida, por Zeus", foi a sua resposta.

XIII

"Assim", continuou, "ao ver um homem em revolta no instante da morte, será isso prova suficiente de que não se trata de um amante da sabedoria, mas amante do corpo? Um indivíduo nessas condições, também será, possivelmente, amante do dinheiro ou da fama. Talvez de ambos ao mesmo tempo."

"É exatamente como diz", respondeu.

"E a virtude denominada 'coragem', Símias", prosseguiu, "não se assenta muito bem nos indivíduos com essa disposição?".

"Sem dúvida", respondeu.

"E a temperança – não se deixar dominar pelos apetites, mas desprezá-los e revelar moderação –, não será qualidade apenas das pessoas que em grau eminentíssimo desdenham do corpo e vivem para a Filosofia?"

"Necessariamente", foi a resposta.

"Se considerar", prosseguiu, "nos outros homens a coragem e a temperança, irá achá-las mais do que absurdas".

"Como assim", Sócrates?

"Por acaso você ignora que na opinião de toda a gente a morte se inclui entre os denominados males?"

"Sei disso", respondeu.

"E não é pelo medo de um mal ainda maior que enfrentam a morte esses indivíduos corajosos, quando a enfrentam?"

"Certo."

"Logo, é por medo e temor que os homens são corajosos, com exceção dos filósofos, muito embora pareça paradoxal ser alguém corajoso por temor e fraqueza de ânimo."

"Perfeitamente."

"E com os moderados desse tipo não se passará a mesma coisa? Isto é, serem moderados por algum desregramento? E conquanto acreditamos que isso não é possível, é o que se acontece, realmente, com a temperança balofa dessa gente. De medo, apenas, de se privarem de certos prazeres por eles cobiçados, quando se abstêm de alguns é porque outros o dominam. E embora chamem de intemperança o ser vencido pelos prazeres, o que se dá com todos é que o domínio sobre alguns prazeres se faz à custa de servirem a outros, o que vem a ser muito parecido com o que há pouco declarei, de ser, de algum modo, a intemperança que os deixa temperantes."

"Parece que é assim mesmo."

"Mas, meu bem-aventurado Símias, essa não é a maneira de alcançar a virtude, trocando prazeres por outros, tristezas, ou temores por temores de outras espécie como trocamos em miúdos moeda de maior valor. Só há uma moeda verdadeira, pela qual tudo isso deveria ser trocado: a sabedoria. E só por troca com ela, ou com ela mesma, é que realmente se compra ou se vende tudo isso: coragem, temperança e justiça, em uma palavra, a verdadeira virtude, a par da sabedoria, pouco importando que se associem ou dela se afastem prazeres ou temores e tudo o mais da mesma natureza. Separadas da sabedoria e permutadas entre si, todas elas não são mais do que sombra de virtude, servis em toda a linha e sem nada possuírem de verdadeiro nem são. A verdade em si consiste, precisamente, na purificação de tudo isso, não passando a temperança, a justiça, a coragem e a própria sabedoria de uma espécie de purificação. É muito provável que os instituidores de nossos mistérios não fossem falhos de merecimento e que desde muito nos quisessem dar a entender por meio de sua linguagem obscura que a pessoa não iniciada nem purificada, ao chegar ao Hades, vai para um lamaçal. Mas que o iniciado e puro, ao chegar lá, passa a morar com os deuses. Porque, como dizem os que tratam dos mistérios, muitos são os portadores de tirso, mas pouquíssimos são inspirados verdadeiros. E no meu modo de entender, são estes, apenas, os que se ocuparam com a Filosofia, em sua verdadeira acepção, entre os quais procurei me incluir, me esforçando nesse sentido, por todos os modos, a vida inteira e na medida do possível sem nada negligenciar. Se trabalhei como seria preciso e tirei disso algum proveito, é o que ficaremos sabendo no instante em que lá chegarmos. Isso, dentro de pouco tempo, creio. Eis aí, Símias e Cebes, minha defesa, a razão de me apartar ou me revoltar, por estar convencido de que tanto lá como aqui encontrarei companheiros e mestres excelentes. O vulgo não me dará crédito, mas se a minha defesa lhes pareceu mais convincente do que aos juízes atenienses, é tudo o que posso desejar."

XIV

Depois de haver Sócrates assim falado, Cebes tomou a palavra e disse: "Sócrates, dificilmente os homens acreditarão que, uma vez separada do corpo, a alma subsista em alguma parte, por destruir-se e desaparecer no mesmo dia em que o homem fenece. No próprio instante em que ela sai do corpo, dispersa-se como sopro ou fumaça, deixando de existir em qualquer parte. Porque, se ela se recolhesse em algum lugar, livre dos males enumerados, haveria grande esperança de ser verdade tudo o que disse, Sócrates. Mas o fato é que se faz preciso grande poder de persuasão e de muitos argumentos para demonstrar que a alma subsiste depois da morte do homem e que conserva alguma atividade e pensamento".

"Tem razão, Cebes", respondeu Sócrates. "Mas que podemos fazer? Não queres examinar melhor essa questão para ver se as coisas realmente se passam desse modo?"

"Eu, pelo menos", respondeu Cebes, "ouvirei de muito bom grado o que disser a esse respeito".

"Estou certo de que desta vez", continuou Sócrates, "quem nos ouvir, mas que seja algum comediógrafo, não poderá dizer que só digo baboseiras e nunca me ocupo com coisas de interesse. Se estiver de acordo, investigaremos esse ponto".

XV

"Vamos estudá-lo sob o seguinte aspecto: as almas dos mortos se encontram ou não no Hades? Conforme antiga tradição que agora me lembro, as almas que lá existentes foram daqui mesmo e para cá deverão voltar, renascendo os mortos. Sendo assim, se os vivos nascem dos mortos, não terão de estar lá mesmo nossas almas? Não poderiam renascer se não existissem, vindo a ser essa, justamente, a prova decisiva, no caso de ser possível deixar manifesto de que os vivos de outra parte procedem dos mortos. Se isso não for verdade, teremos de procurar outro argumento."

"Isso mesmo", disse Cebes.

"Para deixar a questão mais fácil de entender", observou, "não fique limitado a considerar sua relação aos homens, mas estenda ao conjunto dos animais e plantas. Em resumo, a tudo o que nasce. E veremos se cada coisa não se origina exclusivamente do seu contrário, onde quer que se verifique essa relação, tal como no caso do belo, que tem como contrário o feio, no do justo e do injusto e em mil outros exemplos que poderiam ser enumerarados. Investiguemos, então, se é forçoso que tudo o que tenha algum contrário se origina desse mesmo contrário. Por exemplo: para ficar grande, é preciso que a coisa antes fosse pequena, sem o que não poderia aumentar."

"Certo."

"E, para diminuir, não é preciso ser maior, para depois vir a ficar pequena?"

"Exatamente", respondeu.

"Assim, do mais forte nasce o mais fraco e do moroso, nasce o rápido."

"Sem dúvida."

"E então? Se alguma coisa piora, é porque antes era melhor, como terá sido antes injusta para poder tornar-se justa?"

"Como não?"

"E agora? Não é próprio dessa oposição universal haver dois processos de nascimento? Um que vai de um contrário para o outro, e o de sentido inverso. Entre a coisa maior e a menor há crescimento e diminuição, razão por que dizemos que uma delas cresce e a outra diminui."

"É certo", respondeu.

"Vale o mesmo para a combinação e a decomposição, o resfriamento e o aquecimento, e para as demais oposições do mesmo tipo. E embora nem sempre tenhamos para todas elas designação apropriada, é forçoso nesses casos ser idêntico o processo, de forma que cada coisa cresce à custa de outra, sendo recíproca a geração entre elas."

"Sem dúvida", observou.

XVI

"E então?", prosseguiu, "viver não comporta um contrário, tal como se dá com a vigília e o sono?".

"Perfeitamente", respondeu.

"Qual é?"

"Estar morto", foi a resposta.

"Sendo assim, cada um desses estados provém do outro, visto serem contrários, havendo entre ambos um processo recíproco de geração."

"Como não?"

"Vou falar de um dos pares de contrários a que me referi há pouco", disse Sócrates, "e de suas respectivas gerações. Você se manifestará a respeito do outro. Denomino o primeiro, vigília e sono. Da vigília nasce o sono, e vice-versa. Do sono, a vigília, tendo um dos processos o nome de acordar e o outro o de dormir. Isso basta?".

"Perfeitamente."

"Agora é a sua vez", prosseguiu, "de falar a respeito da vida e da morte. Não me disse que estar vivo é o contrário de estar morto?".

"Disse."

"E que um é gerado do outro?"

"Também."

"O que é, então, que provém do vivo?"

"O morto", respondeu.

"E do morto", disse, "o que se origina?".

"Será forçoso convir que é o vivo."

"Sendo assim, Cebes, do que está morto provêm os homens e tudo o que tem vida?"

"É evidente", respondeu.

"Logo", continuou, "nossas almas estão no Hades".

"Parece que sim."

"E desses dois processos correlativos, um não nos é visível? Pois o ato de morrer é bem visível, não é isso mesmo?"

"Sem dúvida", respondeu.

"Que faremos, então?", continuou. "Não atribuiremos a esse processo de geração o seu contrário, ou admitiremos que nesse ponto a natureza é falha? Não será preciso aceitarmos um processo gerador oposto ao de morrer?"

"Sem dúvida nenhuma", respondeu.

"Qual?"

"Reviver."

"Logo", continuou, "se o reviver é um fato, terá de ser uma geração no sentido dos mortos para os vivos: o renascimento".

"Perfeitamente."

"Desse modo, também concordamos que tanto os vivos provêm dos mortos como os mortos dos vivos. Sendo assim, parece que apresentamos um argumento bastante forte para afirmar que as almas dos mortos terão necessariamente de estar em alguma parte, de qual voltam a viver."

"A meu parecer", Sócrates, replicou, "é a conclusão forçosa de tudo o que admitimos até aqui".

XVII

"Observa também, Cebes", continuou, "que não chegamos a esse acordo casualmente, segundo me parece. Porque se um desses processos não fosse compensado pelo seu contrário, girando, por assim dizer, em círculos, mas sempre se fizesse a geração em linha reta – de um dos contrários para o seu oposto –, sem nunca voltar desta para aqueles, nem andar em sentido inverso: fique certo de que tudo acabaria em uma forma única e ficaria em um só estado, cessando, por isso mesmo, a geração".

"Como assim?", perguntou.

"Não é difícil", continuou, "compreender o sentido de minhas palavras. No caso, por exemplo, de existir o sono, porém sem haver o correspondente despertar do que estiver dormindo, entenda que acabaria por transformar em banalidade a fábula de Eudimião, a qual não seria percebida em parte alguma, porque tudo o mais ficaria como ele, em um sono universal. E se todas as coisas se misturassem, sem virem a separar-se, dentro de pouco tempo seria um fato aquilo de Anaxógaras: a confusão geral. A mesma coisa se daria, meu amigo Cebes, se viesse a perecer e, depois de morto, se continuasse sempre no mesmo estado, sem nunca renascer. Não seria inevitável tudo acabar morto e nada mais viver? Se o que é vivo provém de algo diferente da morte e acaba por morrer, como evitar que tudo acabe por desaparecer na morte?".

"Não há meio, Sócrates", respondeu Cebes. "Segundo penso, me parece que está com toda a razão." "A mim também, Cebes", continuou, "e não havendo possibilidade de engano da nossa parte, ficamos de acordo nesse ponto. Sim, o reviver é um fato, os vivos provêm dos mortos, as almas dos mortos existem, sendo melhor a sorte das boas e pior a das más".

XVIII

"É também, Sócrates", Cebes voltou a falar, "o que se conclui daquele outro argumento – se for verdadeiro – que costuma apresentar, sobre ser reminiscência o conhecimento, conforme o qual nós devemos forçosamente ter aprendido em um tempo anterior ao que nos recordamos agora. Isso seria impossível se nossa alma não tivesse uma existência prévia antes de assumir a forma humana. Isso vem provar que a alma deve ser algo imortal".

"Porém, Cebes", interrompeu-o Símias, "que provas há sobre isso? Avive minha memória, pois não lembro agora quais sejam".

"Bastará uma", respondeu Cebes, com muita eloquência. "Interrogando os homens, se as perguntas forem bem conduzidas, eles darão por si mesmos respostas acertadas. Mas não seriam capazes disso se já não possuíssem o conhecimento e a razão reta. Depois disso, se os pusermos diante de figuras geométricas ou coisas do mesmo gênero, ficará demonstrada a saciedade de que tudo realmente se passa desse modo."

"Se isso não basta, Símias", interveio Sócrates, "para que se convença, considere a questão por outro prisma e acabará concordando conosco. Duvida que seja apenas recordar o que denominamos aprender?".

"Não direi que duvido", respondeu Símias. "O que eu quero é justamente isso sobre discutimos: me recordar. Com a exposição de

Cebes cheguei quase a relembrar e me convencer. Assim, gostaria de saber como se desenvolverá o tema”.

“Eu?” replicou. “Em um ponto estamos de acordo, para que alguém se recorde de alguma coisa é preciso ter tido antes o conhecimento dessa coisa.”

“Perfeitamente”, respondeu.

“E não poderemos nos declarar também de acordo a respeito de mais outro ponto, de que o conhecimento alcançado em certas condições tem o nome de reminiscência? Estou me referindo ao seguinte: quando alguém vê ou ouve alguma coisa, ou a percebe de outra maneira, e não apenas adquire o conhecimento dessa coisa como lhe ocorre a ideia de outra que não é objeto do mesmo conhecimento, porém de outro, não teremos o direito de dizer que essa pessoa se recordou do que lhe veio ao pensamento?”

“Como assim?”

“Uma coisa é conhecimento do homem e outra, o da lira.”

“Sem dúvida.”

“Sabe o que se passa com os amantes quando veem a lira, a roupa, ou qualquer outro objeto de uso de seus amados? Reconhecem a lira e formam no espírito a imagem do mancebo a quem a lira pertence. Reminiscência é isso: alguém ver Símias frequentemente e recordar-se de Cebes. Há mil outros exemplos do mesmo tipo.”

“Milhares, por Zeus”, respondeu Símias.

“Isso não constitui”, perguntou, “uma espécie de reminiscência? Principalmente quando se dá com relação a coisa de que poderíamos estar esquecidos, pela ação do tempo ou por falta de atenção”.

“Perfeitamente”, respondeu.

“E então?” continuou, “não é possível que alguém se lembre de um homem ao ver a pintura de um cavalo ou de uma lira ou, então, ao ver o retrato de Símias, recordar-se de Cebes?”.

“Muito possível.”

“E diante do retrato de Símias, lembrar-se do próprio Símias?”

“Isso também”, foi a resposta.

XIX

"E não é certo que, em todos esses casos, a reminiscência tanto provém dos semelhantes como dos dessemelhantes?"

"Provém, de fato."

"E no caso de alguém se lembrar de alguma coisa à vista de seu semelhante, não será forçoso que essa pessoa perceba se a semelhança é perfeita ou se apresenta alguma falha?"

"Forçosamente", respondeu.

"Considera, então, se tudo não se passa deste modo. Afirmamos que há alguma coisa a que damos o nome de 'igual'. Não imagino a hipótese de um pedaço de pau ser igual a outro, nem uma pedra igual à outra pedra, nem nada semelhante. Refiro-me ao que se acha acima de tudo isso: a igualdade em si. Diremos que existe ou que não existe?"

"Existe, por Zeus!", exclamou Símias. "E muito!"

"E que também saberemos o que seja?"

"Sem dúvida", respondeu.

"E aonde fomos buscar esse conhecimento? Não foi naquilo a que nos referimos há pouco, à vista de um pau ou de uma pedra e de outras coisas iguais, que nos surgiu a ideia de igualdade, que difere delas? Ou não te parece diferir? Considera também que, por vezes, a mesma pedra ou o mesmo lenho, sem se modificarem, não lhe parecem ora iguais, ora diferentes?"

"Sem dúvida."

"E então? O igual já se apresentou alguma vez a você como desigual e a igualdade, como desigualdade?"

"Nunca!", exclamou Sócrates.

"Assim", continuou, "não são a mesma coisa esses objeto iguais e a igualdade em si?".

"De jeito nenhum", respondeu Sócrates.

"Não obstante", disse, "foi desses iguais, diferentes da igualdade, que você concebeu e adquiriu o conhecimento desta última."

"Está muito certo o que afirmou", disse.

"Que pode ser semelhante àqueles ou diferentes?"

"Perfeitamente."

"Isso, aliás", continuou, "é indiferente. Desde que, à vista de um objeto, se pense em outro que seja ou não semelhante ao primeiro, necessariamente o que se dá nesse caso é reminiscência".

"Perfeitamente."

"E então?" prosseguiu, "que se passa conosco, com relação aos pedaços de pau iguais e a tudo o mais a que nos referimos há pouco? Parecem iguais à igualdade em si, ou falta alguma coisa para serem como a igualdade? Ou não falta nada?"

"Falta muito", respondeu.

"Estamos, portanto, de acordo que quando alguém vê um determinado objeto e diz: 'O objeto que tenho neste momento diante dos olhos aspira a ser como outro objeto real, porém fica muito aquém dele, sem conseguir alcançá-lo, visto que é inferior', essa pessoa estaria afirmando, ao fazer semelhante observação, que tinha necessariamente o conhecimento do objeto com o qual ela disse que o outro se assemelhava, porém era inferior."

"Forçosamente. E então? Não se passará a mesma coisa conosco, em relação às coisas iguais e à igualdade em si mesma?"

"Sem dúvida nenhuma."

"É preciso, portanto, que tenhamos conhecido a igualdade antes do tempo em que, vendo pela primeira vez objetos iguais, observamos que todos eles se esforçavam por alcançá-la, porém lhe eram inferiores."

"Certo."

"Como também nos declaramos de acordo em não fazermos semelhante observação, nem ficar em condições de fazê-la, a não ser por meio dos olhos ou do tato, ou de qualquer outro sentido. Não estabeleço diferenças."

"De fato, Sócrates, são equivalentes. Pelo menos no que se refere ao tema em discussão."

"De qualquer forma, é por meio dos sentidos que observamos tenderem para a igualdade todas as coisas percebidas como iguais, porém sem jamais alcançá-la."

"Isso mesmo."

"Logo, antes de começarmos a ver, a ouvir, ou a empregar os demais sentidos, já devemos ter adquirido, em alguma parte, o conhecimento do que seja a igualdade em si, para termos condições de relacionar com ela as igualdades que os sentidos nos dão a conhecer e afirmar que estas se esforçam por alcançá-la, porém lhe são inferiores."

"É a consequência necessária, Sócrates, do que foi dito antes."

"E não é certo que vemos e ouvimos e fazemos uso dos demais sentidos logo após o nascimento?"

"Perfeitamente."

"É preciso, então, como afirmamos, já termos antes disso o conhecimento da igualdade."

"Certo."

"Antes do nascimento parece, portanto, é que necessariamente o adquirimos."

"Parece, mesmo."

XX

"Logo, se é adquirido antes do nascimento e nascemos com ele, é porque o conhecemos antes e, ao nascer, tanto o igual, o maior e o menor, e as demais noções da mesma natureza. Pois é válido nosso argumento para a igualdade e para o belo em si mesmo e o bem em si mesmo, a justiça, a piedade e tudo o mais. É desse modo que adquirimos necessariamente antes de nascer o conhecimento de tudo isso."

"Certo."

"E se, depois de adquirido tal conhecimento, não o esquecêssemos desde o nascimento, o possuiríamos e o conservaríamos toda a vida. Pois conhecer, de fato, consiste apenas em conservar o conhecimento adquirido, sem nunca perdê-lo. O que denominamos esquecer, Símias, não é precisamente a perda do conhecimento?"

"Não será outra coisa, Sócrates", respondeu.

"Segundo penso, antes de nascer já tínhamos tal conhecimento e o perdemos ao nascer, e depois, aplicando nossos sentidos a esses objetos, voltamos a adquirir o conhecimento que já possuíramos em um tempo anterior. A isso que denominamos 'aprender' não seria a recuperação de um conhecimento? E não estaremos empregando a expressão correta se dermos a esse processo o nome de reminiscência?"

"Perfeitamente."

"Pois se já nos revelou como possível, ao percebemos alguma coisa, pelos olhos ou ouvidos, ou por qualquer outro sentido, pensar em outra de que nos havíamos esquecido, mas que se associa com a primeira por se parecer com ela ou por lhe ser dessemelhante. Desse modo, como disse, uma das duas há de ser: ou nascemos com tal conhecimento e o conservamos durante toda a vida, ou então as pessoas das quais dizemos que aprendem posteriormente, o que fazem é recordar, vindo a ser o conhecimento reminiscência."

"Tudo se passa realmente desse modo, Sócrates."

XXI

"Então, que escolhes, Símias? Nascemos com o conhecimento ou nos recordamos ulteriormente do que conhecemos antes?"

"Assim de pronto, Sócrates, não sei o que decidir."

"Como? Sobre isso você pode perfeitamente se decidir e dizer o que pensa: quem sabe, está em condições de nos dizer o que sabe, ou não?"

"Necessariamente, Sócrates", respondeu.

"E é de parecer que todo o mundo possa dar as razões das questões que acabamos de tratar?"

"Tomara que possam! Porém receio muito de que amanhã a essas horas não haja aqui uma só pessoa em condições de fazê-lo."

"Sim, Símias", continuou, "não é sua opinião de que todos os homens entendam dessas questões".

"De forma alguma."

"Nesse caso, recordam-se do que aprenderam antes?"

"Necessariamente."

"E quando é que nossas almas adquirem esses conhecimentos?

Será a partir do momento em que nascemos como homens?"

"Não, decerto."

"Então, é antes?"

"Sim."

"Logo, Símias, as almas existem antes de assumirem a forma humana, separadas dos corpos e possuem entendimento."

"A menos, Sócrates, que adquiramos tal conhecimento ao nascer, pois ainda falta considerar esse tempo."

"Que seja, meu caro! Mas, então, em que tempo perdemos esse conhecimento? Ao nascermos, não dispomos dele, como acabamos de admitir. Ou será que o perdemos no momento exato em que o adquirimos? Poderá indicar outro tempo?"

"Não há jeito, Sócrates. Sem querer, você disse uma tolice."

XXII

"Nossa situação é a seguinte, Símias: se existe, realmente, tudo isso com que vivemos a encher a boca: o belo e o bom e todas as essências desse tipo, e se a elas referimos tudo o que nos chega por intermédio dos sentidos, como a algo preexistente, que encontramos em nós mesmos e com que o comparamos: será forçoso que, assim como elas, exista nossa alma antes de nascermos, e que sem aquelas estas não existiriam?"

"Mais que exata", falou Símias, "me parece a mesma necessidade. É muito segura a posição a que se acolhe o argumento, no que entende com a afinidade entre as essências a que se refere e nossa alma, antes de nascermos. Não sei de nada tão claro como dizer que todos esses conceitos existem na mais elevada acepção do termo: o belo, o bem e tudo o mais que enumeramos há pouco. Essa demonstração me satisfaz plenamente."

"E Cebes?", perguntou, "também precisa se convencer?".

"A ele também satisfaz", respondeu Símias, "segundo penso, muito embora seja o homem mais difícil de aceitar a opinião dos outros. Mas creio que já se encontra convencido de que nossa alma existe antes de nascermos".

XXIII

"Porém, Sócrates, que ela continue a existir depois de nossa morte é o que não me parece suficientemente demonstrado, pois ainda está de pé a opinião do tal a que Cebes se referiu há pouco. Quem sabe se, no instante em que o homem morre, a alma se dispersa, sendo esse justamente o seu fim? O que impede que ela nasça em outro lugar e se constitua de outros elementos e exista antes de alcançar o corpo humano? Mas que depois de entrar no corpo, quando tiver de se separar dele, também acaba de uma vez e é destruída?"

"Falou bem, Símias", observou Cebes. "Parece que só foi demonstrado metade do que era de necessário saber: que nossa alma existe antes de nascermos. Ainda falta provar, portanto, que depois de morrermos ela não existirá menos do que antes do nascimento. Só assim ficará completa a demonstração."

"Foi completada agora mesmo, Símias e Cebes", observou Sócrates. "Juntem o presente argumento ao que admitimos antes, de que tudo o que vive só nasce do que é morto. Porque se as almas existem antes do nascimento e se, necessariamente, para começarem a vida e existirem, não poderão provir de outra parte a não ser da morte do que está morto, não será obrigatório que continuem a existir depois da morte, para renascerem? Como disse, essa parte já foi demonstrada."

XXIV

"Mas vejo, meus caros, que ambos gostariam de examinar mais profundamente essa questão. Como as crianças, temem que o vento arraste sua alma e a disperse no momento em que ela deixa o corpo, se na hora em que morre alguém o céu não estiver sereno e soprar vento forte."

Cebes, desatando a rir, disse: "Faz de conta, Sócrates", observou, "que estamos com medo, e tente nos convencer. Melhor, será preferível admitir, não que temos medo, mas que talvez haja dentro de nós uma criança que se assusta com essas coisas. Trate de convencê-la a não ter medo da morte como de um monstro imaginário".

"Para tanto", falou Sócrates, "será preciso exorcizá-la diariamente, até passar o medo".

"E onde, Sócrates", perguntou, "encontraremos um bom exorcista, uma vez que nos abandonará?".

"A Hélade é grande, Cebes", replicou. "Nela, há muitos homens de merecimento. Grandes também sãos as gerações bárbaras, que precisarão ser esquadrinhadas para que se encontre um mágico nessas condições, sem olhar despesas nem cansaço, pois em nada mais poderá aplicar o seu dinheiro. Mas convém promover essa busca também entre todos outros, pois talvez não seja fácil encontrar quem se mostre melhor entendedor disso do que vocês mesmos."

"É o que faremos", falou Cebes. "Porém, se preferir, vamos voltar ao ponto em que ficamos antes."

"Agrada-me a proposta, como não?"

XXV

"Agora, o que precisamos", falou Sócrates, "é perguntar a nós mesmos 'com que coisas é natural semelhante processo de dispersão, com quais devemos ter medo de que isso aconteça, e com quais não devemos?'. Em seguida examinaremos a qual das classes pertence a alma, para daí concluirmos se precisamos nos alegrar ou temer do que venha a acontecer com a nossa".

"É muito certo", disse.

"E não é verdade que as coisas, artificial ou naturalmente compostas, devem acabar por se dispersarem nos elementos originais? E o inverso: não será o que não for composto, antes de tudo, a única coisa que não convém passar por esse processo de dissociação?"

"Acho que é assim mesmo", observou Cebes.

"E também não é certo que há muita probabilidade de não serem compostas as coisas que sempre se mantêm no mesmo estado e nunca se alteram, como serão compostas as que ora se apresentam de uma forma, ora de outra, e mudam a cada instante?"

"É também o que eu penso."

"Então", prosseguiu, "retomemos o tema de nossa discussão anterior. Aquela ideia ou essência, a que em nossas perguntas e respostas atribuímos a verdadeira existência, conserva-se sempre a mesma e de igual modo, ou ora é de uma forma, ora de outra? O igual em si, o belo em si, todas as coisas em si mesmas, o ser, admitem qualquer alteração? Ou cada uma dessas realidades, uniformes e existentes por si mesmas, não se comportará sempre da mesma forma, sem jamais admitir de nenhum jeito a menor alteração?"

"Necessariamente, Sócrates", falou Cebes, "sempre permanecerá a mesma e do mesmo jeito".

"E com relação à multiplicidade das coisas belas: homens, cavalos, vestes e tudo o mais da mesma natureza, que ou são iguais ou belas e recebem a própria designação daquelas realidades: conservam-se sempre idênticas ou, diferentemente das essências, não são jamais idênticas, nem com relação às outras nem, por assim dizer, consigo mesmas?"

"Isso, justamente, Sócrates, é o que se observa", respondeu Cebes. "Nunca se conservam as mesmas."

"E não é certo também que todas essas coisas se podem ver e tocar ou perceber por intermédio de qualquer outro sentido, ao passo que as essências, que se conservam sempre iguais a si mesmas, só podem ser apreendidas pelo raciocínio, por serem todas elas invisíveis e estarem fora do alcance da visão?"

"O que dizes", observou, "é a pura verdade".

XXVI

"Acha, então," perguntou, "que podemos admitir duas espécies de coisas: umas visíveis e outras invisíveis?".

"Podemos," respondeu.

"Sendo que as invisíveis são sempre idênticas a si mesmas, e as visíveis, o contrário disso?"

"Admitamos também esse ponto", respondeu.

"Então, prossigamos, uma parte de nós mesmos não é corpo, e a outra não é alma?"

"Sem dúvida", falou.

"E com qual daquelas classes diremos que o corpo é mais conforme e tem mais afinidade?"

"Para todo o mundo, evidentemente, que é com a das coisas visíveis."

"E com relação à alma? É visível, ou será invisível?"

"Pelo menos, para o homem, não o será", Sócrates, respondeu.

"Mas, quando falamos do que é ou não é visível, é sempre com vista à natureza humana. Ou acha que seja com relação à outra?"

"Não. É com a natureza humana, mesmo."

"E a alma? Que diremos dela? Podemos vê-la ou não?"

"Não podemos."

"Logo, é invisível."

"Certo."

"Sendo assim, a alma é mais conforme à espécie invisível do que o corpo, e este mais à visível."

"Exatamente, Sócrates."

XXVII

"Mas também dissemos há alguns instantes que quando a alma se serve do corpo para considerar alguma coisa por intermédio dos olhos ou do ouvido, ou por qualquer outro sentido – pois considerar seja o que for por meio dos sentidos é fazê-lo por intermédio do corpo – é arrastada por ele para o que nunca se conserva no mesmo estado, passando a divagar e a perturbar-se, ficando tomada de vertigens, como se estivesse embriagada, pelo fato de entrar em contato com tais coisas?"

"Sim, dissemos isso mesmo."

"E o contrário disso? Quando ela examina sozinha alguma coisa, volta-se para o que é puro e que sempre se comporta do mesmo modo, e por criar essa afinidade, vive com ele enquanto permanecer consigo mesma e lhe for permitido, deixando, assim, de divagar e pondo-se como relação com o que é sempre igual e imutável, por estar em contato com ele. A esse estado, justamente, é que damos o nome de pensamento."

"Tudo isso, Sócrates, é verdadeiro e foi muito bem enunciado."

"E agora, de acordo com o presente argumento e o anterior, com qual dessas duas espécies a alma se mostra semelhante e revela maior afinidade?"

"No meu modo de pensar, Sócrates", respondeu, "não há quem deixe de concordar, por mais obtuso que seja, se lhe acompanhar o raciocínio, que em tudo e por tudo a alma tem mais semelhança com o que sempre se conserva o mesmo do que com o que varia."

"E o corpo?"

"Com a outra espécie."

XXVIII

"Examina agora a questão da seguinte maneira: enquanto se mantêm juntos o corpo e a alma, impõe a natureza a um deles obedecer e servir e, ao outro, comandar e dominar. Sob esse aspecto, qual deles se assemelha ao divino e qual ao mortal? Não lhe parece que o divino é naturalmente feito para comandar e dirigir e o mortal para obedecer e servir?"

"Acho que sim."

"E com qual deles a alma se parece?"

"Evidentemente, Sócrates, a alma se assemelha ao divino e o corpo ao mortal."

"Considera agora, Cebes", continuou, "se de tudo o que dissemos não se conclui que ao que for divino, imortal, de uma só forma, indissolúvel, sempre no mesmo estado e semelhante a si próprio é com o que alma mais se parece. Por outro lado, o humano, mortal e ininteligível, multiforme, dissolúvel e jamais igual a si mesmo, com isso é que o corpo se parece? Poderemos, amigo Cebes, argumentar de outro modo e dizer que não é dessa maneira?".

"Não é possível."

XXIX

"Se for assim, não ficará o corpo sujeito a dissolver-se depressa, conservando-se a alma indissolúvel ou em um estado que muito disso se aproxima?"

"Sem dúvida."

"Observe ainda", continuou, "como depois que o homem morre, sua porção visível, o corpo, a que damos o nome de cadáver, colocado também em um lugar visível, embora o sujeito a se dissolver, a se desagregar, de imediato não revela nenhuma dessas alterações, conservando-se intacto por tempo relativamente longo. E se, no momento da morte, o corpo estiver em boas condições, sendo boa, igualmente, a estação do ano, então conserva-se por muito mais tempo. Quando o corpo é descarnado e embalsamado, tal como se faz no Egito, ele permanece quase inteiro por tempo incalculável. Aliás, até mesmo no corpo em decomposição, alguma de suas partes como ossos, tendões; e tudo mais do gênero, são, por assim dizer, imortais. Não é isso mesmo?".

"Certo."

"Ao passo que a alma, a porção invisível, que vai para um lugar semelhante a ela, nobre, puro e invisível, o verdadeiro Hades, ou seja, o invisível, para junto de um deus sábio e bom, para onde também, se Deus quiser, dentro de pouco irá minha alma. E essa alma tem semelhante origem e constituição. Ao separar-se do corpo, no mesmo instante se dissiparia e viria a se destruir, conforme crê a maioria dos homens. Nunca, meus caros Símias e Cebes! Pelo contrário. O que se dá é que se ela é pura no momento de sua libertação e não arrastar consigo nada corpóreo – e por isso mesmo durante a vida nunca mantivera comércio voluntário com o corpo, porém sempre evitara –, recolhida em si mesma e tendo sempre isso como preocupação exclusiva, que outra coisa não é senão filosofar, no rigoroso sentido da expressão, e preparar-se para morrer facilmente... Pois tudo isso não será um exercício para a morte?"

"Sem dúvida nenhuma."

"Assim constituída, segue para o que se assemelha a ela, para o invisível, divino, imortal e inteligível, onde, ao chegar, vive feliz, liberta do erro, da ignorância, do medo, dos amores selvagens e dos outros males da condição humana, passando tal como se diz dos iniciados, a viver o resto do tempo na companhia dos deuses. Falaremos desse jeito, Cebes, ou de outra forma?"

XXX

"Assim mesmo, por Zeus", respondeu Cebes.

"No caso, porém, conforme penso, de estar manchada e impura ao separar-se do corpo, por ter convivido sempre com ele, cuidado dele e o ter amado e estar fascinada por ele e por seus apetites e deleites, a ponto de só aceitar como verdadeiro o que tivesse forma corpórea, que se pode ver, tocar, beber, comer, ou servir para o amor... E se ela, que se habituou a odiar, temer e evitar o que é obscuro e invisível para os olhos, porém inteligível e apreensível à filosofia? Acredita que uma alma nessas condições esteja recolhida em si mesma e sem mistura no momento em que deixar o corpo?"

"De forma alguma", respondeu.

"Porém, segundo penso, está saturada de elementos corpóreos que com ela cresceram como resultado de sua familiaridade e contínua comunicação com o corpo, de que nunca se separou e de que sempre cuidara."

"Sem dúvida."

"Então, meu caro, terá de admitir que tudo isso é espesso, terreno e visível. A alma, com essa sobrecarga, torna-se pesada e é de novo arrastada para a região visível, de medo do invisível – o Hades, como diz –, e rola por entre os monumentos e túmulos, na proximidade dos quais têm sido vistos fantasmas tenebrosos, semelhantes aos espectros dessas almas que não se libertaram puras de corpo e que se tornaram visíveis."

"É muito possível, Sócrates, que seja assim mesmo."

"Sim, é muito possível, Cebes, e também que essas almas não sejam dos bons, mas dos maus. Elas se veem obrigadas a vagar por esses lugares, como castigo de sua péssima conduta durante a vida. E assim ficam a vagar, até que o apetite do elemento corporal a que sempre estão ligadas volte a prendê-las em outros corpos."

XXXI

"Como é natural, voltam a ser aprisionadas em naturezas de costumes iguais aos que elas praticaram em vida."

"A que a naturezas se refere, Sócrates?"

"Às que eram dadas à gulodice, ao orgulho ou à embriaguez exagerada, elas entram naturalmente nos corpos de asnos e de animais congêneres. Não lhe parece?"

"Fala com muita propriedade."

"As que cometeram injustiças, a tirania ou a rapina, passam para a geração dos lobos e dos abutres. Para onde mais podemos dizer que vão as almas dessa natureza?"

"Não há dúvida", respondeu Cebes. "É para esses corpos que elas vão."

"E não é evidente", continuou, "que o mesmo se passa com os demais, por se orientarem todas elas no sentido de suas próprias tendências?"

"É claro", observou. "Nem poderia ser de outra maneira."

"Logo", disse, "os mais felizes e que vão para os melhores lugares são os que praticam a virtude cívica e social que denominamos temperança e justiça, por força apenas do hábito e da disposição própria, sem a participação da filosofia e da inteligência".

"Por que serão esses os mais felizes?"

"Por ser natural que passem para uma raça sociável e mansa, de abelhas, vespas ou formigas, ou até para a mesma raça, a humana, a fim de gerarem homens moderados."

"Sem dúvida."

XXXII

"Para a raça dos deuses não é permitido passar os que não praticaram a Filosofia nem partiram inteiramente puros, mas apenas os amigos da Sabedoria. É por isso, meus caros, que os verdadeiros filósofos se acautelam contra os apetites do corpo, resistem e não se deixam dominar por eles. Não podem ter medo da pobreza nem da ruína de sua própria casa como a maioria dos homens, amigos das riquezas. E não temem a falta de honrarias e a vida inglória, como se dá com os amantes do poder e das distinções. Não é essa a razão de se absterem de tudo?"

"De fato, Sócrates. Nada disso lhes ficaria bem", falou Cebes.

"Não, por Zeus", retorquiu. "Por isso mesmo, Cebes, todos os que cuidam da alma e não vivem simplesmente para o culto do corpo dizem adeus a tudo isso e não seguem o caminho dos que não sabem para onde vão. Convencidos de que não devemos fazer nada em contrário à Filosofia nem ao que ela prescreve para nos libertar e purificar, se voltam para esse lado, seguindo na direção por ela aconselhada."

XXXIII

"De que modo, Sócrates?"

"Vou dizer", respondeu. "Estão perfeitamente cientes os amigos da Sabedoria, que quando a Filosofia passa a se dirigir à alma, se encontra como que ligada e aglutinada ao corpo, por intermédio do qual é forçada a ver a realidade como através das grades de um cárcere em lugar de fazê-lo sozinha e por si mesma, porém atolada na mais absoluta ignorância. O que há de terrível nesses liames, a Filosofia reconhece, é consistirem nos prazeres e ser próprio prisioneiro quem mais coopera. Como disse, os amigos da Sabedoria estão cientes de que, ao tomar conta de sua alma em tal estado, a Filosofia lhe fala com doçura e procura libertá-la, mostrando como o conhecimento adquirido por meio dos olhos é ilusório, enganador o dos ouvidos e dos mais sentidos, aconselhando ao abandono e a não fazer uso deles salvo necessário. E a recolher-se e concentrar--se em si mesma e só a acreditar em si própria e no que ela em si mesma aprender da realidade em si. E o inverso, a não aceitar como verdadeiro tudo o que ela considerar por meios que em cada caso se modificam, pois as coisas desses gênero são sensíveis e visíveis, ao passo que é inteligível e invisível o que ela vê por si mesma. Convencida de que não deve se opor a semelhante libertação, a alma do verdadeiro filósofo se abstém dos prazeres, das paixões e dos temores tanto quanto possível. Está certa de que sempre que alguém se alegra em extremo, ou teme, ou deseja, ou sofre, o mal daí resultante não é o que se poderia imaginar, como seria o caso, por exemplo, de adoecer ou vir a arruinar-se por causa das paixões. O maior e o pior dos males é o que não se deixa perceber."

"Qual é, Sócrates?", perguntou Cebes.

"É que toda alma humana, nos casos de prazer ou de sofrimento intensos, é necessariamente levada a crer que o objeto causador de semelhante emoção é o que há de mais claro e verdadeiro, quando, de fato, não é assim. De regra, trata-se de coisas visíveis, não é isso mesmo?"

"Perfeitamente."

"E não é quando passa por tudo isso que a alma se encontra mais intimamente presa ao corpo?"

"Como assim?"

"Porque os prazeres e os sofrimentos são como que dotados de um cravo com o qual transfixam a alma e a prendem ao corpo, deixando-a corpórea e levando-o a acreditar que tudo o que o corpo diz é verdadeiro. Ora, pelo fato de ser da mesma opinião que o corpo e de se comprazer com ele, é obrigada, segundo penso, a adotar seus costumes e alimentos, sem jamais poder chegar ao Hades em estado de pureza, pois é sempre saturada do corpo que ela o deixa. Como resultado, logo depois, volta a cair em outro corpo, no qual cria raízes como se tivesse sido semeada nele, ficando de todo alheia da companhia do divino, do que é puro e de uma só forma."

"É muito certo o que disse," observou Cebes.

XXXIV

"Essa é a razão, Cebes, de serem temperantes e corajosos os verdadeiros amigos do saber, não pelo que imagina o povo. Acha que sim?"

"Eu? De forma alguma."

"Não, de fato. A alma do filósofo não raciocina desse jeito nem pensa que a filosofia deva libertá-la, para, depois de livre, entregar-se de novo aos prazeres e às dores e voltar a acorrentar-se, anulando seu esforço anterior e como que empenhada em fazer o inverso do trabalho de Penélope em sua teia. Ao contrário, alcançando a calmaria das paixões e guiando-se pela razão, sem nunca a abandonar, contempla o que é verdadeiro e divino e que paira acima das opiniões, certa de que precisará viver assim a vida toda para, depois da morte, unir-se ao que for semelhante e da mesma natureza, liberta das misérias humanas. Não é de admirar, meus amigos, que uma alma alimentada desse jeito e com semelhante ocupação não tenha medo de desmembrar-se quando se retirar do corpo, e de ser dispersa pelos ventos, dissipando-se do todo, sem vir a ficar em parte alguma."

XXXV

A essas palavras de Sócrates, seguiu-se prolongado silêncio. Como se poderia observar, o próprio Sócrates meditava no tema desenvolvido na conversação, o que, aliás, acontecia com quase todos os presentes. Cebes e Símias falaram de alguma coisa entre si, o que foi percebido por Sócrates, que lhes disse:

"E então?", perguntou. "Quem sabe se ainda falta dizer algo? Na verdade, muitas dúvidas e objeções poderiam ser levantadas por quem se dispusesse a aprofundar o tema. Se agora tratam de outro assunto, não digo nada, porém, se é o nosso, digam sem acanhamento o que parece ser indicado para esclarecer a questão ou permitir que eu também tome parte no diálogo. Isso, no caso de julgarem que com a minha cooperação podem vencer mais facilmente as dificuldades."

Símias, então, falou: "Sendo assim, Sócrates, vou te dizer a verdade. Já faz tempo que estamos em dúvida e procuramos nos animar reciprocamente a te fazer perguntas pelo simples desejo de te ouvir falar. Porém, temos medo de incomodar-te por causa do presente infortúnio".

Ao ouvir, Sócrates respondeu esboçando um sorriso: "Ora, Símias! Dificilmente chegarei a convencer os outros homens que não considero nenhuma desgraça minha situação neste momento. Nem a vocês mesmos consigo persuadir, por terem receio de eu estar agora com ânimo diferente! Pelo que vejo, me considera inferior aos cisnes, pois quando estes percebem que estão perto de morrer, por terem cantado a vida toda, mais vezes e melhor se põem a cantar, contentes de partirem para junto do deus de que são os servidores. Porém, com seu medo característico da morte, os homens caluniam os cisnes ao afirmarem que eles cantam por chorarem a morte, de tristeza, sem refletirem que nenhuma ave canta quando tem fome ou frio, ou quando presa em outra angústia. Nem mesmo o rouxinol, a andorinha ou a poupa, cujo canto, segundo dizem, serve de alimento para dor. Não creio que nenhum deles cante por estarem tristes, muito menos os cisnes. Ao contrário, por pertencerem a Apolo, segundo penso, têm o dom da profecia e, por preverem as delícias do Hades, cantam e se alegram nesse dia muito mais do que antes. Eu, de minha parte, também me considero servidor igual da divindade, como os cisnes, e a ela consagrado, e por ser dotado pelo meu senhor de não menor dom de profecia, não deixarei a vida com menos coragem do que eles. Por isso, podem falar à vontade e formular as perguntas que quiserem por todo o tempo que permitirem os Onze Cidadãos de Atenas".

"Perfeito", falou Símias, "vou dizer quais são as minhas dúvidas, para depois Cebes indicar os pontos de tua exposição com que ele não concorda. Sobre esses assuntos, Sócrates, creio estar de acordo contigo, que se nesta vida não for impossível saber a esse respeito algo definitivo, é extremamente difícil. Mas também será prova de fraqueza deixar de analisar por todos os modos o que foi dito e não abandonar o assunto enquanto não sentirmos cansaço. Neste passo, estamos diante do dilema: aprender e descobrir de que se trata, ou, no caso de não ser isso possível, adotar a melhor opinião e a mais difícil de contestar. Nela, nos instalando como a uma jangada, para fazer a travessia da vida, na hipótese de não conseguir isso com maior facilidade e menos perigo em uma embarcação mais firme, ou seja, com alguma palavra divina. Assim, não ficarei acanhado agora em perguntar, já que você mesmo me pede, e nem precisarei me censurar no futuro por não te haver dito hoje o que pensava. O fato, Sócrates, é que quando reflito no que disse, seja comigo mesmo ou na companhia deste aqui, tenho a impressão de que nem tudo ficou bem fundamentado."

XXXVI

"Talvez, companheiro", falou, "tenha razão. Mas me explique o que não te parece bem fundamentado".

"É que seria possível alegar a mesma coisa, continuou, a respeito da harmonia e da lira com suas cordas. Que a harmonia é algo invisível, incorpóreo e sumamente belo em uma lira bem afinada, e que esta, por sua vez, é o corpo, com cordas, coisas materiais, compostas, terrenas e de natureza morta. Ora, no caso de alguém quebrar a lira e cortar ou arrebentar as cordas, alguém poderia argumentar como o fez. Necessariamente, aquela harmonia ainda vive, pois não foi destruída, pois não é possível subsistir a lira depois de se partirem as cordas, e as próprias cordas, todas elas de natureza morta, e desaparecer a harmonia, da mesma natureza e da família do divino e do imortal, que assim viria a ser destruída até mesmo antes do que é perecível. Não, deriva que a harmonia terá de continuar em qualquer parte, por ser necessário que a madeira apodreça primeiro e as cordas, antes de acontecer àquela alguma coisa. A esse respeito, Sócrates, creio que você mesmo já considerou que a noção da alma admitida por nós é mais ou menos de que temos o corpo distendido e coeso pelo calor e o frio, o seco e o úmido, e tudo o mais do mesmo gênero, viria a ser nossa alma a mistura e a harmonia de todos esses elementos quando combinados em justa proporção. Ora, se nossa alma for uma espécie de harmonia, é evidente que, ao relaxar o corpo, ou distendido em excesso, por doenças e outras perturbações, a alma fenecerá logo. Em que pese a sua natureza divina, tal como se dá com as outras harmonias, tanto as resultantes de sons como das demais obras dos artista. Ao passo que os despojos do corpo perduram por muito tempo, até que o fogo os destrua ou venham a apodrecer. Veja, portanto, o que devemos opor a esses argumentos no caso de alguém nos vir dizer que a alma, por ser a mistura dos elementos do corpo, é a primeira a fenecer naquilo que chamamos morte."

XXXVII

Sócrates se conservou durante algum tempo com o olhar parado, como era seu costume. Depois, disse sorrindo: "A objeção de Símias é procedente. Se algum de vocês estiver em melhores condições do que eu, por que não responder a ele? O argumento dele é muito feliz. Porém, antes de formular qualquer resposta, devemos primeiro ouvir o que tem Cebes a opor à nossa tese, pois assim ganharemos tempo para refletir no que será preciso dizer. E depois de ouvir a ambos, lhes daremos nossa aprovação se os argumentos nos parecerem bem afinados".

"Vou dizer", respondeu Cebes. "A meu parecer, nosso argumento não saiu do lugar e continua alvo das mesmas objeções de antes. Que nossa alma já existisse antes de assumir esta forma, é proposição que não me repugna aceitar, por engenhosa e – salvo falta de modéstia de minha parte – suficientemente demonstrada. Porém, que subsista algures depois de estarmos mortos, com isso é que não posso concordar. Não aceito também o reparo de Símias, quando afirma que a alma não é mais forte nem mais durável do que o corpo, pois sob ambos os aspectos ela se distingue imensamente dele. Por que, então, lhe diria o argumento, ainda está incrédulo, se está vendo que depois da morte do homem sua porção mais fraca ainda subsiste? Não parece que a porção mais durável terá, de forma necessária, de sobreviver igual tempo? Vê agora se o que digo contém alguma substância. Para maior comodidade, lanço mão, como o fez Símias, de uma imagem. Para mim, falar desse jeito é o mesmo que fazer as seguintes considerações a respeito de um velho tecelão que acabasse de morrer. O homem não está morto, mas continua vivo em alguma parte. E para prova dessa afirmação, apresenta-se a roupa que ele então trazia no corpo, tecida por ele mesmo, conservada e sem ter ainda perecido.

E se alguém se mostrasse incrédulo, poderia perguntar o que é por natureza mais durável, imaginaria ter demonstrado que com maioria de razões o homem terá de estar bem, visto não haver perecido o que por natureza é menos durável. Porém, a meu ver, Símias, a realidade, é muito diferente. Presta atenção que não há quem não veja quanto é fraco semelhante argumento. Havendo gasto muitas roupas por ele próprio tecidas, o nosso homem morreu, de fato, depois de todas, e não foram poucas, porém antes da última, segundo penso. Mas nem por isso o homem é inferior ou mais fraco do que a roupa. Essa imagem, quero crer, se aplica tanto à alma como ao corpo, e quem argumentasse desse modo com relação ao corpo, falaria com muito mais propriedade que a alma é mais durável e o corpo mais fraco e transitório, pois fora acertado acrescentar que cada alma consome vários corpos, principalmente quando vive muitos anos. Se o corpo se escoa enquanto o homem vive, a alma tece novamente o que for consumido. Necessário será, portanto, que no instante de morrer ainda esteja a alma com a última vestimenta por ela feita, só vindo a morrer antes da última. Desaparecida a alma, o corpo mostra imediatamente sua fraqueza natural e se desmancha por putrefação. Por isso, com base nesses argumentos não podemos confiar que nossa alma subsista em outro lugar depois da morte. E se alguém concedesse ao expositor da sua proposição mais ainda do que faz e lhe desse não apenas que nossas almas existem antes do tempo do nascimento, sendo que nada impede, até mesmo depois de nossa morte, existirem algumas e continuarem a existir, e muitas vezes renascerem e tornarem a morrer por serem de natureza bastante forte para suportar esses nascimentos sucessivos. Se concedêssemos a ele esse ponto, de todo o jeito se recusaria a admitir que a alma não se esgota nesses nascimentos sucessivos, para acabar em uma dessas últimas mortes, por desaparecer de todo. Dessa última morte, poderia acrescentar, e dessa decomposição do corpo que leva para a alma a destruição, ninguém pode ter conhecimento, por não experimentá-la. Se as coisas se passam mesmo dessa forma, por força terá de ser irracional a confiança de qualquer pessoa diante da morte, a menos que esse alguém pudesse demonstrar que a alma é absolutamente imortal e imperecível. Sendo isso impossível, não há como evitar que o moribundo tenha medo de que, no instante em que sua alma se desaparecer do corpo, venha a desaparecer de todo."

XXXVIII

Ao ouvi-los falar dessa maneira, todos nós nos sentimos desagradavelmente impressionados, conforme confessamos a nós mesmos. Firmemente convencidos como ficáramos ante os argumentos anteriores, as palavras de agora nos deixavam inquietos e nos levavam outra vez a duvidar, tanto com relação ao que já fora dito como ao que ainda restava por dizer. Ou éramos maus juízes ou o assunto não admitia prova.

Equécrates — Pelos deuses, Fédon! Compreendo o que se passou. Agora mesmo, perguntei em que argumento podemos confiar daqui por diante, se o que Sócrates acabou de desenvolver, tão convincente, perdeu de todo o crédito? É maravilhosa a atração que sobre mim sempre exerceu, e ainda exerce, a doutrina de que nossa alma é uma espécie de harmonia. O que acaba de expor me fez lembrar de que até ao presente eu a aceitava. Mas agora necessito de novos argumentos para convencer-me de que a alma não morre juntamente com o corpo. Diga logo, por Zeus, de que modo Sócrates prosseguiu na sua argumentação? Porventura revelou desânimo, como disse ter acontecido com todos vocês, ou, pelo contrário, defendeu a sua opinião com a serenidade habitual? Sua defesa foi completa ou falha em algum ponto? Conte tudo com a maior exatidão possível.

Fédon — Em verdade, Equécrates, por mais que antes eu tivesse admirado Sócrates, nunca me senti tão arrebatado naquele instante. Não é de espantar que um homem do seu estofo pudesse se sair bem em semelhante conjuntura. Mas o que nele, primeiro de tudo, me admirou ao extremo foi a maneira delicada, cordial e deferente com o que acolheu as objeções dos moços. Depois, a sagacidade com que observou o efeito de suas palavras sobre nós e, por último, como soube curar-nos. De fugitivos e derrotados, nos fez voltar e nos convidou a segui-lo para considerarmos juntos o argumento.

Equécrates — De que modo?

Fédon — Vou lhe dizer como foi. Eu me achava à sua direita, num banquinho ao pé do catre, ficando ele em um plano muito mais alto. Ele me afagava a cabeça e abarcando com a mão os cabelos que me cobriam a nuca – pois sempre que havia oportunidade, gracejava a respeito de minha cabeleira – me disse: "Decerto é amanhã, Fédon , que vais pôr abaixo esta bela cabeleira?".

"Penso que sim, Sócrates", respondi.

"Não, se me aceitar um conselho."

"Que devo, então, fazer?", perguntei.

"Hoje mesmo", disse, "cortarei a minha, como fará com a tua, se nosso argumento vier a morrer e nos revelarmos incapazes de lhe dar lume e vida. De minha parte, se eu estivesse em teu lugar e o argumento me escorregasse por entre os dedos, faria um juramento à feição dos Argivos de não deixar crescer os cabelos enquanto não vencesse em luta franca a proposição de Símias e Cebes."

"Mas, como se costuma dizer", objetei-lhe, "contra dois nem Hércules aguenta."

"Então, chama-me em seu auxílio enquanto é dia. Serei o seu Iolau."

"Bem, chamarei", lhe respondi. "Porém, não na qualidade de Herácles. Iolau é que vai chamar Herácles em seu auxílio."

"Tanto faz", me disse.

XXXIX

"Inicialmente, vamos nos precaver contra certo perigo."

"Qual será?", perguntei.

"Para não sermos irracionais", disse, "como outros ficam misantropos. O que de pior pode acontecer a qualquer pessoa é tornar-se inimigo da palavra. A misologia e a misantropia têm a mesma origem. O ódio aos homens nasce do excesso de confiança sem razão de ser, quando consideramos alguém fiel, sincero e verdadeiro, e logo depois descobrimos que se trata de pessoa corrupta e desleal, e depois outra mais nas mesmas condições. Vindo isso a se repetir várias vezes com o mesmo paciente, principalmente quando se tratar de amigos íntimos e companheiros de alto crédito. Depois de decepções seguidas, acaba essa pessoa por odiar os homens e acreditar que ninguém é sincero. Nunca observou que é assim que as coisas se passam?".

"Sem dúvida", respondeu.

"E não é isso vergonhoso?", continuou. "Pois é claro que esse indivíduo procura o convívio com seus semelhantes sem conhecer devidamente a natureza humana, pois se dispusesse de alguma experiência nas suas relações com eles, teria compreendido como é realmente o mundo, isto é, que são poucos os indivíduos inteiramente bons ou maus de todo, e que a maioria constitui o meio-termo."

"Como assim?", perguntou.

"É o mesmo que acontece", prosseguiu, "com as pessoas excessivamente baixas ou excessivamente altas. Julga que pode haver nada mais raro do que encontrarmos um homem muito grande ou muito pequeno, ou um cão, ou seja o que for? O mesmo se diga do veloz e do lento, do feio e do belo, do branco e do preto. Ou não percebe que em tudo isso os extremos são raros e pouco numerosos, e os da mediania, muito frequentes e em grande número?"

"Perfeitamente", respondi.

"E não lhe parece", continuou, "que houvesse um concurso de maldade, os primeiros se apresentariam em número muito reduzido?".

"É muito provável", respondi.

"Sim, muito provável", continuou. "Porém, não é sob esse aspecto que os argumentos se parecem com os homens. Nesse passo, não fiz senão seguir sua orientação. A semelhança consiste em quando se admite a exatidão de um argumento, sem ser versado na arte da dialética, pode acontecer que logo depois ele nos pareça falso, às vezes com fundamento, outras vezes sem nenhum, e depois mais outro e mais outra da mesma natureza. Como sabe, é o que se verifica com os disputadores de razões contraditórias que acabam por se considerar os maiores sábios, por serem os únicos a reconhecer que nada há de são e firme, nem nas coisas, nem no raciocínio. Tudo, na verdade, em permanente agitação, tal como se dá com as águas do Euripo, sem permanecer nada, um só instante, no mesmo estado."

"É muito certo o que diz", observei.

"E se, de fato, existe raciocínio verdadeiro e estável, capaz de ser compreendido, não seria de lastimar, Fédon, no caso de alguém ouvir esses argumentos que ora parecem verdadeiros ora falsos, em vez de inculpar-se ou à sua própria incapacidade, acabasse por se irritar e se comprazer em tirar de si a culpa para lançar no raciocínio, e passar, daí por diante, o resto da vida a odiá-lo e a depreciá-lo, com o que só alcançaria privar-se da verdade e do conhecimento das coisas?"

"Por Zeus", lhe disse. "Seria, de fato grande lástima."

XL

"Assim", continuou, "de início precisamos nos acautelar contra tal perigo. Não permitir o ingresso da ideia de que não há nada são em nosso raciocínio. Digamos, isso sim, que nós é que ainda não estamos suficientemente sãos, mas que devemos nos esforçar para alcançar esse desiderato, você e os demais, por causa da vida que ainda tem pela frente. E eu por motivo, justamente, da morte. Receio muito que neste momento em que a morte é tudo, não me tenha como filósofo ou amigo da sabedoria, como se dá com os indivíduos muito ignorantes. Esses tais, quando debatem algum tema, não se preocupam absolutamente de saber como são, de fato, as coisas a respeito de que tanto discutem, senão em deixar convencidos os circunstantes de suas próprias asserções. Nisso põem todo o empenho. Eu, também, em um ponto apenas, agora me diferencio deles. Não me esforço em demonstrar aos presentes a verdade do que afirmo, a não ser como acessório, mas para me convencer, a mim mesmo. Meu cálculo, companheiro, é que devemos observar quanto o argumento é interesseiro. Se for verdade o que eu disse, só haverá vantagem em fortalecermos essa convicção, porém se nada mais houver depois da morte, pelo menos não importunarei os presentes com minhas lamentações no pouco de tempo que ainda me resta. Aliás, esse estado de coisas não vai durar muito. O que seria ruim acabará dentro de pouco. Quanto aos outros, se aceitam um conselho, concedam pouca atenção a Sócrates, porém muito mais à verdade. Se parecer que há verdade no que eu digo, concordem comigo. Caso contrário, resistam o quanto puderem, resguardem-se para que no meu entusiasmo não os enganem, e a mim próprio, e me retire como as abelhas, deixando em todos vocês o aguilhão".

XLI

"Porém, prossigamos", continuou. "Inicialmente, lembrem o que disseram, se parecer que não me recordo muito bem de tudo. Ou muito me engano, Símias, ou duvida de que a alma apesar de mais bela e divina do que o corpo, pereça antes deste, por ser uma espécie de harmonia. Cebes terá admitido que a alma é mais durável do que o corpo, mas que ninguém pode saber se depois de gastar sucessivamente muitos corpos, não acabará também por desaparecer, quando abandonar o último corpo, vindo a ser isso, precisamente, a morte: a destruição da alma, visto não parar nunca o corpo de morrer. Não é isso mesmo, Símias e Cebes, o que precisamos examinar?"

Ambos responderam positivamente.

"E os argumentos anteriores?", prosseguiu. "Aceitam todos, admitem alguns ou rejeitam todos?"

"Alguns, sim", responderam, "outros, não".

"E que me dizem, então", continuou, "daquilo do começo de que aprender é recordar, e que se for assim, a nossa alma terá de existir em alguma parte, antes de vir a ficar presa ao corpo?".

"Quanto a mim", falou Cebes, "convenceu-me completamente com sua exposição, não deixando outro argumento que até agora me tivesse despertado maior entusiasmo".

"Comigo", falou Símias, "a mesma coisa. É difícil conceber que eu venha a mudar de opinião".

"Então", disse Sócrates, "forasteiro de Tebas, é o que deverá fazer, se continuar a dizer que a harmonia é algo composto, e a alma, uma espécie de harmonia resultante da tensão dos elementos constitutivos do corpo. Pois certamente não se permitirá afirmar que a harmonia, sendo um composto, é anterior aos elementos de que é formada. Ou afirmará isso mesmo?".

"De forma alguma, Sócrates", respondeu.

"Percebe", continuou, "que é justamente o que se dá, quando declara que a alma existia antes de ingressar no corpo do homem e de lhe assumir a forma, porém é composta de elementos que até então não existiam? Harmonia não é o que afirma em sua comparação. Pelo contrário, primeiro existem a lira, as cordas e os sons, sem nenhuma harmonia. Esta é a última a formar-se, como é também a que desaparece mais cedo. De que modo colocará em consonância esta asserção com o que disse antes?".

"Não há jeito", respondeu Símias.

"No entanto", prosseguiu, "se é preciso haver consonância, é quando se trata de harmonia".

"Sem dúvida". observou Símias.

"Suas proposições são desarmônicas", disse. "Por conseguinte, qual delas escolhe? A de que aprender é recordar ou a de que a alma é a harmonia?"

"Sobre todos os pontos, Sócrates, eu prefiro a primeira, porque a outra foi aceita sem demonstração, por me parecer verossímil e um tanto conveniente. Por isso, a aceitam a maioria dos homens. No entanto, estou certo de que as demonstrações nessas comparações não passam de impostura, capazes de nos iludir se não tomarmos as devidas precauções. Mas o argumento relativo ao conhecimento e à reminiscência se baseia em um princípio digno de aceitação, pois foi asseverado que nossa alma existe antes mesmo de ingressar no corpo, como o exige tua relação com a essência daquilo que denominamos. Ora, essa proposição, conforme estou convencido, foi por mim adotada com argumentos muito sólidos. Daí, me vi forçado, ao que parece, a não permitir que nem eu, nem ninguém afirme que a alma é harmonia."

XLII

"E, Símias, é sua opinião que a harmonia, ou qualquer outro composto, poderá proceder de maneira diferente da dos elementos de que é feita?", perguntou.

"De forma alguma."

"Como também não poderá, segundo penso, fazer ou sofrer o que quer que seja que não façam ou sofram aqueles elementos."

Ele concordou.

"É que não compete à harmonia conduzir os elementos que a compõem, mas segui-los."

Declarou-se também de acordo.

"Logo, de nenhum jeito a harmonia poderá mover-se ou soar, ou fazer seja o que for em contrário dos elementos?"

"Não compreendo", disse.

"Pois não é certo que se ela estiver mais harmonizada ou em grau maior, ao admitirmos que seja possível tal hipótese, tanto mais harmonizada será e em maior grau, e se estiver menos e em grau menor, será menos harmonizada e em grau menor?"

"Perfeitamente."

"E da alma, podemos dizer a mesma coisa, que revela diferença, embora mínima, em ser mais alma e em grau maior do que outra, ou menos alma e em grau menor, nisso, justamente, de ser alma?"

"Nunca, definitivamente", respondeu.

"Passemos adiante", continuou, "por Zeus! De uma alma não dizemos que é dotada de razão e de virtude, e que é boa, e de outra, pelo contrário, que é destruída de senso, viciosa e má? E não estão certos os que afirmam semelhante proposição?".

"Certíssimos", respondeu.

"Sendo assim, os que admitem que a alma é harmonia, como explicarão a existência dessas qualidades na alma, a saber, a virtude e o vício? Dirão, porventura, que se trata de uma harmonia ou desarmonia de outra espécie? Que uma delas, a boa, foi harmonizada e que, por ser harmonia, possui em si mesma essa modalidade de harmonia, enquanto a outra, por não estar harmonizada, carece absolutamente de harmonia?"

"Não sei o que responder", falou Símias, "mas quero crer que o adepto dessa doutrina se expressaria mais ou menos nesses termos".

"No entanto, em um ponto já ficamos de acordo", continuou. "Nenhuma alma é mais alma ou menos alma do que outra, o que equivale a aceitar que nenhuma harmonia poderá ser mais harmonia ou maior – ou o inverso – do que outra, não é verdade?"

"Perfeitamente."

"Ora, se a harmonia não admite graus, não se concebe, também, que possa ficar mais ou menos harmonizada. Não é isso mesmo?"

"Certo."

"Mas a harmonia que não for nem mais harmonizada nem menos poderá participar em grau diferente da harmonia, ou sempre o fará na mesma proporção?"

"Na mesma."

"Sendo assim, a alma, uma vez que não será isso mesmo, alma, nem mais nem menos, do que outra, também não poderá ser mais ou menos harmonizada."

"Exato."

"De onde vem que não participará em grau maior nem da harmonia nem da desarmonia."

"Não, de fato."

"Nessas condições, ainda, como poderia uma alma participar em grau maior ou menor do que outra, da virtude ou do vício, se o vício for desarmonia e a virtude, harmonia?"

"Não é possível."

"Logo, Símias, se bem considerarmos, nunca a alma poderá participar do vício, se ela for, de fato, harmonia, pois a harmonia, evidentemente, sendo sempre de maneira perfeita o que é, a saber, harmonia, não participará da desarmonia."

"Não, de fato."

"Como não poderá a alma, por ser totalmente alma, participar do vício."

"De que forma o poderia, de acordo com o que dissemos antes?"

"Como decorrência de nosso argumento anterior, as almas de todos os seres vivos são igualmente boas, se forem, por natureza, igualmente almas."

"É também o que eu penso, Sócrates", respondeu.

"E pareceria também certa a explicação", continuou, "de que nosso argumento viria a parar nisso, se fosse verdadeira a hipótese de que a alma é harmonia?".

"De forma alguma", respondeu.

XLII

"E agora", falou, "de tudo o que há no homem, não dirá ser a alma, justamente, que domina, em especial quando dotada de prudência?".

"É o que diria, sem dúvida."

"De que modo, condescendendo com os apetites do corpo ou, de preferência, criando resistência a eles? O que digo é que se o corpo sente calor ou sede, ela o puxa para trás, para não beber, e se tem fome, para não comer, e em uma infinidade de situações como essa vemos a alma opor-se às paixões do corpo. Ou não?"

"Perfeitamente."

"Por outro lado, não admitimos antes que, no caso de ser harmonia, nunca poderia ficar a alma em dissonância com as tensões, os relaxamentos e as vibrações de seus elementos componentes, e que, pelo contrário, ela sempre os seguiria, sem nunca dirigi-los?"

"Admitimos isso, por que não?"

"E agora? O que verificamos não é que ela faz precisamente o contrário, dirigindo todos os elementos de que a imaginamos composta, colocando-os em conflito em quase tudo durante a vida inteira e dominando-os de mil modos, às vezes por meio de castigos violentos e dolorosos, do âmbito da ginástica e da medicina, às vezes por meios suasórios, com ameaças ou admoestações, em franco diálogo com os apetites, as cóleras e os temores? É como imagina

Homero na Odisseia quando diz que Odisseu: 'Bate, indignado, no peito e a si próprio desta arte se exprime: Sê, coração, paciente, pois vida mais baixa e mesquinha já suportaste'."

"Pensa, então, que, ao compor essa passagem, ele considerava a alma uma espécie de harmonia, capaz de ser dirigida pelas disposições do corpo, ou o contrário, própria para dirigi-lo e dominá-lo, por ser algo, justamente, muito mais divino do que uma simples harmonia?"

"Por Zeus, Sócrates, é também o que eu penso."

"Por conseguinte, meu caro, de jeito nenhum ficará bem para nós afirmar que a alma é uma espécie de harmonia. Pois desse modo, ao que parece, não nos poríamos nem de acordo com Homero, o divino poeta, nem mesmo conosco."

"É muito certo", concordou.

XLIV

"Muito bem," falou Sócrates, "tudo indica que Harmonia, a divindade tebana, já se nos tornou propícia. E agora, Cebes", continuou, "de que jeito aplacaremos Cadmo, e com que argumentos?".

"Tenho certeza de que você mesmo os encontrará", falou Cebes. "Sua argumentação a respeito da harmonia foi notável. Ultrapassou em muito minha expectativa. Quando Símias lhe opôs suas dificuldades, eu tinha quase certeza que não seria possível refutar a teoria por ele apresentada. Daí minha grande surpresa, por ver que ela não resistiu ao primeiro assalto da tua. Nada me admiraria se acontecesse a mesma coisa com o argumento de Cadmo."

"Não fale demais, caro amigo", interpelou Sócrates, "para que algum mau-olhado não venha desarticular nosso próximo discurso. Porém, deixemos isso a cargo da divindade. O que nos compete é congregar esforços, como aconselha Homero, para ver se o que disse tem algum valor. O que você procura resume-se no seguinte: quer provas de que nossa alma é imperecível e imortal, para que o filósofo que esteja no ponto de morrer se encoraje e acredite que depois da morte se sentirá muito melhor no outro mundo do que se vivesse de maneira diferente até o fim e não se mostre corajoso por modo estulto e irracional. A demonstração de que a alma é algo forte e semelhante à divindade, e que existia antes de nos tornamos homens, não impede, como disse, que tudo isso não prova que ela seja mortal, mas tão somente que é relativamente durável e que antes poderá ter vivido em outros lugares um tempo indefinido, e aprendido e praticado muita coisa. Mas nem por isso será imortal. Seu ingresso no corpo poderá ser o começo de sua própria destruição, uma espécie de doença. Assim, cansada de carregar o fardo desta vida, acabará por desaparecer no que denominamos morte. Conforme diz, é indiferente ingressar ela no corpo uma só vez ou muitas, no que respeite ao medo que todos nós manifestamos. Aliás, justifica-se esse medo, a menos que se trate de pessoa insensata, por não estarmos em condições de demonstrar que a alma é imortal. Cebes, esse é, mais ou menos, o sentido das suas palavras. De caso pensado, insisto no mesmo argumento, para que não nos escape nenhuma particularidade e para que possa, caso deseje, acrescentar ou tirar alguma coisa".

Ao que Cebes respondeu: "Por enquanto, nada tenho a acrescentar ou a retirar. Foi isso mesmo que eu disse".

XLV

Durante algum tempo Sócrates se conservou calado, como se refletisse consigo. Depois continuou: "O problema que lhe ocupa, Cebes, é de suma importância. Vamos precisar investigar a fundo a natureza do nascimento e da morte. Se me permite, vou contar o que se passou comigo nesse particular. Depois, se achar o que eu disse de alguma utilidade para reforçar a tua tese, poderá utilizar tudo como bem entender".

"Não desejo outra coisa", falou Cebes.

"Então, ouve o que vou contar. O fato, Cebes, é que quando eu era moço me sentia tomado do desejo irresistível de adquirir esse conhecimento a que dão o nome de História Natural. Parecia-me, realmente, maravilhoso conhecer a causa de tudo, o porquê do nascimento e da morte de cada coisa, e a razão de existirem. Vezes sem conta me punha a refletir em todos os sentidos, inicialmente a respeito de questões como: 'Será que o calor e o frio passam por uma espécie de fermentação, conforme alguns afirmam, que se formam os animais?'; 'É por meio do sangue que pensamos? Ou do ar? Ou do fogo? Ou nada disso estará certo, vindo a ser o cérebro que dá origem às sensações da visão, do ouvido e do olfato, das quais surgiria a memória e a opinião, e, da memória e da opinião, uma vez, tornadas calmas, nasceria o conhecimento?'. Em seguida, me ocupei com a corrupção das coisas e com as modificações do céu e da terra, para chegar à conclusão de que nada de proveitoso se tirava de minha inaptidão para considerações dessa natureza. Vou te dar uma prova eloquente disso. Para as coisas que, segundo meu próprio parecer e de outras pessoas, eu conhecia bem a tal ponto de me deixarem cego com semelhantes especulações, cheguei a desaprender até mesmo o que antes eu presumia conhecer. Entre outras, por exemplo, por que o homem cresce. Até então, eu imaginava ser evidente para toda gente que o homem cresce porque come e bebe. Mas, quando, pela alimentação, a carne se junta à carne e o osso, ao osso e, sempre de acordo com o mesmo processo, as demais partes do corpo são acrescidas de elementos afins, a massa que antes era pequena se torna volumosa, do que resulta ficar grande o homem pequeno. Era assim que eu pensava. Não lhe parece razoável?"

"Sem dúvida", falou Cebes.

"Pense também no seguinte: sempre considerei suficiente, quando alguém parecia alto ao lado de outra pessoa de pequena estatura, dizer que a ultrapassava de uma cabeça, o mesmo acontecendo com um cavalo em confronto com o outro. Mais claramente, ainda: o número dez se me afigurava maior do que o número oito por ajuntar-se o número dois a este último, como o cúbito duplo seria maior do que o simples por ultrapassá-lo de metade."

"E agora como te parece?", perguntou Cebes.

"Como estou longe, por Zeus", continuou, "de imaginar que conheço a causa de tudo isso! Pois nunca chego a compreender, no caso de acrescentar uma unidade a outra, se é a unidade a que esta última foi acrescentada que se tornou duas, ou se foi a acrescentada, juntamente com a primeira, que ficaram duas, pelo fato de uma ter sido acrescentada à outra. Não podia entender que, estando separadas, cada uma era uma unidade e não duas. E que o fato de ficarem juntas foi a causa de se tornarem duas: por terem sido postas lado a lado. Do mesmo modo, não conseguia me convencer de ser essa a causa de se tornar duas a unidade: a divisão. Seria precisamente o oposto do que antes nos ensejara duas unidades. Naquela ocasião, isso foi conseguido por se aproximarem as duas e ficarem lado a lado. Agora, porém, a causa foi a separação e o afastamento delas duas. Assim, também, não acredito saber como se gera a unidade, nem como nasce ou morre ou existe seja o que for, a aceitarmos o princípio desse método. Prefiro arriscar-me em outra direção, pois esse caminho não me serve."

XLVI

"Ao ouvir, porém, certa vez alguém ler em um livro de Anaxágoras – segundo dizia – que a mente é organizadora e causa de tudo, fiquei satisfeitíssimo com tal causa, por me parecer de algum modo, que a mente certamente fosse a causa de tudo, tendo imaginado que, como coordenadora do Universo, a mente disporia cada coisa particular pela melhor maneira possível. Se alguém quisesse explicar a causa de como alguma coisa nasce ou morre ou existe, teria apenas de descobrir qual é a melhor maneira para ela de existir, sofrer ou produzir seja o que for. Segundo esse critério, só o que importa ao homem considerar, tanto em relação a si mesmo como a tudo o mais, é o modo melhor e mais perfeito. Desse jeito, ficaria necessariamente conhecendo o pior, por ambos serem objeto do mesmo conhecimento. Depois dessas reflexões, alegrei-me ao pensar que havia encontrado em Anaxágoras um professor da causa das coisas como há muito eu desejava, que começaria por me dizer se a Terra é chata ou redonda, depois me explicaria a causa e a necessidade dessa forma, recorrendo sempre ao princípio do melhor, com demonstrar que para a Terra era melhor mesmo ser assim. No caso de dizer que a Terra se encontra no centro, explicaria por que motivo é melhor para ela ficar no centro. Se ele me demonstrasse esse ponto, eu estaria decidido, de uma vez por todas, a não procurar outra espécie de causa. O mesmo faria com relação ao Sol, à Lua e aos outros astros, no que diz respeito à sua velocidade relativa, o ponto de conversão e demais acidentes a que estão sujeitos, bem como a razão de ser melhor para cada um deles fazer o que fazem ou sofrer o que sofrem. Um momento sequer não podia admitir que, depois de afirmar que tudo está ordenado pela mente, indicasse outra causa que não a de ser melhor para tudo proceder como procedem. Ao atribuir uma causa particular a cada coisa e ao conjunto, estava certo de que demonstraria o que para cada um era melhor e em que consistia para todos o bem comum. Por nada do mundo abriria mão dessa esperança. Por isso, havendo tomado do livro com sofreguidão, li tudo de uma só vez, para poder ficar conhecendo, o mais depressa possível, tanto o melhor com o pior."

XLVII

"Porém, não demorei, companheiro, a cair do alto dessa maravilhosa expectativa, ao prosseguir na leitura e verificar que o nosso homem não recorria à mente para nada, nem a qualquer outra causa para a explicação da ordem natural das coisas. Apenas o ar, o éter, a água e uma infinidade mais de causas extravagantes. Pareceu-me que com ele acontecia como com quem começasse por declarar que tudo o que Sócrates faz é determinado pela inteligência, para depois, ao tentar apresentar a causa de cada um dos meus atos, afirmar, de início, que a razão de eu me encontrar sentado agora neste lugar é ter o corpo composto de ossos e músculos, por serem os ossos duros e separados uns dos outros pelas articulações, e os músculos de tal modo constituídos que podem contrair-se ou relaxar-se, e por cobrirem os ossos, junto com a carne e a pele que os envolvem. Sendo móveis os ossos em suas articulações, pela contração ou relaxamento dos músculos, fico em condições de dobrar neste momento os membros, razão de estar agora sentado aqui com as pernas flexionadas. A mesma coisa se daria, se a respeito de nossa conversação indicasse como causa a voz, o ar, os sons e mil outras particularidades do mesmo tipo, porém se esquecesse de mencionar as verdadeiras causas, pelo fato de os atenienses terem decidido me condenar, e por isso me pareceu, também, melhor ficar sentado aqui, e mais justo sem me submeter a este local e à pena cominada. Sim, é isso, pelo cão! Quero crer que estes músculos e estes ossos estariam em Mégara ou entre o Beócios, movidos pela ideia do melhor, se não me parecesse muito mais justo e belo. Em vez de fugir, submeter-me à pena que a cidade me impôs. É absurdo dar o nome de causa a semelhantes coisas. Se alguém dissesse que sem ossos e músculos e tudo o mais que tenho no corpo eu não seria capaz de por em prática nenhuma resolução, só falaria verdade. Porém, afirmar que é por causa disso que faço o que faço, e que, assim procedendo, me valho da inteligência, porém, não em virtude da escolha do melhor, é levar ao extremo a imprecisão da linguagem e revelar-se incapaz de compreender que uma coisa é a verdadeira causa, e outra, muito diferente, aquilo que sem a causa jamais poderá ser causa. A meu parecer, é isso o que faz a maioria dos homens, como que a tatear nas trevas, empregando um termo impróprio e o designando como causa. Daí, envolver um deles, a Terra, em um turbilhão e deixá-la imóvel debaixo do céu, enquanto outro a concebe à maneira de uma gamela larga, que tem como suporte o ar. Quanto à potência que determinou a atual disposição das coisas pela melhor maneira, nem a procuram nem concebem que seja dotada de algum poder superior, por se julgarem capazes de encontrar algum Atlante mais forte e mais imortal do que ela para manter coeso o conjunto das coisas. Mas que o bem, de fato, e a necessidade abarquem e liguem todas as coisas, é o que não admitem de nenhum modo. De minha parte, para ficar sabendo como atua semelhante causa, de muito bom grado me faria discípulo de quem quer que fosse. Mas, uma vez que não a conheço nem me acho em condições de descobri-la por mim próprio nem de aprender com outros o que ela seja: prefere que lhe faça uma descrição completa, Cebes, de como empreendi o segundo roteiro de navegação para a investigação da causa?"

"Não há o que eu mais deseje", respondeu.

XLVIII

"De seguida", continuou, "já cansado de considerar as coisas, era preciso me precaver para não acontecer comigo o que se dá com as pessoas que observam e contemplam o Sol quando há eclipse. Por vezes, perdem a vista, se não olham apenas para a imagem dele na água ou em algum meio semelhante. Pensei nessa possibilidade e receei ficar com alma inteiramente cega se fixasse os olhos nas coisas e procurasse alcançá-las por meio de um dos sentidos. Pareceu aconselhável me acolher no pensamento, para nele contemplar a verdadeira natureza das coisas. É muito provável que minha comparação seja incômoda, pois estou longe de admitir que quem considera as coisas por meio do pensamento só contemple suas imagens, o que não se dá com que as vê na realidade. De qualquer modo, meu caminho foi esse. Em cada caso particular, parto sempre do princípio que se me afigura mais forte, considerando verdadeiro o que com ele concorda, ou se trate de causas ou do que for, e como falso o que não afina com ele. Vou expor para você com maior clareza minha maneira de pensar, pois parece-me que não a compreendeu muito bem."

"Não muito, por Zeus", respondeu Cebes.

XLIX

"No entanto", prosseguiu, "o que eu digo não é novo, mas o que sempre afirmei, tanto em outras ocasiões como em nossa argumentação recente. Vou tentar mostrar a natureza da causa por mim estudada, voltando a tratar daquilo mesmo de que tenho falado toda a vida, para, de saída, admitir que existe o belo em si, e o bem, e o grande, e tudo o mais da mesma espécie. Se aceitarem esse ponto e concordarem que existem, tenho esperança de mostrar a causa e provar a imortalidade da alma."

"Admite que já concedi tudo", falou Cebes, "para que não atrase ainda mais sua exposição."

"Então, considere o que se segue", continuou, "para ver se concorda comigo. O que me parece é que se existe algo belo além do belo em si. Só poderá ser belo por participar do belo em si. O mesmo afirmo de tudo o mais. Admite essa espécie de causa?".

"Admito", respondeu.

"Então, já não compreendo", continuou, "as outras causas, de pura erudição, nem consigo explicá-las. E se, para justificar a beleza de alguma coisa, alguém me falar de sua cor brilhante, ou da forma, ou do que quer que seja, deixo tudo o mais de lado, que só contribui para me atrapalhar, e me atenho única e simplesmente, talvez mesmo com uma boa dose de ingenuidade, ao meu ponto de vista, a saber, que nada mais a deixa bela senão a presença ou comunicação daquela beleza em si, qualquer que seja o meio ou caminho de lhe acrescentar. De tudo o mais não faço grande cabedal. O que digo é que é pela beleza em si que as coisas belas são belas. Em minha opinião, essa é a maneira mais certa de responder, tanto a mim mesmo como aos outros. Firmando-me nessa posição, tenho certeza de não vir a cair e de que tanto eu como qualquer pessoa em idênticas circunstâncias poderá responder com segurança que é pela beleza que as coisas belas são belas. Não parece?".

"Sem dúvida."

"Como é por meio da grandeza que o grande é grande e o maior é maior, e pelo da pequenez que o pequeno é pequeno."

"Certo."

"Logo, também não concordaria com que dissesse que um homem é maior do que outro uma cabeça, nem que é menor é também uma cabeça menor do que o primeiro, mas persistiria na defesa de sua proposição, de que na sua maneira de pensar tudo o que é grande só pode ser grande por causa da grandeza, nada mais, sendo esta, a grandeza, que deixa grandes as coisas, como o pequeno só será pequeno por causa da pequenez, vindo a ser isso mesmo, a pequenez, que deixa pequeno o pequeno, de medo, quero crer, no caso de afirmar que um homem é maior ou menor do que o outro uma cabeça, que alguém pudesse discordar, primeiro, que é pela mesma coisa que o maior é maior e o menor é menor. Depois, que, sendo pequena a cabeça, é por meio dela que o maior é maior, verdadeiro disparate: vir a ser alguém grande por causa do que é pequeno. Não tem medo disso?"

"Sem dúvida", respondeu, aos risos, Cebes.

"Como também recearia dizer", continuou, "que dez é dois mais do que oito, e dois cúbitos mais do que um, porque dois é o dobro de um."

"Perfeitamente", respondeu.

"E então? No caso de uma unidade ser acrescentada a outra, não teria medo de dizer que essa adição foi a causa de se formar o dois, ou, na hipótese de ser a unidade cortada ao meio, que foi a divisão? E não protestaria em altas vozes que não sabe como uma coisa pode se transformar em outra, a não ser pela participação da essência própria da natureza que ela própria participa e que, no caso concreto da geração do dois, não saberá informar outra causa se não for a participação da dualidade? Dessa dualidade é que terá de participar o que tiver de ficar dois, como participará da unidade tudo o que vier a ser um. Quanto às divisões e acrescentamentos e demais sutilezas do mesmo gênero, mandará todas elas passear, deixando o cuidado da resposta a quem for mais sábio do que você mesmo. Quanto a você, por medo da própria sombra e de sua inexperiência, e firmado naquele pressuposto seguro, responderia daquele jeito. E no caso de investir o adversário contra sua própria tese, não lhe dispensaria atenção nem responderia a ele sem primeiro verificar se as consequências de seu postulado são dissonantes ou harmônicas. E, na hipótese de fundamentar tua proposição, o faria da mesma forma, como admitir um novo princípio, que parecesse mais valioso, até conseguir um resultado satisfatório. Ao contrário dos disputadores, não se confundirá com suas consequências o princípio em discussão, caso quisesse alcançar alguma realidade. Com esta, ao que parece, é que nenhum deles se preocupa no mínimo. Com todo o seu saber, o que fazem é misturar tudo, muitos cheios de si mesmos. Você, porém, se acha que faz parte da classe dos filósofos, fará o que te disse."

"Disse a mais pura verdade", falaram, a um só tempo, Símias e Cebes.

Equécrates — Por Zeus, Fédon , nem seria possível expressar-se de outro modo, pois me parece de clareza meridiana essa explanação, até mesmo para quem for dotado de parco entendimento.

Fédon — Perfeitamente, Equécrates. Todos os circunstantes foram desse mesmo parecer.

Equécrates — Que é também o de todos nós que não participamos do colóquio e te ouvimos neste momento.

L

E depois disso, o que disseram?

Fédon — Segundo creio, depois de lhe concederem esse ponto e de admitirem a existência real das ideias e que é da sua participação que as diferentes coisas recebem determinação particular, perguntou Sócrates o seguinte: "Se é assim que fala quando diz que Símias é maior do que Sócrates, porém menor do que Fédon, não equivale isso a dizer que em Símias se encontram ambas: grandeza e pequenez?".

"Sem dúvida."

"No entanto, admite que a expressão 'Símias ultrapassa Sócrates' não deve ser tomada no sentido literal? Não é por sua própria natureza, por ser Símias, que ele o ultrapassa, mas por sua grandeza ocasional, como não ultrapassa Sócrates por este ser Sócrates, mas pela pequenez deste, no que entende com a grandeza do outro."

"Certo."

"Como também ele não será ultrapassado por Fédon, por este ser Fédon, mas em virtude da grandeza de Fédon em comparação com a pequenez de Símias."

"Isso mesmo."

"Desse modo, aplica-se a Símias, a um só tempo, o apelido de grande e de pequeno, por estar ele a meio caminho dos dois, excedendo com sua grandeza a pequenez de um deles e reconhecendo no outro a grandeza que vence sua pequenez." Depois, acrescentou sorrindo: "Minha linguagem parece de escrivão, mas o que eu disse está certo."

Concordou.

"Falei desse jeito para que compartilhem minha maneira de pensar. O que me parece, é que tanto a grandeza em si mesma não deseja ser grande e pequena ao mesmo tempo, como a própria grandeza presente em nós não aceita jamais aceita a pequenez nem consente em ser ultrapassada. De duas, uma terá de ser: ou ela foge e sai do caminho quando dela aproxima seu contrário, a pequenez, ou, com sua chegada, deixa de existir. O que de nenhum modo deseja, havendo admitido e recebido a pequenez, sem deixar de ser o que era, continuou sendo pequeno, ao passo que a grandeza, por ser grande, jamais consente em ser pequena. O mesmo é válido para a pequenez em nós, que nunca se decide a se tornar grande ou a ser isso mesmo, o que também se dá com todos os contrários, enquanto cada um é o que é, recusam-se a tornarem-se e ser ao mesmo tempo o seu contrário, retirando-se ou desaparecendo quando essa conjuntura se apresenta."

"É exatamente assim que eu penso", observou Cebes.

LI

Nesse instante um dos presentes falou, não saberei dizer com segurança quem tivesse sido: "Pelos deuses! Em nossa prática, há pouco, não foi dito justamente o oposto do que é afirmado agora, que do maior nasce o menor, e vice-versa, do menor o maior, e que essa é, precisamente, a maneira de nascerem os contrários, de seus respectivos contrários? No entanto, me parece que antes afirmou que isso não seria possível".

Sócrates, que se inclinara para melhor ouvi-lo, falou: "A observação é corajosa, mas não capturou bem a diferença entre o que foi dito antes e a presente afirmativa. Então dissemos é que a coisas contrária nasce da que lhe é contrária, porém agora que o contrário jamais admite ser seu próprio contrário, nem em nós nem na natureza. Naquela ocasião, meu caro, falávamos de coisa que têm contrários; agora, porém tratamos dos próprios contrários inerentes às coisas, cuja presença empresta a todas a respectiva designação. Ora, o que afirmamos é que esses contrários, justamente, não admitem transição de um para outro".

Ao dizer isso, voltou-se para Cebes e lhe falou: "Porventura, Cebes, lhe atrapalhou a objeção deste aqui?".

"Não é o meu caso", respondeu Cebes, "conquanto não possa dizer que tudo para mim esteja claro".

"Mas o fato", prosseguiu, "é que já assentamos que nunca o contrário pode ser o contrário de si mesmo".

"Sem a mínima restrição", foi a sua resposta.

LII

"Então, considera também o seguinte", continuou, "para ver se está de acordo comigo. Não há alguma coisa a que damos o nome de quente, e outra que denominamos frio?".

"Sem dúvida."

"E serão, porventura, o mesmo que a neve e o fogo?"

"Não, por Zeus. Nunca afirmei semelhante coisa."

"Logo, o quente não é a mesma coisa que o fogo, nem o frio o mesmo que a neve."

"Exato."

"Mas estou certo de que também admira que nunca poderá a neve, como neve, conforme dissemos há pouco, depois de receber o calor, continuar a ser o que era. Uma neve com calor? Com a aproximação do calor, ou ela se retira ou vem a fenecer."

"Perfeitamente."

"Tal qual como o fogo, que com a chegada do frio, retira-se ou perece. De jeito nenhum, depois de receber o frio, se atreveria a ser o que antes era. Fogo e frio?

"Você falou com muito acerto", observou.

"Pode acontecer", continuou, "em alguns exemplos desse tipo, que não somente a ideia em si mesma tenha o direito de conservar eternamente o mesmo nome, como também algo diferente que, sem ser daquela ideia, apresenta-se, enquanto existe, com sua forma. É possível que com o seguinte exemplo eu deixe mais claro meu pensamento. O número ímpar terá de conservar sempre esse nome com o que designamos. Ou não?".

"Perfeitamente."

"Mas é só com ele que isso acontece – é o que pergunto – ou com mais alguma coisa que, sem ser, de fato, o ímpar em si mesmo. Ao lado do seu próprio nome terá, necessariamente, de ser sempre denominado dessa maneira, por ser de tal natureza, que nunca pode dispensar o ímpar? Com isso, me refero ao que se passa com o conceito da tríade e muitos outros da mesma espécie. Considere apenas o número três. Não parece que ele precisará sempre ser designado, a um só tempo, pelo seu próprio nome e pelo do ímpar, apesar de não ser o nome ímpar a mesma coisa que três? Seja como for, de tal modo é constituída a natureza do três, do cinco e de toda uma metade dos números, que apesar de cada um deles não ser a mesma coisa que o ímpar, eles sempre terão de ser ímpares. O mesmo se passa com o número dois, o quatro e toda a outra metade dos números, que, sem serem o par, sempre terão de ser partes. Concorda com isso ou não?"

"Como não admitir?", foi a sua resposta.

"Preste atenção agora", disse, "ao que me disponho a demonstrar. Está fora de dúvida que não são apenas os contrários que se excluem reciprocamente, mas todas as coisas que, sem serem contrárias entre si, não admitem a ideia contrária da que lhes é própria, à aproximação da qual ou cedem o lugar ou vêm a perecer. Pois já não dissemos que o número três primeiro deixará de existir ou sofrerá seja o que for, antes de vir a ficar par, por ser de fato o que é, precisamente três?"

"É muito certo", falou Cebes.

"No entanto", continuou, "os números dois e três não são contrários entre si."

"Nunca."

"Logo, não são apenas as ideias contrárias que não admitem a aproximação recíproca. Há outras, também, que não aceitam essa aproximação dos contrários."

"É muito certo o que afirma", respondeu.

LIII

"E não acharia bom", continuou, "se determinássemos, na medida do possível, quais são essas ideias?"

"Perfeitamente."

"Não serão, Cebes", prosseguiu, "as que forçam as coisas de que elas se apoderam a conservar tanto a sua própria forma como a que sempre lhes é contrária?".

"O que você quer dizer com isso?"

"O que declaramos neste momento. Como sabe muito bem, todas as coisas de que se apossa a ideia do número três, tanto terão, por força, de ser três como ímpares."

"É muito certo."

"O que dizemos é que a ideia contrária à forma constitui, nunca pode fazer parte dela."

"Nunca, de fato."

"O que a constitui é a ideia do ímpar, não é isso mesmo?"

"Certo."

"Como o seu contrário é a ideia do par."

"Sem dúvida."

"Sendo assim, no três jamais entrará a ideia de par."

"Nunca."

"Pelo simples fato de o três não participar do par."

"Isso mesmo."

"Visto ser ímpar."

"Exatamente."

"Pois era isso, precisamente, que eu queria determinar: as coisas que, sem serem contrárias entre si, não admitem o seu contrário. Será o caso do três quem, sem ser o contrário do par, de forma alguma o aceita, pois ele lhe opõe sempre o seu contrário, como faz o dois com o ímpar, o fogo com o frio e um infinito mais de exemplos. Diga agora se não concluiria que não é apenas o contrário que não recebe o seu contrário, porém tudo o que leva a ideia do contrário da coisa que o recebe, não admite nesta o contrário daquilo que ele leva. Recapitulemos tudo o que dissemos até aqui, pois não há mal em ouvir a mesma coisa várias vezes. O número cinco não admite a ideia de par, nem o dez, o dobro daquele, a de ímpar. Por sua vez, o duplo é o contrário de outra coisa, porém não admite a ideia do ímpar, como também não a admitem os números sesquiálteros, o meio e outras frações do mesmo tipo, nem a ideia de todo, de terço e de tudo o mais da mesma natureza, se é que me acompanha e está de acordo comigo."

"Não somente estou de inteiro acordo", disse, "como te acompanho".

LIV

"Então, repete tudo isso do começo", continuou, "porém não me responda com minhas próprias palavras, mas de outra forma, tomando-me como modelo. O que digo é que, além da resposta certa que eu apresentei no começo, encontrou outra de não menor confiança no que ficou dito depois. De fato, se me perguntasse: 'O que precisa haver no corpo para que ele fique quente?' não lhe daria a resposta certa, sem dúvida, porém ingênua, que é o calor, porém outra muito mais aprimorada, com base em nossa exposição anterior, o fogo. Como também se me perguntasse o que precisa haver no corpo para que ele adoeça, não responderia que é a doença, porém alguma febre. E no caso de me perguntar o que precisa haver em um número para ser ímpar, não me referira à imparidade, mas à unidade, e assim sucessivamente. Agora vê se apanhaste bem meu pensamento."

"Incrível", respondeu.

"Então, diga-me", continuou, "o que precisa haver no corpo para que ele viva?".

"Alma", respondeu.

"E sempre terá de ser assim?"

"Por que não?", foi sua resposta.

"Logo, tudo de que a alma se apodera, a isso ela dá vida?"

"É o que ela faz, de fato", respondeu.

"E haverá alguma coisa contrária à vida? Ou não há?"

"Sem dúvida", respondeu.

"O que é?"

"A morte."

"De onde vem que a alma nunca poderá aceitar o contrário daquilo que ela sempre traz consigo. É o que se conclui de tudo o que dissemos até agora."

"Conclusão certíssima", respondeu Cebes.

LV

"E então? O que não admite a ideia do par, que nome lhe demos agora mesmo?"

"Ímpar", respondeu.

"E o que não recebe o justo, ou não recebe o harmônico?"

"Desarmônico", disse, "ou injusto".

"Muito bem. E o que não recebe a morte, como o denominaremos?"

"Imortal", foi a sua resposta.

"Ora, a alma não recebe a morte."

"Não."

"A alma é, pois, imortal?"

"Imortal."

"Muito bem. Podemos afirmar, por conseguinte, que isso ficou demonstrado? O que lhe parece?"

"Ficou demonstrado à saciedade, Sócrates."

"E agora, Cebes", continuou, "se o ímpar fosse indestrutível por força das coisas, não teria também de ser indestrutível o três?".

"Como não?"

"E se o não quente também fosse por necessidade indestrutível, sempre que alguém aproximasse da neve o fogo, não se retiraria a neve intacta e sem derreter-se? Não pereceria, é claro, e por mais que ficasse exposta ao calor, não o receberia."

"É muito certo", respondeu.

"Como também, segundo penso, se o não frio fosse indestrutível por natureza, e alguém aproximasse do fogo o frio, jamais o fogo se apagaria ou viria a fenecer, porém afastar-se-ia incólume."

"Necessariamente", respondeu.

"E não será também preciso falarmos nesses mesmos termos no que se entende como mortal? Se o imortal também for imperecível, a alma, sempre que a morte se aproximar dela, não poderá morrer, pois de acordo com o que dissemos antes, ela não admitirá a morte nem virá a morrer. Da mesma forma que o três, conforme vimos, nunca poderá ser par, e com ele o ímpar, nem o fogo ficará frio nem o calor que há no fogo. Porém, o que impede – poderia alguém objetar – que o ímpar, muito embora não fique par à aproximação do par, e sobre isso, já nos declaramos de acordo, venha, de fato, a perecer, por transformar-se em par? A isso, não poderíamos responder que não perece, pois o ímpar não é indestrutível. Porém, se isso houvesse sido aceito antes por nós, seria fácil retorquir que à aproximação do par, o ímpar e o três se retiram. Da mesma maneira responderíamos com respeito ao calor, ao fogo e a tudo o mais. Ou não?"

"Sem dúvida."

"Sendo assim, agora, com relação ao imortal, uma vez admitido por nós dois que também é imperecível, a alma, terá de ser por força imperecível. Caso contrário, precisaríamos lançar mão de outro argumento."

"Não por causa disso", retorquiu. "Dificilmente poderia haver quem não admitisse a destruição, se o imortal, como ser eterno, fosse passível de acabar."

LVI

"Quanto a Deus", falou Sócrates, "ao que suponho, e à ideia da vida e a tudo o mais que possa haver de imortal, todos estão de acordo em que nunca podem parecer".

“Sim, por Zeus, todos os homens”, respondeu, “e, com maioria de razões, os próprios deuses”.

“Era, uma vez que o imortal é imperecível, a alma, sendo imortal, não terá de ser, da mesma forma, imperecível?”

“Necessariamente.”

“Logo, como parece, ao aproximar-se dos homens a morte, o que neles for mortal terá de perecer, enquanto sua porção imortal cede o lugar à morte e continua sã e incorruptível.”

“Claro.”

“É certíssimo, por conseguinte, Cebes”, continuou, “ser a alma imortal e imperecível, e existirem realmente nossas almas no Hades”.

“Enquanto a mim, Sócrates”, falou Cebes, “nada tenho a objetar contra teus argumentos, nem o que alegar para não os admitir. Porém, no caso de Símias ou qualquer outro querer dizer alguma coisa, fará bem em não se conservar calado, pois não sei que melhor oportunidade do que esta poderá encontrar quem se disponha a falar ou a ouvir, seja o que for a respeito destas questões.”

“Eu também”, falou Símias, “não vejo razão para não aceitar o que foi dito. Dada, porém, a grandeza da matéria e por não confiar na fraqueza de matéria e por não confiar na fraqueza humana, sou forçado a declarar que ainda alimento algumas dúvidas com respeito ao que foi explanado”.

“Não é só isso, Símias”, falou Sócrates. “Como muito bem se expressou, até mesmo nossas proposições iniciais, por mais dignas de confiança que pareçam, precisam ser consideradas mais a fundo, e, uma vez suficientemente analisadas, estou certo de que acompanharia a argumentação na medida da capacidade de compreensão do homem, até que, tudo esclarecido, nada mais tenha a investigar.”

“É muito certo o que diz”, respondeu.

LVII

“Porém senhores devemos, considerar também que se a alma for imortal, exigirá cuidados de nossa parte não apenas nesta porção do tempo que denominamos vida, senão o tempo todo em universal, parecendo que se expõe a um grande perigo quem não atender esse aspecto da questão. Pois se a morte fosse o fim de tudo, que imensa vantagem não seria para os desonestos, que se livrariam do corpo e da ruindade juntamente com a alma? Agora, porém, que se revelou imortal, não resta à alma outra possibilidade, a não ser tornar-se, quando possível, melhor e mais sensata. Ao chegar ao Hades, nada mais leva consigo a não ser a instrução e a educação, justamente, ao que se diz, o que mais favorece ou prejudica o morto desde o início de sua viagem para lá. O que contam é o seguinte: ao morrer alguém, o demônio que em vida lhe tocou por sorte se encarrega de levá-lo a um lugar em que se reúnem os mortos para serem julgados e de onde são conduzidos para o Hades com guias incumbidos de lhes indicar o caminho. Depois de terem o destino merecido e de lá permanecerem o tempo indispensável, outro guia os traz de volta, após numerosos e longos períodos de tempo. Esse caminho não é o que diz Télefo, de Ésquilo, ao afirmar que o caminho do Hades é simples. A meu ver, nem é simples nem único. Se fosse o caso, o guia seria dispensável, pois ninguém se perde onde a estrada é uma só. O que parece é que ele é cheio de voltas e bifurcações. Digo isso com base nos ritos sagrados e cerimônias aqui em uso. De qualquer forma, a alma prudente e moderada acompanha seu guia, perfeitamente consciente do que se passa com ela. Mas, como disse há pouco, a que se agarra avidamente ao corpo esvoaça durante muito tempo em torno dele e do mundo visível, e depois de grande relutância e de sofrimentos sem conta, é por fim arrastada dali, à força e com dificuldade pelo demônio incumbido de conduzi-la. Uma vez alcançado o lugar em que se encontram, outras almas, as que se acham impuras pela prática do mal, de homicídios injustos ou de crimes semelhantes, de uma alma como essa, todas se afastam, evitam-na, não havendo guia nem companheiro de jornada que com ela se associe. Tomada de grande perplexidade, vagueia por todos os lugares até que se passe certo tempo, depois do que a leva por força para a moradia que lhe foi determinada. A que atravessou a vida com pureza e moderação e alcançou deuses por guias e companheiros de jornada obtém moradia apropriada."

LVIII

"A Terra apresenta um sem-número de lugares maravilhosos, não sendo extensa nem da forma como a imaginam os que se comprazem em discorrer a seu respeito, conforme alguém demonstrou."

A essa altura, falou Símias: "O que quer dizer com isso, Sócrates? Sobre a Terra eu também já ouvi dizerem muita coisa, porém não o de que te mostras convencido. De muito bom grado lhe ouviria falar a esse respeito".

"Para fazer essa descrição, Símias, não me parece necessária a arte de Glauco. Mas o que me parece mais difícil do que a arte de Glauco é provar a sua veracidade. É possível, que me falte capacidade para tanto, porém mesmo que a tivesse, o pouco de vida que me resta, Símias, não chegaria para tão longa exposição. Contudo, não vejo impedimento em expor a ideia que faço da forma da Terra e de suas diferentes regiões."

"Será o suficiente", falou Símias.

"Para começar, fiquei convencido de que se a Terra é de forma esférica e está colocada no meio do céu para não cair, ela não precisará nem de ar nem de qualquer outra necessidade da mesma natureza. Por que para se sustentar é suficiente a perfeita uniformidade do céu e seu equilíbrio natural. Pois uma coisa em equilíbrio no meio de qualquer elemento homogêneo não se inclinará para nenhum lado, mas se conservará sempre fixa e no mesmo estado. Foi esse o primeiro ponto, arrematou, que passei a admitir."

"E com razão", observou Símias.

"Depois", continuou, "que também se trata de algo imensamente grande e que nós outros, moradores da região que vai do Fásis às Colunas da Hércules, ocupamos uma porção insignificante da terra, em torno do mar como formigas e rãs na beira de um charco. Por toda a Terra há muitas concavidades, de forma e tamanho variáveis, para as quais converge água, vapor e ar. Porém, a própria terra se acha pura no céu puro, onde estão os astros, denominado éter por aqueles que costumam discorrer sobre essas questões, cuja borra, precisamente, é tudo aquilo que não para de se depositar nas cavidades da terra. Quanto a nós, por não percebemos que moramos nessas concavidades, imaginamos viver em cima da Terra como se daria com quem morasse no meio do mar fundo e pensasse estar na superfície, e vendo o Sol e os outros astros através da água, tomaria o mar pelo céu. Por indolência e fraqueza muito próprias, nunca subiu até o espelho da água, nem viu nunca, depois de emergir do mar e de levantar a cabeça fora da água na direção desses lugares, quanto são mais puros e mais lindos do que o outro, o que também não poderia ter ouvido de nenhuma testemunha ocular. É exatamente o que se dá conosco. Habitantes de uma dessas concavidades da Terra, imaginamos morar em cima dela e damos ao ar o nome de céu, como se o ar fosse o próprio céu em que se movimentam os astros. É igualzinha nossa situação, por indolência e fraqueza, não somos capazes de atingir o limite extremo do ar. Pois no caso de chegar alguém ao topo ou de adquirir asas e de voar, emergiria e passaria a ver como os peixes aqui de baixo quando põem a cabeça fora da água e veem o que se passa entre nós. De igual modo veria o que há por lá e, no caso de a sua natureza aguentar por algum tempo tal vista, reconheceria ser aquele o verdadeiro céu, a verdadeira luz e a verdadeira terra. Sim, porque esta nossa terra, as pedras e toda a região que nos circunda estão estragadas e corroídas, tal como corroído está pela salinidade de tudo o que há no mar. Nada cresce no mar digno de menção, nem há nada perfeito, por assim dizer; apenas cavernas, areia, lama a perder de vista e lodo por onde quer que haja terra, nada, em suma, que suporte cotejo com as coisas belas de nosso mundo. Mas aquelas, por sua vez, em confronto com as nossas, em muito as ultrapassam. Se fosse oportuno, gostaria de contar um belo mito, Símias, digno de ser ouvido, de como é constituída essa terra situada embaixo do céu."

"Mas nem há dúvida, Sócrates", falou Símias. "Escutaremos seu mito com o maior prazer."

LIX

"O que dizem, companheiro, é que se essa terra fosse vista de cima por alguém, pareceria um desses balões de couro de doze peças de cores diferentes. Seriam simples amostras de cores conhecidas entre nós que os pintores empregam. Toda aquela terra é assim, porém de cores muito mais puras e brilhantes. Uma parte é de cor púrpura e admiravelmente bela. Outra, é dourada. Outra, ainda, por ser branca, é mais alva do que o giz e a neve; o mesmo acontece com todas as cores de que é feita, em muito maior número e mais belas do que jamais vimos. Pois até mesmo as concavidades da terra, estando cheias de ar e de água, mostram uma cor de brilho especial, resultante da mistura de todas as cores, e apresentam colorido de variedade uniforme. Nessa terra assim constituída, tudo cresce nas mesmas proporções: árvores, flores ou frutos. Com as montanhas acontece o mesmo. As pedras, relativamente, são mais macias e translúcidas e de cores muito lindas, das quais são parcela insignificante nossas pedrazinhas tão apreciadas: sardônicas, jaspe e esmeraldas, e todas as outras da mesma natureza. As de lá são todas desse jeito e ainda mais belas. A causa disso encontra-se no fato de serem puras e de não se estragarem ou serem corroídas, como as nossas, pela putrefação e pela salinidade que convergem para os lugares cá de baixo e que deformam e deixam doente não somente as pedras e o solo, como também os animais e as plantas. Tudo isso enfeita aquela terra e também ouro e prata e o que mais houver do mesmo gênero, de tanta refulgência e tudo em tão grande cópia espalhada pela vastidão da terra, que sua vista é verdadeiramente edificante. Existem nela animais em profusão, e também em parte nas margens do ar, como nós moramos nas do mar, em parte nas ilhas cercadas de ar, perto dos continentes. Em uma palavra, o ar para eles é como a água e o mar para nossas necessidades. Assim como para eles o éter é o que para nós é o ar. As estações entre eles são de tal modo temperadas que ninguém cai doente, vivendo todos muito mais tempo do que os homens cá de baixo. Quanto aos olhos, o ouvido o pensamento e demais atributos desse gênero, eles nos ultrapassam na mesma proporção em que o ar vence em pureza a água e o éter o próprio ar. Há também entre eles templos e bosques sagrados, nos quais vivem efetivamente as divindades, bem como vozes, profecias e aparições dos deuses, que é como se comunicam com eles, de rosto a rosto. Ademais, veem o Sol, a Lua e as estrelas como são na realidade, andando a par com tudo isso o restante de sua bem-aventurança."

LX

"Assim é a natureza da Terra em seu conjunto e das coisas que a circundam. Nas entranhas da Terra, por todo o seu contorno há numerosas concavidades, algumas mais profundas e patentes do que esta em que moramos, outras também profundas, porém com entradas mais estreitas do que a nossa, havendo, ainda, outras tantas de menor profundidade, porém mais largas do que esta. Todas essas regiões se comunicam entre si em muitos lugares por passagens subterrâneas de largura variável, além de possuírem outras vias de acesso. Muita água corre de uma para outra, como nos grandes vasos, havendo, embaixo da terra, rios perenes de grandeza descomunal, de água quente e fria, e também muito fogo e grandes rios de fogo, bem como correntes de lama líquida, ora mais limpa, ora mais suja, tal como antes de lava os rios de lama da Sicília, e depois a própria lava. Essas diferentes regiões se enchem de tal matéria, de acordo com a direção ocasional da corrente. Essas águas se movimentam para cima e para baixo, como um pêndulo colocado no interior da terra. Semelhante oscilação deve provir das aberturas da terra, uma particularmente grande, que a atravessa em toda a sua extensão e a que se refere Homero como uma voragem profunda que em baixo da terra se encontra, e que por ele mesmo e muitos outros poetas é denominada Tártaro. É para essa abertura que confluem todos os rios, como é dela, também, que todos partem, adquirindo cada um as propriedades do terreno por onde passam. A razão de saírem de todos os rios dessa abertura e de voltarem para ela é carecerem suas águas de fundo e de base. Por isso, oscilam e flutuam para cima e para baixo. Concorrem para o mesmo efeito o ar e o vento que as envolvem, por acompanhá-las tanto quando se precipitam para as regiões do outro lado da terra como quando se dirigem para o lado de cá. E assim como o sopro de quem respira se encontra em constante movimento, na inspiração e na expiração, do mesmo modo o sopro predominante naquelas regiões, juntamente com as águas, quando entram e quando saem, produz ventos de irresistível violência. Ao se dirigirem as águas para os lugares que denominamos de baixo, afluem para os leitos das correntes desse lado e os enchem como nos sistemas de irrigação. Quando, inversamente, os abandonam e retornam para cá, voltam a encher os deste lado. Uma vez cheios, correm pelos canais e pela terra, seguindo as vias naturais do solo e passam a formar lagos, mares, rios e fontes. De lá, voltando a mergulhar na terra, depois de uma parte das águas circular por maior número de regiões e mais extensas, enquanto outras fazem um trajeto pequeno em menos lugares, lançam-se outra vez no Tártaro, algumas muito mais abaixo do nível em que corriam, outras um pouco menos, desembocando todas muito abaixo do ponto de partida. Alguns rios irrompem do lado oposto da saída, outros do mesmo lado. Há casos de descreverem um círculo completo, enrolando-se uma ou mais vezes em torno da terra, como serpentes, descem o mais possível para de novo se lançarem no Tártaro. Os rios de ambos os lados podem baixar até o centro, porém não o ultrapassar, pois de cada lado a margem desses rios é de aclive acentuado."

LXI

"Há muitas outras caudais do mais variado aspecto, porém nessa multidão de rios há quatro, particularmente, dos quais o maior e mais afastado do centro, denominado Oceano, que circunda a Terra inteira. De frente deste e em sentido contrário deflui o Aqueronte, que além de atravessar muitas regiões desertas, corre por baixo da terra, até alcançar a Lagoa Aquerúsia, para onde vão as almas da maioria dos mortos, as quais, depois de ali permanecerem o tempo marcado pelo destino, umas mais outras menos, são reenviadas para renascerem. O terceiro rio irrompe dentre os dois primeiros, para lançar-se, perto de sua origem, em um lugar amplo e cheio de fogo, onde forma um lago maior do que o nosso mar, de água e lama ferventes. Daí, torvo de tanta lama, descreve um círculo e depois de contornar a terra e atravessar outros lugares, atinge o limite extremo da Lagoa Aquerúsia, sem que suas águas se misturem com as desta. Por fim, depois de muitas voltas, sempre dentro da terra, lança-se na porção mais baixa do Tártaro. Esse é que tem o nome de Piriflegetonte, cujas lavas jogam partículas incandescentes em diversos pontos da superfície da Terra. Defronte dele, por sua vez, desemboca o quarto rio, a princípio em uma região florestal e pavorosa que, dizem, é toda colorida de azul escuro, denominada Estígia, sendo chamada Estige a lagoa em que ele vem lançar-se. Depois de nela cair e adquirirem suas águas propriedades terríveis, afunda pela terra, traçando voltas sem conta em sentido contrário às do Piriflegetonte, com o qual vai se defrontar no lado oposto da lagoa Aquerúsia. Suas águas, também, não se misturam com as outras, vindo ele a desaguar no Tártaro defronte do Piriflegetonte. O nome desse rio, como dizem os poetas, é Cócito."

LXII

"Sendo essa a disposição natural dos rios, quando os mortos chegam ao local determinado para cada um o seu demônio particular, antes de mais nada são julgados, tanto os que levaram vida bela e santa como os que viveram pelo mal. Os classificados como de procedimento mediano, dirigem-se para o Aqueronte e sobem para as barcas que lhes são destinadas e que os transportam para a lagoa. Aí, passam a residir e se purificam, e no caso de terem cometido alguma falta, cumprem a pena imposta e são absolvidos ou recompensados, de acordo com o mérito de cada um. Os reconhecidamente incuráveis, por causa da enormidade de seus crimes, roubos de templos, repetidos e graves, homicídios iníquos e contra a lei, e muitos outros do mesmo tipo que se cometem por aí, são lançados no Tártaro à sorte merecida, de onde não sairão nunca mais. Os autores de faltas sanáveis, embora graves – seria o caso dos que, em um momento de cólera, usaram de violência contra o pai ou a mãe, mas que se arrependeram o resto da vida, ou os que se tornaram homicidas por idênticos motivos – todos terão fatalmente de ser lançados ao Tártaro. Porém, um ano depois de ali caírem, as ondas jogam os assassinos para o Cócito, e os culpados de violência contra o pai e a mãe para o Piriflegetonte. Arrastados, assim, pela correnteza, quando atingem a Lagoa Aquerúsia, alguns chamam os que eles mesmos mataram. Outros, as vítimas de suas violências. E ao acorrerem todos a seus brados, imploram permissão de passar para a lagoa e de serem recebidos. Se conseguem com eles que os atendam, ingressam na lagoa, terminando logo ali seus sofrimentos. Caso contrário, são mais uma vez levados para o Tártaro e deste, novamente, para os rios, prolongando-se, dessa forma, o castigo até conseguirem o perdão de suas vítimas. Essa pena lhes é imposta pelos juízes. Por último, os que são reconhecidos como de vida eminentemente santa, são dispensados de permanecer nessas moradas subterrâneas e, como egressos da prisão, atingem as regiões puras e passam a residir na Terra. Entre esses, os que já se purificaram suficientemente por meio da filosofia, vivem daí por diante sem corpo e vão para moradias ainda mais belas do que as outras. Desisto de descrevê-las por não ser fácil tarefa, por não dispor agora de tempo para tanto. Do que vos expusemos, Símias, precisamos fazer de tudo para, em vida, adquirir virtude e sabedoria, pois bela é a recompensa e infinitamente grande a esperança."

LXIII

"Afirmar, de modo positivo, que tudo seja como acabei de expor, não é próprio de homem sensato, mas que deve ser assim mesmo ou quase assim no que diz respeito a nossas almas e suas moradas, sendo a alma imortal como se nos revelou, é proposição que me parece digna de fé e muito própria para recompensar-nos do risco em que incorremos por aceitá-la como tal. É um belo risco, eis o que precisamos dizer a nós mesmos à guisa da fórmula de encantamento. Essa é a razão de me ter alongado neste mito. Confiar nele é poder se tranquilizar com relação à sua alma o homem que passou a vida sem dar o menor apreço aos prazeres do corpo e aos cuidados especiais que este requer por considerá-los estranhos a si mesmo e capazes de produzir, justamente, o efeito oposto. Entregue aos deleites da instrução, com os quais adornava a alma, e não como se o fizesse como algo estranho a ela, porém como joias da mais feliz indicação: temperança, justiça, coragem, nobreza e verdade. Este, espera o momento de partir para o Hades quando o destino o convocar. Vocês também, Símias e Cebes", acrescentou, "e todos os outros, têm de fazer mais tarde essa viagem, cada um em seu tempo. A mim, porém, para falar como herói trágico, agora mesmo me chama o destino. Mas está quase na hora de tomar o banho. Acho melhor fazer isso antes de beber o veneno, para não dar às mulheres o trabalho de lavar o cadáver".

LXIV

Depois de dizer essas palavras, falou Críton: "Está bem, Sócrates. Porém, que determinações nos deixa a todos a respeito de seus filhos, ou o que mais poderemos fazer por amor a você, que nos seria grato executar?".

"O que sempre digo, Críton", respondeu, "nada tenho a acrescentar. Cuidem-se. Tudo o que fizerem será tanto por amor de mim e dos meus como de todos, ainda mesmo que nada me prometam neste momento. Porém, no caso de se descuidarem de si mesmos e de não levarem a vida no rastro do que acabo de dizer, agora e no passado, por mais numerosos e solenes que fossem seus juramentos neste instante, não avançariam um único passo."

"Quanto a isso", respondeu, "nos esforçaremos para viver dessa maneira. Mas como devemos sepultá-lo?".

"Como quiserem", disse. "Basta segurar a verdade e eu não escaparei de seus pensamentos".

Depois, sorriu de mansinho e disse, olhando para o nosso lado: "Não consigo, senhores, convencer Críton de que eu sou o Sócrates que neste momento conversa com ele e comenta seus argumentos. Sou quem ele irá ver morto dentro de pouco. Por isso, pergunta como deverá me sepultar. Quanto ao que tenho dito tantas vezes, que depois de beber o veneno não ficarei mais com vocês e irei compartilhar da dita dos bem-aventurados, ele acha que eu só falo assim para tranquilizar a todos e a mim também. Sirva-me, pois, como fiador junto de Críton, porém que seja essa fiança o oposto da que ele prestou perante os juízes. Empenhou, então, a palavra em como eu ficaria. Por sua vez, não ficarei depois de morto e sairei daqui para que ele se mostre mais paciente e não se aflija tanto por minha causa. Quando vir meu corpo queimando ou sendo enterrado, no pressuposto de que eu esteja sofrendo enormemente, nem diga nos meus funerais que expõe Sócrates, ou o carrega, ou o sepulta. Fique sabendo, meu admirável Críton, que a imprecisão da linguagem, além de ser um defeito em si mesma, produz mal às almas. Importa criar coragem e dizer que é meu corpo que vai enterrar. Depois sepulta-o como lhe aprouver e como lhe parecer mais de acordo com as leis".

LXV

Tendo acabado de falar, levantou-se e foi para outro compartimento, a fim de se banhar. Críton o acompanhou. A nós, mandou que esperássemos. Ali ficamos, então, a conversar e comentar tudo o que ele dissera e a discorrer sobre o nosso grande infortúnio. Sentíamos, em verdade, como quem houvesse perdido o pai e tivesse de ficar órfão para o resto da vida. Depois de tomar banho, trouxeram os seus filhos – dois ainda eram pequenos e o outro mais crescido. Chegaram também as mulheres de casa, com as quais ele conversou na frente de Críton, e depois de fazer certas recomendações, pediu que se retirassem dali e veio para o nosso lado. O Sol já estava quase a desaparecer, pois Sócrates havia ficado lá dentro bastante tempo. Ao vir do banho, sentou-se, mas não conversou muito. O comissário dos Onze se aproximou e disse:

"Sócrates, de você não terei de queixar-me como dos outros, que se zangam comigo e rompem em palavras e pragas quando os convido a tomar o veneno por determinação superior. No seu caso, pelo contrário, durante todo este tempo e em várias outras oportunidades, pude reconhecer um homem mais nobre, mais delicado e melhor do que todos que têm vindo para cá. Hoje, especialmente, tenho certeza de que não se zangará comigo, pois sabe muito bem que é dos outros a culpa. E agora, já que está ciente do que vim anunciar, adeus. Suporte o inevitável da melhor maneira possível."

E desatando a chorar, deu as costas e retirou-se. Sócrates olhou para ele disse: "Adeus, também para você. Faremos isso mesmo".

Depois, voltando-se para o nosso lado: "Que homem delicado! Durante todo esse tempo, vinha sempre aqui e várias vezes conversou comigo. Excelente criatura. Agora mesmo, quanta generosidade revela com esse choro por minha causa! Porém, vamos, Críton. Temos de obedecer. Tragam logo o veneno, se estiver pronto, senão, cuide de avisar o encarregado disso".

Críton observou: "O que eu acho, Sócrates, lhe disse, é que o Sol ainda está por cima das montanhas, não baixou de todo. Sei também que muitos tomaram o veneno bem depois da intimação e de comerem e beberem à farta. Alguns, depois de relações amorosas que lhe apetecessem. Não se apresse, temos tempo".

E Sócrates: "É natural, Críton, que esses tais procedessem conforme me disse, por imaginarem que disso tirariam alguma vantagem. Mas é também natural que eu não proceda dessa maneira, pois não vejo o que posso vir a lucrar em beber o veneno um pouco mais tarde se não for tornar-me ridículo a meus próprios olhos, por me agarrar dessa maneira à vida e tentar economizar o que já não existe. Vamos", continuou, "obedeça e faça o que eu digo."

LXVI

Ouvindo-o, Críton fez sinal ao menino que se encontrava mais próximo. Este saiu e voltou pouco depois em companhia do encarregado de lhe dar o veneno, que já o trazia espremido na taça. Ao ver o homem, Sócrates perguntou: "E agora, meu caro que entende dessas coisas, o que devo fazer?".

"Nada mais do que andar depois de beber, até sentir um peso nas pernas, e em seguida deitar-se. Assim, o veneno atuará", respondeu.

Depois dessas palavras, estendeu a Sócrates a taça, que a tomou das mãos dele com toda a tranquilidade, sem o menor tremor nem alteração da cor ou das feições. Mirando por baixo o homem, com aquele seu olhar de touro, perguntou: "Que me diz? E se eu fizesse uma libação com um pouco disto aqui? É permitido ou não?".

"Só preparamos, Sócrates", respondeu, "a quantidade que nos parece suficiente".

"Compreendo", retrucou. "Mas pelo menos é permitido, e até um dever, pedir aos deuses que façam feliz a passagem deste mundo para o outro. É o que peço. Prouvera que me atendam!"

Depois de assim falar, levou a taça aos lábios e com toda a naturalidade, sem vacilar um nada, bebeu até à última gota. Até esse momento, quase todos tínhamos conseguido reter as lágrimas, porém quando o vimos beber e que havia bebido tudo, ninguém mais aguentou. Eu também não me contive. Chorei a lágrima viva. Cobrindo a cabeça, lastimei o meu infortúnio. Sim, não era por desgraça que eu chorava, mas a minha própria sorte, por ver de que espécie de amigo me veria privado. Críton levantou-se antes de mim, por não poder reter as lágrimas. Apolodoro, que desde o começo não havia parado de chorar, se pôs a urrar, comovendo seu pranto e lamentações até o íntimo todos os presentes, com exceção do próprio Sócrates.

"Que é isso, gente incompreensível?", perguntou. "Mandei sair as mulheres para evitar esses exageros. Sempre soube que só se deve morrer com palavras de bom agouro. Acalmem-se! Sejam homens!"

Ouvindo-o falar dessa maneira, nos sentimos envergonhados e paramos de chorar. E ele, sem deixar de andar, ao sentir as pernas pesadas, deitou-se de costas, como recomendara o homem do veneno. Este, a intervalos, apalpava seus pés e as pernas. Depois, apertando com mais força os pés, perguntou se sentia alguma coisa. Respondeu que não. Em seguida, sem deixar de comprimir a perna, do artelho para cima, mostrou que começava a ficar frio e a enrijecer. Apalpando mais uma vez, declarou que no momento em que aquilo chegasse ao coração, ele partiria. Todo o seu baixo-

-ventre já havia esfriado quando, descobrindo o rosto – pois o havia tapado antes – disse, e foram suas últimas palavras: "Críton!" exclamou, "Devemos um galo a Asclépio. Não se esqueça de saldar essa dívida!".

"Assim farei", respondeu Críton, "deseja mais alguma coisa?".

A essa pergunta, já não respondeu. Decorrido mais algum tempo, estremeceu todo. O homem o descobriu. Tinha o olhar parado. Percebendo isso, Críton fechou seus olhos e a boca.

Tal foi o fim de nosso amigo, Equécrates, do homem, podemos afirmá-lo, que entre todos os que nos foi dado conhecer, era o melhor e também o mais sábio e mais justo.

GLOSSÁRIO

Academia: Escola filosófica fundada por Platão em 388 a.C. nos arredores de Atenas. Recebeu esse nome por estar nos jardins do herói ateniense Academos. Funcionou durante vários séculos, até o ano 529 da era cristã, quando então todas as escolas pagãs foram fechadas por ordem do imperador romano Justiniano. Apesar do seu tempo de existência, a Academia não produziu um pensamento contínuo. Um de seus maiores trabalhos foi ter preservado a obra de Platão.

Alma: Princípio vital do ser humano segundo diversas teorias filosóficas. No caso do *Fédon*, a alma (*psyché*) é algo que se movimenta. Ela é comparada com lira, um instrumento musical que como qualquer outra coisa do mundo real pode ser quebrada, porém, a música e a harmonia que a lira produz, por possuírem um vínculo com o mundo das ideias, ficam por mais tempo na memória dos ouvintes.

Dialética: Arte do diálogo e da discussão. Para Platão, consistia no método empregado por Sócrates através do qual ele demonstrava verdades, refere-se ao processo com o qual é possível ir das aparências sensíveis às realidades inteligíveis ou ideias. Os diálogos platônicos estão repletos de debates em que Sócrates faz uso da dialética. Quando isso ocorre, ele demonstra e busca a verdade por meio do diálogo. Termo com muitos significados na atualidade.

Diálogo: Forma de investigação filosófica que encontrou seu mais alto estágio nos escritos de Platão. Consiste em um mecanismo de debate no qual o mestre leva os discípulos a descobrir um conhecimento que eles possuem, mas não sabem. O exemplo mais claro desse método está no diálogo *Mênon*, no qual Sócrates leva um escravo, que jamais havia estudado geometria, a deduzir "por si só" o teorema de Pitágoras. Em *Teeteto*, Platão coloca Sócrates explicando sua maiêutica — método do diálogo. Ela seria um trabalho parecido com o de uma parteira, porém, o filósofo, em vez ajudar crianças a nascer, ajudaria ideias a brotar, como fez Sócrates com o escravo.

Forma: Para Platão, é o princípio que determina a matéria. Em Aristóteles, matéria e forma constituem o par central da física. A forma é aquilo que podemos conhecer na coisa. É o inteligível, que podemos acessar pela razão. Em Platão, as formas são modelos ideais que se associam entre si, elas existem independentemente dos particulares. Já em Aristóteles, forma e matéria são indissociáveis de fato, nós só podemos distinguir uma da outra no pensamento.

Ideia: No Fédon, as ideias são formas, modelos perfeitos ou paradigmas. São sempre eternas e imutáveis, seu mundo é o transcendente. Comparada a elas, a realidade do mundo concreto e da nossa experiência sensível é uma cópia ou uma imagem imperfeita derivada desse mundo imutável das ideais.

Maiêutica: Método dialético de investigação da verdade. No diálogo *Teeteto*, Platão escreve que a maiêutica socrática consiste em assistir o interlocutor na parturição das ideias, fazendo-o descobrir as verdades que traz em si pelo processo de multiplicar as perguntas a fim de obter, por indução dos casos particulares e concretos, um conceito geral do objeto.

Metempsicose: Esse termo grego (*metempsykhosis*) significa literalmente "passagem da alma de um corpo para o outro". É citada por Platão na obra *República*. No *Fédon*, é feita uma importante defesa da teoria pitagórica da metempsicose. Pitágoras, o primeiro pensador grego a falar da imortalidade da alma, defendia existir uma recompensa além-túmulo para aqueles que levassem uma vida de retidão.

Reminiscência: Parte importante da maiêutica socrática, a reminiscência é a recordação de algo que nossa alma conheceu no mundo eterno e perfeito das ideias. No *Fédon*, Platão diz que a alma, antes de sua encarnação no corpo, teria tido contato direto com as formas que constituem o mundo inteligível e delas se recordaria posteriormente quando já encarnada. A recuperação desse contato estaria na base da possibilidade do conhecimento e constituiria seu ponto de partida. Isso explicaria a possibilidade de termos um conhecimento prévio e independente à experiência.

Retórica: Arte de utilizar a linguagem em um discurso persuasivo. Era essa capacidade que os sofistas ensinavam em Atenas. Contra isso, Sócrates, Platão e Aristóteles defendiam a filosofia como um fim em si mesmo e não uma maneira de apenas convencer por convencer. Na verdade, como já apontou William K.C. Guthrie em sua obra clássica *Os Sofistas*, esses pensadores eram "mestres da sabedoria prática", que descobriram e apontaram as ambiguidades presentes na linguagem. Mostraram a importância do domínio da palavra na práxis política e alteraram para sempre a história da civilização ocidental.

Sofistas: Mestres da retórica e da oratória, os sofistas eram os professores que formavam a elite ateniense. Quanto melhores eles fossem, mais capaz se tornaria o debate nas discussões públicas. Isso resultava em um enorme poder político. Sócrates, Platão e Aristóteles criticavam os sofistas por seu relativismo, o qual era produto da noção de que a verdade era produto do consenso e da persuasão. Sócrates, Platão e Aristóteles buscavam, por sua vez, verdades que se sustentassem por si mesmas e não pelo convencimento. Esse é o principal motivo para Platão chamá-los de "produtores do falso". Ainda hoje, esse debate se mantém. São muitos os que veem os sofistas como defensores da democracia e do cosmopolitismo. Há também filósofos, como Roberto Romano, que acreditam que os "marqueteiros" são "os sofistas do mundo atual", pois estes tentam conduzir as pessoas através do convencimento.

Verdade: Termo fundamental para a reflexão filosófica. Sobre ele, muitas correntes se debruçaram. No caso de Platão, verdade é aquilo que não foi esquecido. Nossa alma, segundo ele escreve no *Fédon*, conheceu a verdade quando estava no mundo das ideias. Ao reencarnar, ela relembra aquilo que não foi completamente esquecido, mas apenas estava escondida em algum canto da memória. Portanto, quando aprendemos um conceito como Justiça, Amor ou o Bem, não estamos conhecendo algo completamente novo. Estamos apenas nos relembrando do que nossa alma viu no mundo das ideias. Nesse sentido, é importante citar o termo grego para verdade, *aléthea*. Essa palavra é composta do prefixo negativo a- e pelo substantivo *léthe*, o qual pode ser traduzido por "esquecimento". Logo, *aléthea* é não esquecimento. *Aléthes*, que significa "verdadeiro", também pode ser traduzido por "não esquecido" ou "não escondido".

Π

Páginas: 208
Família Tipografica: Electra LT Std

'A

’A

Poética e Tópicos I, II, III e IV

ARISTÓTELES - POÉTICA E TÓPICOS I,II, III e IV

1ª edição – Outubro de 2013
2ª edição – Julho de 2014

Grafia atualizada segundo o Acordo Ortográfico da Língua Portuguesa
de 1990, em vigor no Brasil desde 2009.

Publisher: **Claudio Varela**
Publisher: **Ednaldo Varela (Ado)**

Produção Editorial: **Equipe Hunter Books**
Capa e projeto gráfico: **Lumiar Design**
Revisão: **Amanda Guizzo Zampieri**
Soraya Leme

DADOS INTERNACIONAIS DE CATALOGAÇÃO NA PUBLICAÇÃO (CIP)
(Elaboração: Aglaé de Lima Fierli CRB- 9/412)

A75p Aristóteles, 384 a.C -399.
Poética e Tópicos I, II, III e IV / Aristóteles; Tradução de Marcos Ribeiro de Lima; Projeto gráfico e capa de Lumiar Design. – São Paulo: Hunter Books, 2013.
192p. : Il.; 13x21 cm.

Contém 2 títulos: Poética e Tópicos
Contém Glossário da Obra
ISBN: 978-85-65042-22-2

1. Filosofia aristotélica. 2. Poética. 2. Tópicos. 4. Literatura grega. I. Título. II. Título. III. Lima, Marcos Ribeiro de, trad. IV. Lumiar Design , ilust.

CDD - 185

ÍNDICE PARA CATÁLOGO SISTEMÁTICO
Filosofia aristotélica 185
Poética : Filosofia 808.1
Dialética : Argumentos : Aristóteles 808.5
Literatura grega : Aristóteles 180

IMPRESSO NO BRASIL
PRINTED IN BRAZIL

Impressão e Acabamento
OCEANO INDÚSTRIA GRÁFICA E EDITORA LTDA

Direitos cedidos de edição à Hunter Books Ltda.
www.hunterbooks.com.br
www.editorahb.com.br
editorial@editorahb.com.br

Aristóteles

Poética e Tópicos I, II, III e IV

Tradução
Marcos Ribeiro de Lima

HUNTER
BOOKS EDITORA

SUMÁRIO

Poética e Tópicos I, II, III e IV

Prefácio 11

Poética 19

Tópicos 73

Glossário 185

Aristóteles

POÉTICA E TÓPICOS I, II, III E IV

PREFÁCIO

Colosso é melhor adjetivo quando tratamos de Aristóteles e sua obra. Nascido em Estagira, parte da atual Macedônia, em 384 a.C., cerca de quinze anos antes da morte de Sócrates, ocorrida em 399 a.C, Aristóteles produziu uma obra imensa, que ainda hoje chega às escolas e universidades.

Durante sua juventude, Aristóteles foi uma espécie de dândi. Preocupava-se em vestir-se bem e estar sempre de cabelo aparado. Era de uma família rica. Apesar desses cuidados com a moda, Aristóteles tinha problemas digestivos, dificuldade para pronunciar corretamente as palavras e, segundo seus críticos, as pernas finas. Tudo isso tornava maior sua vontade de ser uma figura bem quista, no entanto, seus críticos o chamavam de arrogante e presunçoso. Talvez em razão disso, Aristóteles passou para a posteridade seu apreço pela amizade. Durante muitos séculos, o dono dessa paradoxal descrição foi a encarnação da figura do filósofo e uma indiscutível autoridade do pensamento ocidental. Polêmicas à parte, Aristóteles é, sem dúvida alguma, foi e continua sendo a maior referência para temas ligados à área filosófica.

No início de sua carreira, o jovem Aristóteles foi o maior aluno da Academia de Platão, em Atenas. Aqui vale uma explicação: quando nós pensamos sobre a Antiguidade, Atenas é um dos primeiros lugares que lembramos. Na época em que Aristóteles estudava lá, a cidade era o local para onde se dirigiam os maiores pensadores do momento. O ponto alto da carreira desses intelectuais era ensinar filosofia, política ou retórica para os atenienses e os filhos das famílias ricas da região. Aristóteles chegou à Academia de Platão com dezoito anos. Ficou lá durante vinte anos. Primeiro como aluno, depois como professor.

Após duas décadas na Academia, Aristóteles, que se julgava o justo sucessor de Platão no comando da instituição, não obteve o cargo quando seu mestre morreu. Acabou então convidado por seu aluno, Teofrastos, para passar uma temporada na ilha grega de Lesvos. Lá, ele fez aquilo que sabia melhor: observar, estudar, entender e catalogar algo de forma sistemática. Da mesma forma que Charles Darwin, Aristóteles estudou os animais e a vida selvagem em Lesvos — sua descrição da anatomia das lulas é preciosa. Com esse trabalho, ele simplesmente inventou a biologia que hoje conhecemos. Seu livro *Historia Animalium* descreve, pela primeira vez, o ato de abrir o corpo de um animal para estudar seus órgãos. Aristóteles foi o primeiro cientista a dissecar cobaias.

Pesquisador incansável, tratou todos os temas com o mesmo afinco e profundidade. Tais produtos da mente aristotélica estão presentes ainda hoje nos estudos acadêmicos sobre metafísica, ética, teoria política etc.

Esse poder gigantesco de compreensão e de classificação é o mesmo que ele apresenta em sua Poética e nos Tópicos. A primeira, uma detalhada descrição da poesia épica e trágica; o segundo, uma explicação pormenorizada do funcionamento da lógica *Órganon*, o qual se manteve incontestável por quase 2 mil anos. Somente quando Francis Bacon publicou seu *Novum Organum*, em 1620, o trabalho desse grego excepcional teve sua primeira revisão profunda.

Em razão dessa majestosa obra, Aristóteles foi, durante muitos séculos, a maior autoridade do pensamento mundial. O poeta italiano Dante Alighieri, por exemplo, cita uma dezena de obras do filósofo grego e mostra um conhecimento particularmente íntimo da ética aristotélica.

Assim, nada sobre Aristóteles é pouco ou sem importância. Sua obra gigantesca é tão poderosa que, ainda hoje, ela é muito estudada pelas universidades ao redor do planeta. Sua influência foi e é fortíssima. Como professor, ele simplesmente ensinou Alexandre, o Grande, personagem fascinante da história mundial. O pensador, nesse momento, tinha enorme interesse pelas formas de governo e ensinou seu jovem aluno a observar tais sistemas. Ao contrário de Platão, Aristóteles enfatizava as grandes diferenças entre as formas de comandar o povo. Foi com Aristóteles que Alexandre, o Grande, aprendeu a observar e tentar entender a realidade à sua volta. Quando seu aluno se tornou imperador, protegido e poderoso, Aristóteles voltou a Atenas onde fundou sua escola, o Liceu.

Foi lá que a maior parte de suas obras foi produzida. Muitas delas são reuniões de textos esparsos, que muito lembram anotações de um dedicado professor.

Em função disso, a Poética é um texto fragmentado. A maior parte do conteúdo que chegou até nossos dias trata principalmente da tragédia e algumas outras formas de poesia. Portanto, a Poética é somente um pedaço daquilo que Aristóteles escreveu sobre o assunto. No entanto, a força do texto é tão grande que, mesmo incompleto, ele teve a capacidade de influenciar dezenas de outros pensadores.

Para Aristóteles, a tragédia pretendia, por meio da criação de sentimentos de terror e piedade no espectador, atingir algo chamado catarse. Para ele, tais emoções seriam uma espécie de tratamento de purificação. Isso só seria possível no caso dos seres humanos. Em sua obra, *De Partibus Animalium*, Aristóteles indica que somente nós, os seres humanos, somos as únicas criaturas capazes de rir. Dessa forma, a Poética pretende explicar como a poesia e seus gêneros se originaram, primeiro identificando-os, depois apontando seus elementos mais básicos. Para isso, faz uso de um mecanismo criado por ele: as quatro causas. Elas são: a causa material, isto é, aquilo de que a coisa é feita; a causa eficiente, ou seja, para o que serve a coisa; a causa formal, que pretende descobrir o que dá a forma à coisa estudada e a causa final, ou melhor, o que lhe deu a forma. Dessas, apenas a causa material não está presente na Poética.

Munido dessas ferramentas, Aristóteles oferece uma primeira explicação sobre o tema. Ele busca indicar como a poesia surgiu. Para ele, essa arte é fruto da nossa propensão natural à imitação (mimese). Aqui, há uma das muitas diferenças entre Aristóteles e seu mestre Platão. Segundo Araújo (2011, p. 71), este último acreditava que a arte tinha uma origem sacra, divina e misteriosa, ao passo que a mimese é apenas limitada a representar, sem propósitos pedagógicos ou morais que visem a essência das coisas ou a verdadeira natureza dos objetos. Portanto, a imitação mimética é falsa, ilusória e prejudicial ao discurso ideal do filósofo, em detrimento da verdade. Segundo Platão, as imagens miméticas são a imitação da imitação, já que imitam a pessoa e o mundo do artista. Discípulo de Platão, Aristóteles refutou o conceito ontológico do mestre, enalteceu o processo mimético e criou uma concepção estética para a arte, segundo a qual a imitação não se limita mais ao mundo exterior, mas se sustenta pelo critério de verossimilhança e fornece a representação como uma possibilidade, no plano fictício, sem qualquer compromisso de traduzir a realidade empírica.

Aristóteles acreditava, portanto, que nós temos essa inclinação à imitação porque é ela quem nos ensina como aprender. Para ele, a poesia vem do mesmo impulso que nos leva a procurar qualquer outro tipo de conhecimento. Na Poética, portanto, podemos encontrar a primeira teorização acerca da utilização da imitação como procedimento artístico. Para o filósofo, a mimese seria a imitação da vida interior dos homens, suas paixões, seu caráter, seu comportamento.

Mais tarde, ele afirma que nós gostamos muito de contemplar imitações, o que também, para ele, é um produto de nossa vontade de entender as coisas. Esse ponto é um traço fundamental do pensamento aristotélico. Prova disso é que em outra obra, mais precisamente no primeiro capítulo do Livro I da Metafísica, Aristóteles afirma que "por natureza, todo homem deseja conhecer". Portanto, para o estagirita, a tragédia cumpria uma função social, a qual ocorria em razão de seu papel catártico sobre o espectador.

Em seguida, Aristóteles passa a tratar das definições dos diversos tipos de forma de arte. O que ela representa e qual meio ela usa para representar o que ela representa. Por último, como se dá essa utilização do meio. Para ele, se identificarmos essas três coisas poderemos definir também qual é o tipo de arte em questão.

A Poética também apresenta importantes pontos sobre a linguagem e a linguística, além de questões estéticas que têm como alvo principal a qualidade do texto, isto é, se está bem escrito ou não; se é uma leitura agradável ou não. Tais motivos acabariam transformando a Poética na base da teoria da literatura do Ocidente.

Em Tópicos I, II, III e IV, livros que fazem parte do *Órganon* aristotélico, isto é, da lógica criada pelo incrível pensador grego, são examinados os argumentos que partem de opiniões geralmente aceitas. Para Aristóteles, a arte da discussão e do confronto de opiniões, baseada na dialética, era nada menos do que um dos mais cruciais exercícios intelectuais e tinha o poder de preparar o indivíduo para a construção da ciência e para o debate.

Os Tópicos estariam voltados para quem busca entender como os argumentos se constroem e discernir quais são válidos e quais não são. O primeiro pensador a perceber a importância de tal tema foi Alexandre de Afrodísia, o qual, na introdução a seu comentário do Livro III dos Tópicos, apontou que, de acordo o pensamento aristotélico, a investigação filosófica e científica deve ser desenvolvida seguindo certa lógica de comparação.

De certa forma, esse método do correto pensar criado por Aristóteles influenciou toda a construção do conhecimento moderno. Não foi à toa que *Sir* Isaac Newton anotou, certa vez, em seu caderno: amicus Plato amicus Aristoteles magis amica veritas (na tradução em português "Platão é meu amigo, Aristóteles é meu amigo, mas meu melhor amigo é a verdade"). Foi essa busca pela verdade a maior conquista deixada por Aristóteles, a mesma que levou Newton a vislumbrar a Lei da Gravidade com a queda da maçã.

POÉTICA

CAPÍTULO I

Da poesia e da imitação segundo os meios, o objeto e o modo de imitação

O propósito é falar sobre a produção poética em si mesma e em seus diversos gêneros, dizer qual a função de cada um deles e como se deve construir a fábula visando a conquista do belo poético; qual é o número e natureza de suas (da fábula) diversas partes e também abordar os demais assuntos relativos a esta produção. Seguindo a ordem natural, começarei pelos pontos mais importantes. A epopeia e a poesia trágica, assim como a comédia, a poesia ditirâmbica, a maior parte da aulética e da citarística, consideradas em geral, todas se enquadram nas artes de imitação. Contudo, há entre estes gêneros três diferenças: seus meios não são os mesmos, nem os objetos que imitam, nem a maneira de os imitar.

Assim como alguns fazem imitações em modelo de cores e atitudes – uns com arte, outros levados pela rotina, outros com a voz –, assim também, nas artes acima indicadas, a imitação é produzida por meio do ritmo, da linguagem e da harmonia, empregados separadamente ou em conjunto. Apenas a aulética e a citarística utilizam a harmonia e o ritmo, mas também o fazem algumas artes análogas em seu modo de expressão; por exemplo, o uso da flauta de pã.

A imitação pela dança, sem o concurso da harmonia, tem base no ritmo; com efeito, é por atitudes rítmicas que o dançarino exprime os caracteres, as paixões, as ações. A epopeia serve-se da palavra simples e nua dos versos, quer mesclando metros diferentes, quer atendo-se a um só tipo, como tem feito até o presente.

Carecemos de uma denominação comum para classificar em conjunto os presentes de Sófron e de Xenarco, já que as imitações em trímetros, em versos elegíacos ou em outras espécies vizinhas de metro, são únicas.

Sem estabelecer relação entre gênero de composição e metro empregado, não é possível chamar os autores de elegíacos ou de épicos; para lhes atribuir o nome de poetas, neste caso temos de considerar não o assunto tratado, mas indistintamente o metro de que se servem.

Não se chama de poeta alguém que expôs em verso um assunto de medicina ou de física! Entretanto, nada de comum existe entre Homero e Empédocles, salvo a presença do verso. Mais certo é chamar o primeiro de poeta e o segundo de fisiólogo. Da mesma forma, se acontece que um autor, empregando todos os metros, produz uma obra de imitação – como fez Querémon, no Centauro, rapsódia em que entram todos os metros – convém que se atribua o nome de poeta. É assim que se devem estabelecer as definições nestas matérias.

Há gêneros que utilizam todos os meios de expressão acima indicados, isto é, ritmo, canto, metro; assim procedem os autores de ditirambos, de nomos, de tragédias, de comédias; a diferença entre eles consiste no emprego destes meios em conjunto ou em separado. Tais são as diferenças entre as artes que se propõem a imitação.

CAPÍTULO II

Diferentes espécies de poesia segundo os objetos imitados

Como a imitação se aplica aos atos das personagens e estas não podem ser senão boas ou ruins (pois os caracteres se dispõem quase nestas duas categorias apenas, diferindo só pela prática do vício ou da virtude), daí resulta que as personagens são representadas melhores, piores ou iguais a todos nós.

Assim fazem os poetas: Polignoto pintava tipos melhores; Páuson, os piores; e Dionísio, iguais a nós. É evidente que cada uma das imitações de que falamos apresentará estas mesmas diferenças, e também alguns aspectos exclusivos delas, porém, inseridos na classificação exposta.

Assim, na dança, na aulética e na citarística, é possível encontrar estas diferenças; e também nas obras em prosa, nos versos não cantados. Por exemplo, Homero pinta o homem melhor do que é; Cleofonte, tal qual é; Hegémon de Tasso, o primeiro autor de paródias; e Nicócares, em sua Delíade, pintam pior.

O caráter da imitação também existe no ditirambo e nos nomos, havendo neles a mesma variedade possível, como em Os persas e Os ciclopes de Timóteo e Filóxeno. É também essa diferença o que distingue a tragédia da comédia: uma se propõe a imitar os homens, representando-os piores; a outra os torna melhores do que são na realidade.

CAPÍTULO III

Diferentes espécies de poesia segundo a maneira de imitar

Existe uma terceira diferença em relação à maneira de imitar cada um dos modelos. Com efeito, é possível imitar os mesmos objetos nas mesmas situações e em uma simples narrativa, seja pela introdução de um terceiro personagem, como faz Homero, seja insinuando-se a própria pessoa sem que intervenha outro personagem, ou ainda apresentando a imitação com a ajuda de personagens que vemos agirem e executarem as ações elas próprias.

A imitação é realizada segundo esses três aspectos, como dito no princípio, a saber: os meios, os objetos, a maneira. Sófocles, por um lado, imita à maneira de Homero, pois ambos representam homens melhores; entretanto, ele também imita à maneira de Aristófanes, visto que ambos apresentam a imitação usando personagens que agem perante os espectadores. Daí que alguns chamam essas obras de dramas, porque fazem aparecer e agir as próprias personagens.

Disto procede igualmente que os dórios atribuem a si a invenção da tragédia e da comédia; e os megarenses também tomam para si a invenção da comédia, como fruto de seu regime democrático; e além desses, também os sicilianos se acham inventores da comédia, por serem compatriotas do poeta Epicarmo, que viveu muito antes de Crônidas e de Magnete. A criação da comédia é também reclamada pelos peloponésios, que invocam os nomes usados para denominá-la com palavras de seu dialeto, para argumentar ser esta a razão pela qual a comédia é invenção deles.

Pretendem que entre eles a aldeia se chama cvma, enquanto os atenienses a denominam dhmoz, de onde resulta que os comediantes derivam o nome da comédia, não do verbo cwmazeiu (celebrar uma festa com danças e cantos), mas de outro fato: por serem desprezados na cidade, andam de aldeia em aldeia. Quanto ao verbo agir, que entre eles se diz drau, os atenienses exprimem-no por pratteiu.

É bastante o dito sobre as diferenças da imitação, quanto a seu número e natureza.

CAPÍTULO IV

Origem da poesia. Seus diferentes gêneros

Parece haver duas causas, e ambas devidas à nossa natureza, que deram origem à poesia. A tendência para a imitação é instintiva no homem desde sua infância. Neste ponto, distinguem-se os humanos de todos os outros seres vivos: por sua aptidão muito desenvolvida para a imitação. Pela imitação adquirimos nossos primeiros conhecimentos e nela todos experimentamos prazer.

A prova é visivelmente fornecida pelos fatos: objetos reais que não conseguimos olhar sem custo, contemplamos com satisfação em suas representações mais exatas. Tal é, por exemplo, o caso dos mais repugnantes animais e dos cadáveres. A causa é que a aquisição de um conhecimento arrebata não só o filósofo, mas todos os seres humanos, mesmo que não saboreiem tal satisfação durante muito tempo. Os seres humanos sentem prazer em olhar para as imagens que reproduzem objetos. A contemplação delas os instrui, e os induz a discorrer sobre cada uma, ou a discernir nas imagens as pessoas deste ou daquele sujeito conhecido.

Se acontece de alguém não ter visto ainda o original, não é a imitação que produz o prazer, mas a perfeita execução, ou o colorido, ou alguma outra causa do mesmo gênero. Como nos é natural a tendência à imitação, bem como o gosto da harmonia e do ritmo (pois é evidente que os metros são parte do ritmo), nas primeiras idades, os homens mais aptos por natureza para estes exercícios foram aos poucos criando a poesia por meio de ensaios improvisados.

O gênero poético se dividiu em diferentes espécies, dependendo do caráter moral de cada sujeito imitador. Os espíritos mais propensos à gravidade reproduziram as belas ações e seus realizadores; os espíritos de menor valor voltaram-se para as pessoas ordinárias a fim de as censurar, do mesmo modo que os primeiros compunham hinos de elogio em louvor a seus heróis.

Dos predecessores de Homero não podemos citar nenhum poema do gênero cômico, se bem que deve ter havido muitos. Temos, feito por Homero, o Margites e obras análogas deste autor, nas quais o metro iâmbico [U —] é o utilizado para tratar esta espécie de assuntos. Por tal razão, até hoje a comédia é chamada de iambo, visto os autores servirem-se deste metro para se insultarem uns aos outros (icmbize iu).

Houve, portanto, entre os antigos, poetas heroicos e poetas satíricos. Do mesmo modo que Homero foi, sobretudo, cantor de assuntos sérios — ele é único, não só porque atingiu o belo, mas também porque suas imitações pertencem ao gênero dramático —, foi também o primeiro a traçar as linhas mestras da comédia, distribuindo sob a forma dramática tanto a censura como o ridículo. Com efeito, o Margites apresenta analogias com o gênero cômico, assim como a Ilíada e a Odisseia são do gênero trágico.

Quando surgiram a tragédia e a comédia, os poetas, em função de seus temperamentos individuais, voltaram-se para uma ou para outra; uns passaram do iambo à comédia, outros da epopeia à representação das tragédias, porque estes dois gêneros ultrapassavam os anteriores em importância e consideração.

Verificar se a tragédia já esgotou todas as suas formas possíveis, quer a apreciemos em si mesma ou em relação ao espetáculo, já é outra questão. Em seus primórdios, ligada à improvisação, a tragédia — como, aliás, a comédia, aquela procedendo dos autores de ditirambos, esta dos cantos fálicos, cujo hábito ainda persiste em muitas cidades —, a tragédia, dizíamos, evoluiu naturalmente pelo desenvolvimento progressivo de tudo que nela se manifestava.

De transformação em transformação, o gênero acabou por ganhar uma forma natural e fixa. Com referência ao número de atores: Ésquilo foi o primeiro que o elevou de um a dois, em detrimento do coro, o qual, em consequência, perdeu uma parte de sua importância, e criou-se o protagonista. Sófocles introduziu um terceiro ator, dando origem à cenografia.

Tendo como ponto de partida as fábulas curtas, de elocução ainda grotesca, a tragédia evoluiu até suprimir de seu interior o drama satírico; mais tarde, revestiu-se de gravidade e substituiu o metro tetrâmetro (trocaico) pelo trimetro iâmbico. Até então, empregava-se o tetrâmetro trocaico como modelo mais adequado ao drama satírico e às danças que o acompanhavam; quando se organizou o diálogo, este encontrou de forma natural seu metro próprio, já que, de todas as medidas, a do iambo é a que melhor convém ao diálogo.

Prova isto o fato de ser este metro frequente na linguagem usual dos diálogos, ao passo que o emprego do hexâmetro é raro e ultrapassa o tom habitual do diálogo. Acrescentaram-se depois episódios e outros pormenores, dos quais se diz terem sido embelezamentos. Mas sobre estas questões, basta o que já foi dito, pois seria enfadonho insistir em cada ponto.

CAPÍTULO V

Da comédia. Comparação entre a tragédia e a epopeia

A comédia é, como já dissemos, imitação de maus costumes, mas não de todos os vícios; ela só imita aquela parte do ignominioso que é o ridículo. O ridículo reside em um defeito ou em uma tara que não apresenta caráter doloroso ou corruptor. Tal é, por exemplo, o caso da máscara cômica, feia e disforme, que não é causa de sofrimento.

Não ignoramos nenhuma das transformações da tragédia, nem os autores dessas mudanças. Sobre a comédia, que de início foi menos estimada, nada sabemos. Bem tardiamente, o arconte lhe atribuiu um coro, até então composto por voluntários. Só mesmo quando a comédia assumiu certas formas, os poetas que se dizem seus autores começaram a ser citados. Ignora-se quem teve a ideia das máscaras, dos prólogos, do maior número dos atores e de outros pormenores análogos.

Os autores das primeiras intrigas cômicas foram Epicarmo e Fórmis. Assim, a comédia se originou na Sicília. Em Atenas, foi Crates o primeiro que, renunciando às invectivas em forma iâmbica, começou a compor fábulas sobre assuntos gerais.

Quanto à epopeia, seu estilo corre a par com a tragédia na imitação de assuntos sérios, mas sem empregar um só metro simples ou forma negativa. Nisto a epopeia difere da tragédia. E também nas dimensões. A tragédia empenha-se, na medida do possível, em não exceder o tempo de uma revolução solar, ou pouco mais. A epopeia não é tão limitada em sua duração; e esta é outra diferença. Se bem quê, no princípio, a tragédia, do mesmo modo que as epopeias, não conhecesse limites de tempo. Quanto às partes constitutivas, umas são comuns à epopeia e à tragédia, outras são próprias desta última. Por isso, quem em uma tragédia souber discernir o bom e o mau, saberá também na epopeia. Todos os caracteres que a epopeia apresenta encontram-se na tragédia também.

Falaremos mais tarde da imitação por meio do verso hexâmetro e da comédia.

CAPÍTULO VI

Da tragédia e de suas diferentes partes

Falemos da tragédia e, em função do que deixamos dito, formulemos a definição de sua essência própria. A tragédia é a imitação de uma ação importante e completa, de certa extensão; deve ser composta em um estilo tornado agradável pelo emprego separado de cada uma de suas formas; na tragédia, a ação é apresentada não com a ajuda de uma narrativa, mas por atores. Suscitando a compaixão e o terror, a tragédia tem por efeito obter a purgação dessas emoções.

Entendo por "um estilo tornado agradável" o que reúne ritmo, harmonia e canto. Entendo por "separação das formas" o fato de estas partes serem, umas manifestadas só pelo metro e outras pelo canto. Como é pela ação que as personagens produzem a imitação, daí resulta necessariamente que uma parte da tragédia consiste no belo espetáculo oferecido aos olhos; além deste, há também o da música e, enfim, a própria elocução.

Por estes meios se obtém a imitação. Por elocução, entendo a composição métrica, e por melopeia (canto) a força expressiva musical, desde que bem ouvida por todos. Como a imitação se aplica a uma ação e a ação supõe personagens que agem, é necessário que estas personagens existam de todo modo pelo caráter e pelo pensamento — pois, é segundo as diferenças de caráter e de pensamento que falamos da natureza dos seus atos—; daí resulta, naturalmente, serem duas as causas que decidem dos atos: o pensamento e o caráter, e, de acordo com estas condições, o fim é alcançado ou malogra-se.

A imitação de uma ação é o mito (fábula); chamo fábula a combinação dos atos; chamo caráter (ou costume) o que nos permite qualificar as personagens que agem; enfim, o pensamento é tudo o que nas palavras pronunciadas expõe o que quer que seja ou exprime uma sentença. Daí resulta que a tragédia se compõe de seis partes, segundo as quais podemos classificá-la: a fábula, os caracteres, a elocução, o pensamento, o espetáculo apresentado e o canto (melopeia). Duas partes são consagradas aos meios de imitar; uma, à maneira de imitar; três, aos objetos da imitação e é tudo.

Muitos são os poetas trágicos que se obrigaram a seguir estas formas; com efeito, toda peça comporta encenação, caracteres, fábula, diálogo, música e pensamento. A parte mais importante é a da organização dos fatos, pois a tragédia é imitação, não de homens, mas de ações, da vida, da felicidade e da infelicidade (pois a infelicidade resulta também da atividade), sendo o fim que se pretende alcançar o resultado de uma certa maneira de agir, não de uma forma de ser. Os caracteres permitem qualificar o homem, mas é da ação que depende sua infelicidade ou felicidade.

A ação, pois, não se destina a imitar os caracteres, mas, pelos atos, os caracteres são representados. Daí resulta serem os atos e a fábula a finalidade da tragédia; ora, a finalidade é, em tudo, o que mais importa. Sem ação não há tragédia, mas poderá haver tragédia sem os caracteres. Com efeito, na maior parte dos autores atuais, faltam os caracteres e, de um modo geral, são muitos os poetas que estão neste caso. O mesmo sucede com os pintores, se, por exemplo, compararmos Zêuxis com Polignoto; Polignoto é mestre na pintura dos caracteres; ao contrário, a pintura de Zêuxis não se interessa pelo lado moral.

Se um autor alinhar uma série de reflexões morais, mesmo com sumo cuidado na orientação do estilo e do pensamento, nem por isso realizará a obra que é própria da tragédia. Muito melhor seria a tragédia que, embora pobre naqueles aspectos, contivesse no entanto uma fábula e um conjunto de fatos bem ligados.

Além disso, na tragédia, o que mais influi nos ânimos são os elementos da fábula, que consistem nas peripécias e nos reconhecimentos. Outra ilustração do que afirmamos é ainda o fato de todos os autores que empreendem esta espécie de composição obterem com facilidade melhores resultados no domínio do estilo e dos caracteres do que na ordenação das ações. Esta era a grande dificuldade para todos os poetas antigos.

O elemento básico da tragédia é sua própria alma: a fábula; e só depois vem a pintura dos caracteres. Algo semelhante se verifica na pintura: se o artista espalha as cores ao acaso, por mais sedutoras que sejam, elas não provocam prazer igual àquele que advém de uma imagem com os contornos bem definidos. A tragédia consiste, pois, na imitação de uma ação e é, sobretudo, por meio da ação que ela imita as personagens em movimento.

Em terceiro lugar vem o pensamento, isto é, a arte de encontrar o modo de exprimir de maneira conveniente o conteúdo do assunto; na eloquência, é essa a missão da retórica e a tarefa dos políticos. Mas os antigos poetas apresentavam-nos personagens que se exprimiam como cidadãos de um Estado, ao passo que os de agora os fazem falar como retores. O caráter é o que permite decidir após a reflexão: eis o motivo pelo qual o caráter não aparece em absoluto nos discursos dos personagens, enquanto estes não revelam a decisão adotada ou rejeitada.

Com relação ao pensamento, consiste em provar que uma coisa existe ou não existe ou em fazer uma declaração de ordem geral. Temos, em quarto lugar, a elocução. Como dissemos anteriormente, a elocução consiste na escolha dos termos, os quais têm o mesmo poder de expressão, tanto em prosa como em verso. A quinta parte compreende o canto: é o principal condimento (do espetáculo).

Sem dúvida, a encenação tem efeito sobre os ânimos, mas ela em si não pertence à arte da representação e nada tem a ver com a poesia. A tragédia existe por si, independentemente da representação e dos atores. Com relação ao valor atribuído à encenação vista em separado, a arte do cenógrafo tem mais importância do que a do poeta.

CAPÍTULO VII
Da extensão da ação

Após estas definições, diremos agora qual deve ser a tessitura dos fatos, já que este ponto é a primeira parte e capital da tragédia. Assentamos ser a tragédia a imitação de uma ação completa formando um todo que tem certa extensão, pois um todo pode existir sem ser dotado de extensão. Todo é o que tem princípio, meio e fim.

O princípio não vem por necessidade depois de coisa alguma; é aquilo depois do qual é natural haver ou produzir-se outra coisa; o fim é o contrário: produz-se depois de outra coisa, quer necessariamente, quer segundo o curso ordinário, mas depois dele nada mais ocorre. O meio é o que vem depois de uma coisa e é seguido de outra. Portanto, para que as fábulas sejam bem compostas, é preciso que não comecem nem acabem ao acaso, mas que sejam estabelecidas segundo as condições indicadas.

Além disso, o belo, em um ser vivente ou em um objeto composto de partes, deve não só apresentar ordem em suas partes como também comportar certas dimensões. Com efeito, o belo tem por condições uma certa grandeza e a ordem. Por este motivo, um ser vivente não pode ser belo se for excessivamente pequeno (pois a visão é confusa quando dura somente um momento quase imperceptível), nem se for grande em exagero neste caso, o olhar não abrange a totalidade, a unidade e o conjunto escapam à vista do espectador, como seria o caso de um animal que tivesse 10 mil estádios de comprimento.

Daí se infere que o corpo humano, como o dos animais, para ser julgado belo, deve apresentar certa grandeza que torne possível abarcá-lo com o olhar. Do mesmo modo, as fábulas devem apresentar uma extensão tal que a memória possa também retê-las com facilidade. A dimensão desta extensão é fixada pela duração das representações nos concursos e pelo grau de atenção de que o espectador é suscetível. Ora, este ponto não depende da arte. Se houvesse que levar à cena cem tragédias, o tempo da representação teria de ser medido pela clepsidra, como antigamente se fazia e ainda é feito em outros lugares, segundo se diz.

O limite, com relação à própria natureza do assunto, é o seguinte: quanto mais abrangente for uma fábula tanto mais agradável será, desde que não perca em clareza. Para estabelecer uma regra geral, eis o que podemos dizer: a peça extensa o suficiente é aquela que, no decorrer dos acontecimentos produzidos de acordo com a verossimilhança e a necessidade, torne em infortúnio a felicidade da personagem principal ou inversamente a faça transitar do infortúnio para a felicidade.

CAPÍTULO VIII
Unidade de ação

O que dá unidade à fábula não é, como pensam alguns, somente a presença de uma personagem principal; no decurso de uma existência produzem-se, em quantidade infinita, muitos acontecimentos que não constituem uma unidade. Também muitas ações, pelo fato de serem realizadas por um só agente, não criam a unidade.

Daí parece que laboram no erro todos os autores da Heracleida, da Teseida e de poemas análogos, por imaginarem bastar a presença de um só herói, como Heracles, para conferir unidade à fábula. Mas Homero, que nisto como em tudo é o que mais se salienta, parece ter enxergado bem este ponto, quer por efeito da arte, quer por engenho natural, pois, ao compor a Odisseia, não acolheu nela todos os acontecimentos da vida de Ulisses, como, por exemplo, a ferida que recebeu no Parnaso ou a loucura que simulou no momento da reunião do exército; não era necessário, sequer verossímil, que, pelo fato de um evento ter ocorrido, o outro tivesse de ocorrer. Em torno de uma ação única, como dissemos, Homero agrupou os elementos da Odisseia e fez outro tanto com a Ilíada.

Importa pois que, como nas demais artes miméticas, a unidade da imitação resulte da unidade do objeto. Pelo que, na fábula, que é imitação de uma ação, convém que a imitação seja una e total e que as partes estejam de tal modo entrosadas que baste a supressão ou o deslocamento de uma só, para que o conjunto fique modificado ou confundido, pois os fatos que livremente podemos ajuntar ou não, sem que o assunto fique modificado de modo sensível, não constituem parte integrante do todo.

CAPÍTULO IX

Pelo que foi dito antes, é evidente que não compete ao poeta narrar exatamente o que aconteceu; mas sim, o que poderia ter acontecido, o possível, segundo a verossimilhança ou a necessidade.

O historiador e o poeta não se distinguem um do outro, pelo fato de o primeiro escrever em prosa e o segundo em verso — pois, se a obra de Heródoto fora composta em verso, nem por isso deixaria de ser obra de história, figurando ou não o metro nela. Diferem entre si, porque um escreveu o que aconteceu e o outro o que poderia ter acontecido.

Por tal motivo a poesia é mais filosófica e de caráter mais elevado do que a história, porque a poesia permanece no universal e a história estuda apenas o particular. O universal é o que tal categoria de homens diz ou faz em determinadas circunstâncias, segundo o verossímil ou o necessário. Outra não é a finalidade da poesia, embora dê nomes particulares aos indivíduos; o particular é o que Alcibíades fez ou o que lhe aconteceu. Quanto à comédia, os autores, depois de terem composto a fábula, apresentando nela atos verossímeis, atribuem-nos a personagens, dando-lhes nomes fantasiados, e não procedem como os poetas iâmbicos que se referem a personalidades existentes.

Na tragédia, os poetas podem recorrer a nomes de personagens que existiram, e por trabalharem com o possível, inspiram confiança. O que não aconteceu, não acreditamos imediatamente que seja possível; quanto aos fatos representados, não discutimos a possibilidade dos mesmos, pois, se tivessem sido impossíveis, não se teriam produzido. Não obstante, nas tragédias, um ou dois dos nomes são de personagens conhecidas e os demais são forjados; em certas peças, todos são fictícios, como no Anteu de Agatão, no qual fatos e personagens são inventados e, apesar disso, não deixa de agradar.

Portanto, não há obrigação de seguir à risca as fábulas tradicionais, de onde foram extraídas as nossas tragédias. Seria ridículo proceder desse modo, uma vez que tais assuntos só são conhecidos por poucos e mesmo assim causam prazer a todos. De acordo com isto, é manifesto que a missão do poeta consiste mais em fabricar fábulas do que fazer versos, visto que ele é poeta pela imitação e porque imita as ações.

Embora lhe aconteça apresentar fatos passados, nem por isso deixa de ser poeta, porque os fatos passados podem ter sido forjados pelo poeta, aparecendo como verossímeis ou possíveis. Entre as fábulas e as ações simples, as episódicas não são as melhores. Entendo por fábula episódica aquela em que a conexão dos episódios não ocorre conforme à verossimilhança nem à necessidade. Tais composições são devidas a maus poetas, por imperícia, e a bons poetas, por darem ouvido aos atores. Como destinam suas peças a concursos, estendem a fábula para além do que ela pode dar, e muitas vezes procedem assim em detrimento da sequência dos fatos.

Como se trata não só de imitar uma ação em seu conjunto, mas também de imitar fatos capazes de suscitar o terror e a compaixão, e estas emoções nascem principalmente quando os fatos se encadeiam contra nossa experiência com paradoxos, pois desse modo provocam maior admiração do que quando devidos ao acaso e à fortuna — com efeito, as circunstâncias provenientes da fortuna nos parecem tanto mais maravilhosas quanto mais nos dão a sensação de terem acontecido de propósito, como, por exemplo, a estátua de Mítis, em Argos, que em sua queda esmagou um espectador, que outro não era senão o culpado pela morte de Mítis —, daí o resultado de tais fábulas serem mais belas.

CAPÍTULO X

Das fábulas, umas são simples, outras complexas, por serem assim as ações que as fábulas imitam.

Chamo ação simples aquela cujo desenvolvimento, conforme definimos, permanece uno e contínuo e na qual a mudança não resulta nem de peripécia, nem de reconhecimento; e ação complexa aquela onde a mudança de fortuna resulta de reconhecimento ou de peripécia ou de ambos os meios. Estes meios devem estar ligados à própria tessitura da fábula, de maneira que pareçam resultar, por necessidade ou por verossimilhança, dos fatos anteriores, pois é grande a diferença entre os acontecimentos sobrevindos por causa de outros e os que simplesmente aparecem depois de outros.

CAPÍTULO XI

Elementos da ação complexa: peripécias, reconhecimentos, acontecimento patético ou catástrofe

A peripécia é a mudança da ação no sentido contrário ao que parecia indicado e, como dissemos, sempre em conformidade com o verossímil e o necessário. Assim, no Édipo, o mensageiro que julga que vai dar gosto a Édipo e libertá-lo de sua inquietação em relação à sua mãe, mas produz efeito contrário quando se toma conhecimento. Do mesmo modo, no Linceu, trazem Linceu a fim de ser levado à morte e Dânao acompanha-o para matá-lo; mas a sequência dos acontecimentos tem como resultado a morte do segundo e a salvação do primeiro.

O reconhecimento, como o nome indica, faz passar da ignorância ao conhecimento, transformando o ódio em amizade ou inversamente nas pessoas votadas à infelicidade ou ao infortúnio. O mais belo dos reconhecimentos é o que sobrevém no decurso de uma peripécia, como acontece no Édipo. Há outras espécies de reconhecimento. O que acabamos de dizer ocorre também com objetos inanimados, sejam quais forem; é matéria de reconhecimento ficar sabendo que uma pessoa fez ou não fez determinada coisa.

Mas o reconhecimento que melhor corresponde à fábula é o que decorre da ação, conforme dissemos. Com efeito, a união de um reconhecimento e de uma peripécia excitará compaixão ou terror; ora, precisamente nos capazes de os excitarem consiste a imitação que é objeto da tragédia. Além do quê, infortúnio e felicidade resultam dos atos. Quando o reconhecimento se refere a pessoas, às vezes produz-se apenas em uma pessoa a respeito de outra, quando uma das duas fica sabendo quem é a outra; em outros casos, o reconhecimento deve ser duplo: assim, Ifigênia foi reconhecida por Orestes graças ao envio da carta, mas, para que Orestes o fosse por Ifigênia, foi preciso um segundo reconhecimento.

A este respeito, duas partes constituem a fábula: peripécia e reconhecimento; a terceira é o acontecimento patético (catástrofe). Tratamos da peripécia e do reconhecimento; o patético é devido a uma ação que provoca a morte ou sofrimento, como a das mortes em cena, das dores agudas, dos ferimentos e outros casos análogos.

CAPÍTULO XII

Divisões da tragédia

Tratamos anteriormente dos elementos da tragédia e de quais se devem usar como suas formas essenciais. Quanto às partes distintas em que se divide, são elas: prólogo, epílogo, êxodo e canto coral; compreendendo este último o párodo e o estásimo; estas partes são comuns a todas as tragédias; outras são peculiares a algumas peças, a saber, os cantos da cena e os cantos fúnebres.

O prólogo é uma parte da tragédia que a si mesma se basta e que precede o párodo (entrada do coro). O episódio é uma parte completa da tragédia colocada entre cantos corais completos; o êxodo (ou saída) é uma parte completa da tragédia, após a qual já não há canto coral. No elemento musical, o párodo é a primeira intervenção completa do coro; O estásimo é o canto coral dos quais são excluídos os versos anapésticos (UU—) e os versos trocaicos (—U); o commoz é um canto fúnebre comum aos componentes do coro e aos atores em cena.

Tratamos primeiramente dos elementos essenciais da tragédia, que nela devem figurar; e acabamos de indicar o número das partes distintas em que a peça se divide.

CAPÍTULO XIII

Das qualidades da fábula em relação às personagens. Do desenlace

Que fim devem ter os poetas em mira ao organizarem suas fábulas, que obstáculos deverão evitar, que meios devem ser utilizados para que a tragédia surta seu efeito máximo, é o que nos resta expor, depois das explicações precedentes. A mais bela tragédia é aquela cuja composição deve ser não simples, mas complexa; aquela cujos fatos, por ela imitados, são capazes de excitar o temor e a compaixão (pois é essa a característica deste gênero de imitação). Em primeiro lugar, é óbvio não ser conveniente mostrar pessoas de bem passar da felicidade ao infortúnio (pois tal figura produz, não temor e compaixão, mas uma impressão desagradável); Também não convém representar homens maus passando do crime à prosperidade (de todos os resultados, este é o mais oposto ao trágico, pois, faltando-lhe todos os requisitos para tal efeito, não inspira nenhum dos sentimentos naturais ao homem – nem compaixão nem temor); nem um homem completamente perverso deve tombar da felicidade no infortúnio (tal situação pode suscitar em nós um sentimento de humanidade, mas sem provocar compaixão nem temor). Outro caso diz respeito ao que não merece tornar-se infortunado; neste caso, o temor nasce do homem, nosso semelhante, de sorte que o acontecimento não inspira compaixão nem temor.

Resta, entre estas situações extremas, a posição intermediária: a do homem que, mesmo não se distinguindo por sua superioridade e justiça, não é mau nem perverso, mas cai no infortúnio em consequência de algum erro que cometeu; neste caso coloca-se também o homem no apogeu da fama e da prosperidade, como Édipo ou Tiestes ou outros membros destacados de famílias ilustres.

Para que uma fábula seja bela, é portanto necessário que ela se proponha um fim único e não duplo, como alguns pretendem; ela deve oferecer a mudança, não da infelicidade para a felicidade, mas, pelo contrário, da felicidade para o infortúnio, e isto não em consequência da perversidade da personagem, mas por causa de algum erro grave, como indicamos, visto a personagem ser antes melhor do que pior.

O recurso usado atualmente pelos que compõem tragédias assim o demonstra: outrora os poetas serviam-se de qualquer fábula; em nossos dias, as mais belas tragédias ocupam-se de um muito reduzido número de famílias, por exemplo, das famílias de Alcméon, Édipo, Orestes, Meleagro, Tiestes, Télefo e outros personagens idênticos, que tiveram de suportar ou realizar coisas terríveis.

Esta é, segundo a técnica peculiar à tragédia, a maneira de compor uma peça muito bela. Por isso, erram os críticos de Eurípides quando o censuram por assim proceder em suas tragédias, que na maioria das vezes terminam em desenlace infeliz. Como já dissemos, tal concepção é justa. A melhor prova disto é a seguinte: em cena e nos concursos, as peças deste gênero são as mais trágicas, quando bem conduzidas; e Eurípides, embora falhe de vez em quando contra a economia da tragédia, nem por isso deixa de nos parecer o mais trágico dos poetas.

O segundo modo de composição, que alguns elevam à categoria de primeiro, consiste em uma dupla intriga, como na Odisseia, onde os desenlaces são opostos: há um para os bons, outro para os maus. Esta última categoria é devida à pobreza de espírito dos espectadores, pois os poetas limitam-se a seguir o gosto do público, propiciando o que ele prefere.

Não é este o prazer que se espera da tragédia; ele é mais próprio da comédia, pois nesta as pessoas que são inimigas demais na fábula, como Orestes e Egisto, separam-se como amigos no desenlace e nenhum recebe do outro o golpe mortal.

CAPÍTULO XIV
Dos diversos modos de produzir o terror e a compaixão

O terror e a compaixão podem nascer do espetáculo cênico, mas podem de igual modo derivar do arranjo dos fatos, o que é preferível e mostra maior habilidade no poeta. Independentemente do espetáculo oferecido aos olhos, a fábula deve ser composta de tal maneira que o público, ao ouvir os fatos que vão passando, sinta arrepios ou compaixão, como sente quem ouve a fábula do Édipo.

Mas, para obter este resultado pela encenação, não se requer tanta arte e exige-se uma coregia dispendiosa. Os autores que provocam, pelo espetáculo, não o terror, mas só a emoção perante o monstruoso, nada têm em comum com a natureza da tragédia; pois pela tragédia não se deve produzir um prazer qualquer, mas apenas o que é próprio dela.

Como o poeta deve nos proporcionar o prazer de sentir compaixão ou temor por meio de uma imitação, é evidente que estas emoções devem ser suscitadas nos ânimos pelos fatos. Examinemos, pois, entre os fatos, aqueles que aparentam a nós serem capazes de assustar ou de inspirar dó. Necessariamente, ações desta espécie devem produzir-se entre amigos ou inimigos, ou indiferentes. Se um inimigo mata outro, quer execute o ato ou o prepare, não há aí nada que mereça compaixão, salvo o fato considerado em si mesmo; o mesmo se diz de pessoas entre si estranhas.

Mas, quando os acontecimentos se produzem entre pessoas unidas por afeição, por exemplo, quando um irmão mata o irmão, ou um filho o pai, ou a mãe o filho, ou um filho a mãe, ou está prestes a cometer esse crime ou outro idêntico, casos como estes são os que devem ser discutidos. Nas fábulas consagradas pela tradição, não é permitido introduzir alterações. Digo, por exemplo, que Clitemnestra deverá ser assassinada por Orestes e Erífila por Alcméon, mas o poeta deve ter inventiva e utilizar, da melhor maneira possível, estes dados transmitidos pela tradição. Vamos explicar de modo mais claro o que entendemos pelas palavras "da melhor maneira possível".

Há casos em que a ação decorre, como nos poetas antigos, com personagens que sabem o que estão fazendo, como a Medeia de Eurípedes, quando mata os próprios filhos. Em outros casos, a personagem executa o ato sem saber que comete um crime, mas só mais tarde toma conhecimento do seu laço de parentesco com a vítima, como, por exemplo, o Édipo de Sófocles. O ato produz-se, ou fora do drama representado, ou no decurso da própria tragédia, como sucede com a ação de Alcméon, na tragédia de mesmo nome escrita por Astidamante, ou com a ação de Telégono no Ulisses ferido.

Existe um terceiro caso: o que se prepara para cometer um ato irreparável, mas age por ignorância e reconhece o erro antes de agir. Além destes, não há outros casos possíveis, forçosamente, o crime comete-se ou não se comete, com conhecimento de causa ou por ignorância.

De todos estes casos, o pior é o do que sabe, prepara-se para executar o crime, porém, não o faz. É repugnante, mas não trágico, porque o sofrimento está ausente; por isso, ninguém trata semelhante caso, a não ser muito raramente – como acontece, por exemplo, na Antigona, no caso de Hémon com relação a Creonte. O segundo caso é o do ato executado. É preferível que a personagem atue em estado de ignorância e que seja elucidada só depois de praticado o ato; este perde o caráter repugnante e o reconhecimento produz um efeito de surpresa.

O último caso é o melhor, como o de Mérope em Cresfonte: ela está para matar o próprio filho, mas não o mata porque o reconhece; e também na Ifigênia, em que a irmã se dispõe a matar o próprio irmão, e na Hele.

CAPÍTULO XV

Dos caracteres: devem ser bons, conformes, semelhantes e coerentes consigo mesmos

No que diz respeito aos caracteres, quatro são os pontos que devemos visar. O primeiro é que devem ser de boa qualidade. Esta bondade é possível em qualquer tipo de pessoa. Mesmo a mulher, do mesmo modo que o escravo, pode possuir boas qualidades, embora a mulher seja um ente relativamente inferior e o escravo um ser totalmente vil.

O segundo é a conformidade; sem dúvida, existem caracteres viris, entretanto, a coragem desta espécie de caracteres não convém à natureza feminina. O terceiro ponto é a semelhança, inteiramente distinta da bondade e da conformidade, tais como foram explicadas. O quarto ponto consiste na coerência consigo mesmo, mas se a personagem que se pretende imitar é por si incoerente, convém que permaneça incoerente de modo coerente.

Um exemplo de caráter inutilmente mau é o de Menelau em Orestes; de um caráter sem conveniência nem conformidade é o de Ulisses lamentando-se na Cila; ou de Melanipo discursando; exemplo de caráter inconstante é Ifigênia, em

Áulis, pois em atitude de suplicante não se assemelha ao que mais tarde revelará ser. Tanto na representação dos caracteres como no entrosamento dos fatos, é necessário sempre ater-se à necessidade e à verossimilhança, de modo que a personagem, em suas palavras e ações, esteja em conformidade com o necessário e verossímil e que ocorra o mesmo na sucessão dos acontecimentos.

Portanto, é manifesto que o desenlace das fábulas deve sair da própria fábula, e não como na Medeia, provir de um artifício cênico (deus ex machina) ou como na Ilíada, a propósito do desembarque das tropas. Este processo deve ser utilizado só em acontecimentos alheios ao drama, produzidos anteriormente, e que ninguém poderia conhecer; ou em ocorrências posteriores nas quais é necessário predizer e anunciar, pois atribuímos aos deuses a faculdade de tudo verem.

O irracional também não deve entrar no desenvolvimento dos fatos, a não ser fora da ação, como acontece no Édipo de Sófocles. Sendo a tragédia a imitação de homens melhores que nós, convém proceder como os bons pintores de retratos, os quais, querendo reproduzir o aspecto próprio dos modelos, embora mantendo semelhança, pintam nos mais belos. Assim, também, quando o poeta deve imitar homens irados ou descuidados ou com outros defeitos análogos de caráter, deve pintá-los como são, mas com vantagem, exatamente como Agatão e Homero pintaram Aquiles. Eis o que se deve observar. É necessário, por outro lado, considerar as sensações associadas necessariamente na peça à arte própria da poesia, pois acontece com frequência cometerem-se faltas neste domínio. Mas sobre o assunto falei bastante nos tratados já publicados.

CAPÍTULO XVI

Das quatro espécies de reconhecimento

Dissemos anteriormente o que vem a ser o reconhecimento. Das espécies de reconhecimento, a primeira, a mais desprovida de habilidade e a mais usada à falta de melhor é o reconhecimento por meio de sinais exteriores. Entre estes sinais, uns são devidos à natureza, como "a lança que se vê sobre os Filhos da Terra", ou as estrelas do Tiestes de Cárcino.

Outros sinais são adquiridos, dos quais uns aderem ao corpo, como as cicatrizes, e outros não fazem parte dele, como os colares ou a cestinha-berço no Tiro. Há duas maneiras, uma melhor e outra pior, de utilizar estes sinais; por exemplo, a cicatriz de Ulisses tornou possível que fosse reconhecido pela ama de uma forma e de outra pelos porqueiros.

Os reconhecimentos, operados pela confiança que o sinal deve gerar, bem como todos os do mesmo tipo, não denotam grande habilidade; são preferíveis os que provêm de uma peripécia, como no Canto do Banho. A segunda espécie é devida à inventiva do poeta e por tal motivo não é artística; assim, Orestes, na Ifigênia, faz-se reconhecer declarando ser Orestes e Ifigênia, graças à carta; mas Orestes declara aquilo que o poeta, e não a fábula, quer que ele declare. Este meio é vizinho daquele que declarei defeituoso, pois Orestes podia ter apresentado alguns sinais sobre si. O mesmo se diga da voz da lançadeira no Tereu de Sófocles.

A terceira espécie consiste na lembrança; por exemplo, a vista de um objeto evoca uma sensação anterior, como nos Ciprios de Diceógenes, onde a vista de um quadro arranca lágrimas a uma personagem; do mesmo modo, na narrativa feita a Alcino, Ulisses, ao ouvir o citarista, recorda-se e chora. Foi assim que os reconheceram. Em quarto lugar, há o reconhecimento proveniente de um silogismo, como nas Coéforas: apresentou-se um desconhecido que se parece comigo, ora, ninguém se parece comigo senão Orestes, logo, quem veio foi Orestes. Idêntico é o reconhecimento inventado pelo sofista Políido, a propósito de Ifigênia, por ser verossímil que Orestes, sabendo que sua irmã tinha sido sacrificada, pensasse que também ele o seria. Outro exemplo é o de Tideu de Teodectes, o qual, tendo vindo com a esperança de salvar o filho, ele próprio foi morto. Outro exemplo, finalmente, aparece nas Fineidas, onde as mulheres ao verem o lugar em que chegaram, raciocinaram sobre a sorte que as aguardava: aquele fora o lugar pelo destino designado para morrerem, pois ali foram expostas.

O reconhecimento pode igualmente basear-se em um paralogismo por parte dos espectadores, como se vê na peça Ulisses, falso mensageiro; a personagem acha-se capaz de reconhecer o arco, que na realidade não vira; a afirmação de que poderá reconhecer o arco é a base do paralogismo dos espectadores.

De todos estes meios de reconhecimento, o melhor é o que deriva dos próprios acontecimentos, pois o efeito de surpresa é então causado de maneira racional, por exemplo, no Édipo de Sófocles e na Ifigênia; pois é verossímil que Ifigênia quisesse entregar uma carta. Estas espécies de reconhecimento são as únicas que dispensam sinais imaginados e colares. Em segundo lugar, vêm todos os que estribam em um raciocínio.

CAPÍTULO XVII

Conselhos aos poetas sobre a composição das tragédias

Quando o poeta organiza as fábulas e completa sua obra compondo a elocução das personagens, deve, na medida do possível, proceder como se ela decorresse diante de seus olhos, pois, vendo as coisas plenamente iluminadas, como se estivesse presente, encontrará o que convém e não lhe escapará nenhum pormenor contrário ao efeito que pretende produzir.

A prova está nesta crítica feita a Cárnico: Anfiarau saía do templo; escapou este pormenor ao poeta, porque não olhava a cena como espectador, mas foi o bastante para a peça cair no desagrado, pois os espectadores se indignaram. Na medida do possível, é importante igualmente completar o efeito do que se diz pelas atitudes das personagens.

Em virtude da nossa natureza comum, são mais ouvidos os poetas que vivem as mesmas paixões de suas personagens; o que está agitado de modo mais violento provoca nos outros a excitação, da mesma forma que suscita a ira naquele que melhor a sabe sentir. Por isso, a poesia exige ânimos bem-dotados ou capazes de se entusiasmarem: os primeiros têm facilidade em moldar seus caracteres, não sentem dificuldade em se deixarem arrebatar. Quanto aos assuntos, quer tenham sido já tratados por outros, quer o poeta os invente, convém que ele primeiro faça dos mesmos uma ideia global, e que em seguida distinga os episódios e os desenvolva.

Eis o que entendo por "fazer uma ideia global", por exemplo, a propósito de Ifigênia. Uma donzela, prestes a ser degolada durante um sacrifício foi tirada dos sacrificadores, sem estes darem pelo fato, e transportada a outra região onde uma lei ordenava que os estrangeiros fossem imolados à deusa; e a donzela foi investida nesta função sacerdotal. Passado algum tempo, o irmão da sacerdotisa chega àquela região, e isto ocorre porque o oráculo do deus lhe prescrevera que se dirigisse àquele lugar, por motivo alheio à história e ao entrecho dramático da mesma. Chegando lá, ele é feito prisioneiro; mas quando ia ser sacrificado, deu-se a conhecer — quer como explica Eurípides, quer segundo a concepção de Políido, declarando naturalmente que não somente ele, mas também sua irmã devia ser oferecida em sacrifício — e com estas palavras se salvou.

Após isto, e uma vez atribuídos nomes às personagens, importa tratar os episódios, tendo o cuidado de bem os entrosar no assunto, como, no caso de Orestes, a crise de loucura, que provocou sua prisão, e o plano de purificá-lo, que causou sua salvação. Nos poemas dramáticos, os episódios são breves, mas baseando-se neles, a epopeia assume proporções maiores.

De fato, o assunto da Odisseia é de curtas dimensões. Um homem afastado de sua pátria pelo espaço de longos anos e vigiado de perto por Poseidon acaba por se encontrar sozinho; sucede, além disso, que em sua casa os bens vão sendo consumidos por pretendentes que ainda por cima armam ciladas ao filho do herói; depois de acossado por muitas tempestades, ele regressa ao lar, dá-se a conhecer a algumas pessoas, ataca e mata os adversários e assim consegue salvar-se. Eis o essencial do assunto. Tudo o mais são episódios.

CAPÍTULO XVIII

Nó, desenlace; tragédia e epopeia; o Coro

Em todas as tragédias há o nó e o desenlace. O nó consiste muitas vezes em fatos alheios ao assunto e em alguns que lhe são inerentes. O que vem a seguir é o desenlace. Dou o nome de nó à parte da tragédia que vai desde o início até o ponto a partir do qual se produz a mudança para uma sorte ditosa ou desditosa; e chamo desenlace a parte que vai desde o princípio desta mudança até o final da peça.

Por exemplo, no Linceu de Teodectes, o nó abarca todos os fatos iniciais, incluindo o rapto da criança e, além disso, o desenlace vai desde a acusação de assassinato até o fim.

Há quatro espécies de tragédias, correspondentes ao número dos quatro elementos. Uma complexa, constituída inteiramente pela peripécia e o reconhecimento.

A outra, a peça patética, do tipo de Ajax e de Íxion; a tragédia de caracteres, como Ftiótidas e Peleu; em quarto lugar, as episódicas, como as Fórcidas e Prometeu e todas as que se passam no Hades.

Seria conveniente que os poetas se esforçassem ao máximo para ter todos os méritos, ou pelo menos os mais importantes e a maior parte deles, atendendo principalmente as severas críticas de que são alvo em nossos dias; como houve poetas que se distinguiram neste ou naquele elemento essencial, exige-se de um só autor que supere seus próprios méritos em relação aos daqueles outros poetas. É justo dizer que uma tragédia é semelhante a outra ou diferente dela, não só no argumento, mas também no nó e no desenlace.

Muitos tecem bem a intriga, mas saem-se mal no desenlace; no entanto, para ser aplaudido, é necessário conjugar os dois méritos. Importa não esquecer o que muitas vezes tenho dito: não compor uma tragédia como se compõe uma obra épica. Entendo por épica a que enfeixa muitas fábulas, por exemplo, como se alguém quisesse incluir em uma tragédia todo o assunto da Ilíada.

A extensão inerente a este gênero de poema permite dar a cada parte as dimensões convenientes, sistema este que, na arte dramática, seria contra a expectativa. A prova em que todos os que se propuseram a representar por inteiro a ruína de Troia, e não apenas de modo parcial, como fez Eurípedes, ou toda a história de Niobe, em vez de fazerem como Ésquilo, ou fracassam ou são mal colocados no concurso. Falhou apenas por este motivo a peça de Agatão.

Mas nas peripécias e nas ações simples, os poetas alcançam maravilhosamente o fim que se propõe alcançar, a saber, a emoção trágica e os sentimentos de humanidade. Assim acontece quando um homem hábil, mas perverso, é enganado como Sísifo, ou quando um homem corajoso, mas injusto, é derrotado. Isto é verossímil, explica-nos Agatão, pois é verossímil que muitos acontecimentos se produzam, mesmo contra toda verossimilhança.

O coro deve ser considerado como um dos atores; deve constituir parte do todo e ser associado à ação, não como em Eurípedes, mas à maneira de Sófocles. Na maioria dos poetas, os cantos corais referem-se tanto à tragédia, onde se encontram, como a qualquer outro gênero; por isso, constituem uma espécie de interlúdio, cuja origem remonta a Agatão. Ora, existirá diferença entre cantar interlúdios e transferir de uma peça para outra um trecho ou um episódio completo?

CAPÍTULO XIX
Do pensamento e da elocução

Depois de termos falado sobre os outros elementos essenciais da tragédia, resta-nos tratar da elocução e do pensamento. O que diz respeito ao pensamento tem seu lugar nos Tratados sobre retórica, pois este gênero de investigações é seu objeto próprio. Tudo que se exprime pela linguagem é domínio do pensamento.

Disso fazem parte a demonstração, a refutação, e também a maneira de mover as paixões, tais como a compaixão e o temor, a cólera e as outras. É evidente que devemos empregar estas mesmas formas, a propósito dos fatos, sempre que for necessário apresentá-los comoventes, temíveis, importantes ou verossímeis.

A diferença consiste no fato de certos efeitos deverem ser produzidos sem o recurso do aparato cênico, e outros deverem ser preparados por quem fala e produzidos conforme suas palavras. Pois qual seria a parte daqueles que têm à sua disposição a linguagem, se o prazer fosse experimentado sem a intervenção do discurso? Entre as questões relativas à execução, uma há que se prende ao nosso exame: as atitudes a tomar no decurso da dicção; mas tal conhecimento depende da arte do comediante e dos que são mestres nessa arte. Trata-se de saber como se exprime uma ordem, uma súplica, uma narrativa, uma ameaça, uma interrogação, uma resposta e outros casos deste gênero.

Com base no fato de o poeta conhecer ou ignorar estas questões, não se pode fazer nenhuma crítica digna de consideração. Quem consideraria como falta o que Protágoras censura, a saber, que o poeta, pensando endereçar uma súplica, na realidade dá uma ordem quando exclama: "Canta, deusa, a cólera". Segundo inquire aquele crítico — exortar a fazer ou a não fazer, é dar uma ordem? Coloquemos de lado esta questão, pois ela respeito, não à poesia, mas a outra arte.

CAPÍTULO XX
Da elocução e de suas partes

Eis os elementos essenciais da elocução: letra, sílaba, conjunção, nome, verbo, artigo, flexão, expressão. A letra é um som indivisível, embora não completo, mas de seu emprego em uma combinação resulta naturalmente um som compreensível, pois os animais também fazem ouvir sons indivisíveis, mas a esses não dou o nome de letras.

As letras se dividem em vogais, semivogais e mudas. É vogal a letra que produz um som perceptível, sem movimento da boca (para articular), como o "A" e "O"; a semivogal produz um som perceptível com a ajuda desses movimentos, como o "S" e o "R"; a muda, que se produz com esses movimentos, não tem som por si mesma, mas torna-se audível juntando-se às letras sonoras, por exemplo, o "G" e o "D".

As diferenças entre estas letras provêm das modificações dos órgãos da boca, dos lugares onde se produzem, da presença ou ausência de aspiração, de sua duração maior ou menor, de seus acentos agudos, graves, intermediários; mas o estudo destas particularidades é do domínio da métrica. A sílaba é um som sem significação, composto de uma muda e de uma letra provida de som, pois o grupo "GR" sem o "A" é uma sílaba, e também ajuntando-se o "A", como "GRA"; mas o estudo dessas diferenças compete aos metricistas.

A conjunção é uma palavra destituída de significado, que, sendo composta de vários sons, não tira nem confere a um termo seu poder significativo e que se coloca nas extremidades ou no meio, se não convém lhe assinalar um lugar independente no começo de uma composição, por exemplo, meu, htoi, dh.

O artigo é um termo sem significação que designa o começo, o fim ou a divisão de uma preposição, por exemplo, to amji (em volta) e to peri (os arredores) e outros casos análogos, ou pode ser uma palavra vazia de sentido que não impede que com a ajuda de vários sons, se produza uma expressão dotada de sentido, mas ele em si não produz esta expressão com sentido, e se coloca nas extremidades e no meio. O nome é um som composto, significativo, sem indicação de tempo e nenhuma de suas partes faz sentido por si mesma, pois, nos nomes formados de dois elementos, não empregamos cada elemento com um sentido próprio; por exemplo, em Teodoro, o elemento doro não apresenta significado.

O verbo é um som composto, significativo, que indica o tempo, e do qual nenhum elemento é significativo por si, tal como sucede nos nomes; com efeito, os termos "homem" e "branco" não dizem nada sobre o tempo, mas as formas "anda", "andou" indicam, a primeira, o tempo presente, a segunda, o tempo passado. A flexão é uma modificação do nome e do verbo, que indica uma relação, como "deste" ou "a este", e outras relações análogas, o singular ou o plural, como "os homens", "o homem"; o estado de ânimo de uma personagem que interroga ou que manda: "Andou?", "Vá!"; estas últimas formas são flexões do verbo.

A locução (ou expressão) é um conjunto de sons significativos, algumas partes dos quais têm significação por si mesma, pois nem todas as locuções são constituídas por verbos e nomes, por exemplo, na definição do homem, a locução pode existir sem verbo expresso. Deve ter, no entanto, sempre uma parte significativa; por exemplo, na proposição "Cleon anda", esta parte é o nome "Cleon".

A locução aparece una de duas maneiras: quando designa uma só coisa, ou quando oferece várias partes ligadas entre si. Assim, a Ilíada apresenta unidade por efeito da reunião de suas partes, e o termo "homem", porque designa apenas um ser.

CAPÍTULO XXI

Das formas dos nomes; das figuras

Eis as espécies de nomes: primeiro, o nome simples. Chamo simples o nome que não é composto de elementos significativos, por exemplo "terra"; nome duplo, é o composto ora de um elemento significativo e de outro vazio de sentido, ora de elementos todos significativos. O nome pode ser formado de três, de quatro, e até mesmo de vários outros nomes, como muitos usados entre os massaliotas, por exemplo, ermocaicoxanqoz.

Todo nome é termo próprio ou termo dialetal, ou uma metáfora, ou um vocábulo ornamental, ou a palavra forjada, alongada, abreviada, modificada.

Entendo por termo próprio aquele de que cada um de nós se serve; Por termo dialetal (ou glosa) aqueles de que se servem as pessoas de outra região, de sorte que o mesmo nome pode ser, manifestamente, próprio ou dialetal, mas não para as mesmas pessoas; assim sxgunon (lança) é termo próprio para os cipriotas e dialetal para nós.

A metáfora é a transposição do nome de uma coisa para outra, transposição do gênero para a espécie, ou da espécie para o gênero, ou de uma espécie para outra, por analogia.

Quando digo do gênero para a espécie, é, por exemplo, "minha nau aqui se deteve", pois lançar ferro é uma maneira de "deter-se". Da espécie ao gênero: "certamente, Ulisses levou a feito milhares e milhares de belas ações", porque "milhares e milhares" está por "muitas", e a expressão é aqui empregada em lugar de "muitas". Da espécie para a espécie: "tendo-lhe esgotado a vida com o bronze" e "de cinco fontes cortando com o duro bronze", aqui, "esgotar" equivale a "cortar" e "cortar" equivale a "esgotar", são duas maneiras de tirar.

Digo haver analogia quando o segundo termo está para o primeiro, na proporção em que o quarto está para o terceiro, pois, neste caso, empregar-se-á o quarto em vez do segundo e o segundo no lugar do quarto. Às vezes também se acrescenta o termo ao qual se refere a palavra substituída pela metáfora. Se disser que a taça é para Dionísio assim como o escudo é para Ares, se chamará taça o escudo de Dionísio e ao escudo, a taça de Ares. O que a velhice é para a vida, a tarde é para o dia. Diremos pois que a tarde é a velhice do dia, e a velhice é a tarde da vida, ou, com Empédocles, o ocaso da vida. Em alguns casos de analogia não existe o termo correspondente ao primeiro; porém, mesmo assim nada impede que se empregue a metáfora. O ato de "lançar a semente à terra" chama-se "semear"; mas não existe termo próprio para designar o ato de o sol deixar cair sobre nós sua luz; contudo, existe a mesma relação entre este ato e a luz, que entre semear e a semente; pelo que se diz: "semeando uma chama criada por deuses".

Há outra maneira de empregar este gênero de metáfora, dando a uma coisa um nome que pertence a outra e negando uma das propriedades desta, como se, por exemplo, se denominasse o escudo, não a taça de Ares, mas a taça sem vinho.

O nome forjado é o que não foi empregado neste sentido por ninguém, mas que o poeta, por sua própria autoridade, atribui a uma coisa. Parece haver algumas palavras deste gênero, tais como "rebentos" para designar "cornos" e arhthra – "o que dirige súplicas" – por sacerdote.

O nome é alongado ou abreviado; no primeiro caso, pelo emprego de uma vogal mais longa que a habitual ou pela adjunção de uma sílaba; no segundo caso, se nele se faz uma supressão. Alongado é, por exemplo, polhox em vez de polevx e phlhiadev em vez de phleidou; são abreviados cri (por crioh = "cevada"), dv (por dwma = "casa") e dy (por dyiz = "vista") em "uma só imagem provém dos dois olhos". Há modificação do nome se, no termo usado, conserva-se uma parte e muda-se a outra, como em dexiteron cata mczon (contra o mamilo direito) em vez de dexion.

Em si mesmos, os nomes são uns masculinos, outros femininos, outros neutros. São masculinos os que terminam em N, R, S ou em letras compostas de S (que são as consoantes duplas Y e X); são femininos os que terminam em vogal sempre longa, como H e W ou em A alongado; daí resulta o mesmo número de finais para os masculinos e os femininos, pois Y e X são as mesmas que S. Nenhum nome termina em muda ou em vogal breve. Em I terminam apenas três nomes: meli (mel), commi (goma), peperi (pimenta); em G, terminam cinco: pvu (rebanho), napu (mostarda), gonu (joelho), doru (lança) e aotu (cidade). Os neutros terminam por estas mesmas letras e por N e S.

CAPÍTULO XXII
Das qualidades da elocução

A qualidade principal da elocução poética consiste na clareza, mas sem trivialidades. Obtém-se a clareza máxima pelo emprego das palavras da linguagem corrente, mas à custa da elevação. Exemplo deste último estilo é a poesia de Cleofonte e de Esténelo. A elocução mantém-se nobre e evita a vulgaridade, usando vocábulos peregrinos (chamo peregrinos os termos dialetais), a metáfora, os alongamentos, em suma tudo o que se afasta da linguagem corrente.

Se, porém, o estilo comportar apenas palavras deste gênero, torna-se enigmático ou bárbaro; enigmático pelo abuso de metáforas; bárbaro pelo uso de termos dialetais. Uma forma de enigma consiste em exprimir uma coisa qualquer em uma sequência de termos absurdos. Isso não é possível de atingir reunindo os vocábulos por eles mesmos, mas só por meio da metáfora, por exemplo: "vi um homem que, com fogo, colava bronze noutro homem" e outras expressões semelhantes.

O uso de termos dialetais faz da língua algo estranho, porém, ainda inteligível. Importa, pois, praticar de algum modo a mistura de termos. A vulgaridade e a trivialidade serão evitadas por meio do termo dialetal, da metáfora, do vocábulo ornamental e das demais formas anteriormente indicadas; mas o termo próprio é o que dá clareza ao discurso. O meio de contribuir em larga escala para a clareza, evitando a vulgaridade, são os alongamentos, as apócopes e as modificações introduzidas nas palavras; pelo fato de mudar a fisionomia dos termos correntes e de sair da rotina, evita-se a banalidade, mas a clareza subsistirá na medida em que as palavras participarem dessa rotina.

Por isso, os que censuram este gênero de estilo e põem o poeta em ridículo, são criticados sem razão. Assim, Euclides, o Antigo, pretendia ser fácil escrever em verso, desde que fosse permitido alongar as sílabas à vontade e à maneira de paródia citava este verso em estilo vulgar: "Quando vi Ares marchando para Maratona" [bazein é um termo da linguagem em prosa, no qual ba (breve) alonga-se em ba (longa)] e este outro: "Ele que não teria gostado do seu heléboro". Claro que, se o poeta utiliza este processo, cai no ridículo, pois é necessário conservar o meio termo em todas as partes da elocução.

De fato, servir-se com exagero de metáforas, de termos dialetais, de formas análogas, é o mesmo que provocar o riso de propósito. Quão diferente é o emprego moderado dos dois termos, pode se verificar nos versos épicos, introduzindo no metro vocábulos da prosa. Se, em vez destes vocábulos estranhos, das metáforas e de outras figuras de palavras, usarmos palavras correntes, ver-se-á que dizemos a verdade. Por exemplo, em um verso iâmbico composto por Ésquilo, Eurípides não fez mais do que mudar uma só palavra (ou seja, no lugar do termo usual, empregou uma glosa); foi o bastante para que um dos dois versos parecesse belo e o outro, vulgar. Com efeito, Ésquilo no Filocteto escrevera: "A úlcera que come as carnes de seu pé", e Eurípedes substituiu o verbo "come" pelo verbo "banqueteia-se". Se no verso: "Agora ele é pouco considerável, impotente e sem vigor", alguém quisesse empregar os termos próprios, teríamos: "E agora ele é pequeno, fraco e disforme". Ou: "Depois de ter trazido um miserável assento e uma simples mesa", seria possível escrever: "Depois de ter trazido uma cadeira reles e uma pequena mesa"; e, em lugar da expressão: "a praia muge", teríamos "a praia emite um grito". Arífrades, em suas comédias, zombava dos autores de tragédias por utilizarem termos que ninguém emprega na conversação, dizendo, por exemplo, "das casas longe", em lugar de "longe das casas", e seqen e egv de nin e "de Aquiles a respeito" em vez de "a respeito de Aquiles", e expressões idênticas.

Estas maneiras de se exprimir, justamente por não serem habituais, comunicam à elocução aspecto isento de vulgaridade. Mas Arífrades não dava por isso. É importante saber empregar a propósito cada uma das expressões por nós assinaladas, nomes duplos e glosas; maior, todavia, é a importância do estilo metafórico. Isto só, e qual não é possível tomar de outrem, constitui a característica de um rico engenho, pois descobrir metáforas apropriadas equivale a ser capaz de perceber as relações.

Entre os nomes, os duplos convêm sobretudo aos ditirambos, as glosas, a poesia heroica, as metáforas, os versos iâmbicos. Na poesia heroica devem empregar-se todas as expressões indicadas; nos versos iâmbicos, como neles principalmente se procura a imitação da linguagem corrente, convêm os nomes de que em geral nos servimos na conversação, isto é, o nome usual, a metáfora e o vocábulo ornamental. Deve bastar quanto dissemos sobre a tragédia e imitação por meio da arte dramática.

CAPÍTULO XXIII
Da unidade de ação na composição épica

Na imitação em verso pelo gênero narrativo, é necessário que as fábulas sejam compostas em um espírito dramático, como as tragédias, ou seja, que encerrem uma só ação, inteira e completa, com princípio, meio e fim, para que, assemelhando-se a um organismo vivente, causem o prazer que lhes é próprio. Isto é óbvio.

A combinação dos elementos não se deve operar como nas histórias, nas quais é obrigatório mostrar, não uma ação única, referindo todos os acontecimentos que nesse tempo aconteceram a um ou mais homens, e cada um dos quais só está em relação fortuita com os restantes. Assim como foram travados simultaneamente o combate naval de Salamina e, na Sicília, a batalha dos cartagineses (em Himera), sem que nenhuma destas ações tendesse para o mesmo fim. Assim nos acontecimentos consecutivos, um fato sucede a outro, sem que entre eles haja comunidade de fim. É este o processo adotado pela maioria dos poetas.

Por este motivo, como dissemos, Homero, comparado com os demais poetas, parece-nos admirável, pois evitou contar por inteiro a guerra de Tróia, se bem que ela tenha começo e fim. Semelhante argumento correria o risco de ser demasiado vasto e difícil de abarcar em um relance; ou então, se a tivesse reduzido a uma extensão razoável, ela teria sido demasiado complicada por tão grande variedade de incidentes. Limitou-se a tratar de uma parte da guerra e inseriu muitos outros fatos por meio de episódios, como por exemplo o catálogo das naus e outros trechos que de espaço a espaço dispõe no poema.

Os outros poetas, pelo contrário, tomam um só herói em um único período, mas sobrecarregam esta única ação de muitas partes, como faz, por exemplo, o autor dos Cantos Cíprios e da Pequena Ilíada. Por esta razão, enquanto de cada um dos poemas da Ilíada e da Odisseia não há possibilidade de extrair senão um ou dois argumentos da tragédia, grande número de argumentos se pode tirar dos Cantos Cíprios e oito, pelo menos, da Pequena Ilíada, a saber: O Juízo das armas, Filocteto, Neoptólemo, Eurípilo, O Mendigo, Lacedemônicas, Saque de Troia, Partida das naus, Sínon e As troianas.

CAPÍTULO XXIV
Das partes da epopeia; méritos de Homero

A epopeia deve apresentar ainda as mesmas espécies que a tragédia: deve ser simples ou complexa, ou de caráter, ou patética. Os elementos essenciais são os mesmos, salvo o canto e a encenação; também são necessários os reconhecimentos, as peripécias e os acontecimentos patéticos. Deve, além disso, apresentar pensamentos e beleza da linguagem.

Todos estes méritos, o primeiro que os teve disponíveis e os empregou de modo conveniente foi Homero. Cada um dos dois poemas é composto de tal maneira que a Ilíada é simples e patética, e a Odisseia oferece uma obra complexa (onde abundam os reconhecimentos) e um estudo dos caracteres. Além disso, em estilo e pensamento, seu autor supera os demais poetas. Mas a epopeia é diferente da tragédia em sua constituição pelo emprego e dimensões do metro.

Quanto à extensão, indicamos o limite exato: é preciso que seu conjunto possa ser abarcado do princípio ao fim. Isso aconteceria, se as composições épicas fossem menos longas que as dos antigos e se estivessem em relação com o total das tragédias representadas em uma só audição. A epopeia goza de vantagem peculiar no concernente à sua extensão: enquanto na tragédia não é possível imitar, no mesmo momento, as diversas partes simultâneas de uma ação, exceto a que está sendo representada em cena pelos atores, na epopeia, que se apresenta em forma de narrativa, é possível mostrar em conjunto vários acontecimentos simultâneos, os quais, se estiverem bem relacionados ao tema central, o tornam mais grandioso.

Daí resultam várias vantagens, como engrandecer a obra, permitir aos ouvintes transportarem-se a diversos lugares, introduzir variedade por meio de episódios diversos; pois a uniformidade não tarda em gerar a saciedade, causa do fracasso das tragédias. A experiência provou que a medida mais conveniente à epopeia é o metro heroico. Com efeito, se, para fazer uma imitação em forma narrativa, se empregasse metro diferente, ou variado, saltaria aos olhos a inconveniência.

Visto ser o metro heroico de todos o que possui maior gravidade e amplidão, sendo por isso o mais apto a acolher glosas e metáforas, e também neste particular, a imitação pela narrativa é superior às outras. O iambo e o tetrâmetro são metros de movimento, feitos um para a dança e o outro para a ação. O resultado seria de todo extravagante se estes metros fossem combinados, como fez Querémon. Por este motivo, jamais alguém escreveu um poema extenso que não fosse em verso heroico; e como dissemos, a própria natureza do assunto nos ensina a escolher o metro conveniente.

CAPÍTULO XXV
Como se deve apresentar o que é falso

Sem dúvida, Homero é por muitas razões digno de elogio. E a principal delas é o fato de ele ser, entre os poetas, o único que fazia as coisas como elas devem ser feitas. O poeta deve dialogar com o leitor o menos possível, pois não é procedendo assim que ele é imitador. Os poetas que não Homero, pelo contrário, ao longo do poema procedem como atores em cena, imitam pouco e raramente; ao passo que Homero, após curto preâmbulo, introduz de imediato um homem, uma mulher ou outro personagem, e nenhum carece de caráter, e de cada um são estudados os costumes.

Nas tragédias, é necessária a presença do maravilhoso, mas na epopeia pode-se ir além e avançar até o irracional, por meio do qual se obtém este maravilhoso, no grau mais elevado, porque na epopeia nossos olhos não contemplam espetáculo algum. A perseguição de Heitor, levada à cena, mostrar-se-ia ridícula por inteiro: "uns imóveis e que não perseguem, e o outro (Aquiles) que lhes acena com a cabeça negativamente". Em uma narrativa, esses detalhes estranhos passam desapercebidos.

Ora, o maravilhoso agrada, e a prova está em que todos quantos narram alguma coisa acrescentam pormenores imaginários com intuito de agradar. Homero foi também quem ensinou aos outros poetas como convém apresentar as coisas falsas. Refiro-me ao paralogismo. Eis como os homens pensam: quando uma coisa é, e outra coisa também é, ou, produzindo-se tal fato, tal outro igualmente se produz, se o segundo é real, o primeiro também é real, ou se torna real. Ora, isto é falso. Daí se imagina que, se o antecedente é falso, mas mesmo assim a coisa existe ou vem a se produzir, estabelece-se uma ligação entre antecedente e consequente: sabendo que o segundo caso é verdadeiro, nosso espírito tira a conclusão falsa de que o primeiro também o seja. Disso temos exemplo no episódio do Banho.

É preferível escolher o impossível verossímil do que o possível incrível e os assuntos poéticos não devem ser constituídos de elementos irracionais, neles não deve entrar nada de contrário à razão, salvo se for alheio à peça, como no caso de Édipo ignorante das circunstâncias da morte de Laio; e nunca dentro do próprio drama, como na Electra, onde se fala nos Jogos Píticos e nos Mísios, onde um personagem vem de Tegeia até Mísia, sem proferir palavra. Seria ridículo pretender que a fábula não se sustentaria sem isso. Antes de mais nada, não se deveriam compor fábulas desse gênero; mas, se há poetas que as fazem e de maneira que pareçam ser razoáveis, pode-se introduzir nelas o absurdo, pois o passo inverossímil da Odisseia, que trata do desembarque (de Ulisses pelos feaces), não seria tolerável, se fosse redigido por um mau poeta. Mas, em nosso caso, o poeta dispõe de outros méritos que lhe possibilitam mascarar o absurdo por meio de subterfúgios.

Quanto à elocução, deve ser muito acurada só nas partes de ação com menos movimento, que não ostentam nem estudos de caracteres, nem pensamentos; um estilo demasiado fulgurante, exibido em toda a peça, deixaria na sombra os caracteres e o pensamento.

CAPÍTULO XXVI
Algumas respostas às críticas feitas à poesia

Sobre os pontos de controvérsia e as soluções para eles, sobre o número e as diferentes espécies de controvérsia, alguma luz derramarão as considerações em seguida. Sendo o poeta um imitador, como é o pintor ou qualquer outro criador de figuras, perante as coisas será induzido a assumir uma dessas três maneiras de as imitar: como elas eram ou são, como os outros dizem que são ou dizem que parecem ser, ou como deveriam ser. O poeta exprime essas maneiras diversas por meio da elocução, que comporta a glosa, a metáfora e muitas outras modificações dos termos, como as admitimos nos poetas.

Acrescentemos que não se aplica o mesmo critério rigoroso da política à poesia, nem às outras artes em relação à poesia. Em arte poética, são duas as ocasiões de cometer faltas: umas referentes à própria estrutura da poesia; outras, acidentais. Se o poeta se propõe imitar o impossível, a falta é dele.

Mas se o erro provém de uma escolha malfeita, se ele representou um cavalo movendo ao mesmo tempo as duas patas do lado direito, ou se a falta se refere a algum conhecimento particular como a medicina ou qualquer outra ciência, ou se de qualquer modo ele admitiu a existência de coisas impossíveis, então o erro não é intrínseco à própria poesia.

É com este critério que convém responder às críticas relativas aos poetas controversos. Examinemos primeiro o que diz respeito à própria arte: se o poema contém impossibilidades, há falta; no entanto, isto nada quer dizer, se o fim próprio da arte foi alcançado (fim que já foi indicado) e se, desse modo, esta ou aquela parte da obra redundou mais impressionante, como, por exemplo, a perseguição de Heitor. Contudo, se o fim podia ser melhor alcançado, respeitando a verdade, a falta é indesculpável, pois tanto quanto possível deveria evitar qualquer falta.

Mas sobre qual destes dois pontos recai a falta: a própria arte ou uma causa estranha acidental? A falta é menos grave se o poeta ignorava que a corça não tem cornos, do que quando ela não foi representada de acordo com sua figura. Se, além disso, a ausência de verdade é criticada, é possível responder que o autor representou as coisas como elas devem ser, a exemplo de Sófocles, que dizia ter pintado os homens tais quais são. Além destas duas espécies de explicação, podemos ainda responder pela opinião comum, tal como ela se exprime acerca dos deuses. Pois é possível que esta opinião sobre os deuses não seja boa nem exata e que seja verdadeira a opinião de Xenófanes: "mas a multidão pensa de modo diferente".

Talvez também as coisas não sejam representadas da melhor maneira (para a atualidade), mas como eram outrora; por exemplo, quando (o poeta diz) a respeito das armas: "que suas lanças estavam plantadas eretas como o ferro para o alto"; era esse o uso outrora, como é ainda hoje entre os ilírios. Para saber se uma personagem falou e agiu bem ou mal, não devemos nos limitar ao exame da ação executada ou da palavra proferida, para saber se elas são boas ou más; é preciso ter em conta a pessoa que fala ou age, saber a quem se dirige, quando, por que e para quê, se para produzir maior bem ou para evitar maior mal.

No exame do estilo, importa refutar certas críticas, por exemplo, a referente ao uso da glosa (termo dialetal): em ourhaz men prvton "primeiro os machos", não devemos interpretar "os machos", mas "as sentinelas". De igual modo, a propósito de Dólon — ele era de aspecto disforme — deve entender-se que ele não tinha um corpo desproporcionado, mas apenas um rosto feio, pois os cretenses exprimem por — de belo aspecto — a beleza do rosto. E nesta expressão: zvroteron de ceraie, não se trata de servir o vinho "sem mistura", como se fosse para os bêbados, mas sim, de misturar mais depressa.

O poeta pode falar por metáforas, como em: "Todos os outros, deuses e guerreiros, dormiam a noite inteira"; e logo a seguir diz: "quando olhava para a planície de Troia [admirava] o ruído das flautas e das siringes". Seguramente, *todos* está em lugar de *muitos* por metáfora, pois o termo *todo* contém a ideia de *muito*. Também: "a única que não se deita", deve-se entender por metáfora, pois o mais conhecido é o que está só. Pode tratar-se da acentuação.

Outras vezes pela diérese, como nos versos de Empédocles: "Depressa se tornou mortal, o que antes tomara o hábito de ser imortal, e as coisas antes puras tornaram-se mescladas".

Outras vezes por anfibologia: "as estrelas percorreram boa parte de seu curso; já passaram mais de dois terços da noite; falta apenas o último", pois o termo plevn tem sentido duplo.

Outras vezes, trata-se de certa maneira de falar. Por exemplo, ao vinho misturado com água dá-se o nome genérico de "vinho"; daí se pôde dizer que Ganimedes serve esta bebida a Zeus, embora os deuses não bebam vinho. Os operários que na realidade trabalham o ferro, denominam-se "trabalhadores de bronze"; daí dizer-se "cnêmide de estanho novamente fabricada". Todas estas expressões podem resultar de metáfora.

Quando um termo parece provocar uma contradição, importa examinar quantas interpretações ele pode tomar no passo em questão, como, por exemplo, em "a lança de bronze aqui se deteve", seria conveniente verificar de quantas maneiras se pode admitir que a lança tenha se detido. Será esta a melhor maneira de compreender, inteiramente oposta ao método de que fala Glauco, a saber: alguns, sem boas razões, formam ideias preconcebidas, depois põem-se a raciocinar e a decidir pela condenação do que se lhes afigura ter sido dito no poema, sempre que vier de encontro à opinião deles. Foi o que sucedeu a propósito de Icário. Pensa-se que ele foi lacedemônio. Parece, portanto, absurdo que Telêmaco não o tenha encontrado quando foi à Lacedemônia; mas talvez as coisas se tenham passado de modo diferente, a acreditarmos nos cefalênios. Dizem estes que Ulisses foi à terra deles casar-se, e que se trata de Icádio e não de Icário. É provável que o problema seja proveniente de um equívoco.

Em suma, devemos atribuir a presença do impossível à própria poesia, ou ao melhor para a situação, ou à opinião corrente. No que diz respeito à poesia, deve-se preferir o impossível crível ao possível incrível. E talvez seja impossível que os homens sejam tais como os pinta Zêuxis; mas ele os pinta melhores porque o paradigma deve ser de valor superior ao que existe; quanto às coisas irracionais referidas pela opinião, temos de admiti-las tais como são propaladas e mostrar que, por vezes, não são ilógicas, pois é verossímil que aconteçam coisas na aparência inverossímeis.

Quanto às contradições, conforme foi dito, é necessário examiná-las, como se faz com as provas colocadas nos processos, ver se a afirmação refere-se ao mesmo caso e às mesmas coisas e da mesma maneira, se o poeta falou, ele próprio, e por que motivo, e o que pensaria sobre o assunto um homem sensato. Entretanto, a crítica tem fundamento, quando se trata do absurdo e da perversidade pura, não havendo então necessidade de se recorrer ao irracional, como fez Eurípedes a propósito de Egeu, ou à maldade de Menelau na peça Orestes.

As críticas referem-se a cinco pontos: o impossível, o irracional, o prejudicial, o contraditório e o contrário às regras da arte. As refutações devem ser buscadas nos casos enumerados, e são doze.

CAPÍTULO XXVII

Superioridade da tragédia sobre a epopeia

Poder-se-ia perguntar qual das duas é superior à outra, se a imitação épica ou a trágica. Com efeito, se a menos vulgar é a melhor, e se é sempre esta a que se dirige aos melhores espectadores, a que se propõe imitar tudo seria por conseguinte a mais vulgar. Os atores em cena, julgando que o público seria incapaz de sentir caso eles não acrescentassem a interpretação ao texto escrito, às vezes multiplicam os movimentos, semelhando os maus tocadores de flauta que rebolam a fim de imitar o lançamento do disco, ou que arrastam o corifeu, quando acompanham com seu instrumento a representação do Cila. As críticas que os antigos atores dirigem a seus sucessores deveriam aplicar-se à tragédia. Assim, Minisco tratava Calípides de macaco por causa da gesticulação forçada demais. O mesmo se dizia de Píndaro. Estes últimos são, assim, em relação aos primeiros, o que toda a arte trágica é em relação à epopeia. Esta, segundo se diz, é feita para um público de bom gosto, que não precisa de toda aquela gesticulação, ao passo que a tragédia se destina ao vulgo; e se a tragédia tem algo de banal, manifestamente é de qualidade inferior.

Em primeiro lugar, esta crítica não vai endereçada contra a arte do poeta, mas sim contra a do ator, pois que até o rapsodo pode levar a imitação ao ponto de se servir de gestos, como fazia Sosístrato, ou entremeá-la com o canto, como Mnasíteo de Oponte. Em seguida, não devemos condenar toda gesticulação, nem toda dança, mas só a dos maus executantes, como era censurado Calípides e em nossos dias o são alguns outros, por imitarem mulheres de condição servil. Acresce que a tragédia, mesmo não acompanhada da movimentação dos atores, produz seu efeito próprio, tal como a epopeia, pois sua qualidade pode ser avaliada apenas pela leitura. Portanto, se ela é superior em tudo o mais, não é necessário que o seja neste particular.

Em seguida, ela contém todos os elementos da epopeia; com efeito, a tragédia pode utilizar o metro desta última e, além disso — o que não é de pouca importância — dispõe da música e do espetáculo, que concorrem para gerar aquele prazer mais intenso que lhe é peculiar. Além disso, sua clareza permanece intacta, tanto na leitura quanto na representação. E mais: com extensão menor do que a da epopeia, mesmo assim ela atinge seu objetivo, que é imitar. Ora, o mais concentrado proporciona maior prazer do que o diluído por longo espaço de tempo – pensemos no que seria o Édipo tratado no mesmo número de versos que a Ilíada! Além do mais, a imitação em qualquer epopeia apresenta menor unidade que na tragédia. A prova é que, de qualquer imitação épica se extraem vários argumentos de tragédia, de modo que, se o poeta em sua epopeia trata uma só fábula, ela será exposta de modo forçosamente breve e resultará bem mesquinha, ou então, conformando-se às dimensões habituais do gênero, resultará prolixa. Mas se trata muitas fábulas, ou seja, se a obra é constituída por muitas ações, carece de unidade. Por exemplo, a Ilíada comporta muitas partes deste gênero, bem como a Odisseia, partes que em si são extensas e, no entanto, estes poemas formam um todo da maneira mais perfeita e constituem, no mais alto grau, a imitação de uma arte única.

Portanto, se a tragédia se distingue por todas estas vantagens e mais pela eficácia de sua arte (ela deve proporcionar não um prazer qualquer, mas o que é por nós indicado), é evidente que, realizando melhor sua finalidade, ela é superior à epopeia. Falamos sobre a tragédia e sobre a epopeia, sobre a natureza e espécie das mesmas, sobre seus elementos essenciais, número e diferença dos mesmos, sobre as causas que as tornam boas ou más, enfim, sobre as críticas e os efeitos que provocam.

TÓPICOS

Livro I

1

Nosso tratado se propõe encontrar um método de investigação com o qual possamos raciocinar, partindo de opiniões geralmente aceitas, sobre qualquer problema que nos seja proposto. Queremos nos tornar também capazes, quando replicamos a um argumento, de evitar dizer alguma coisa que nos cause embaraços. Em primeiro lugar, vamos explicar o que é o silogismo e suas variedades. Portanto, o objetivo desta pesquisa é entender o silogismo dialético.

Ora, o silogismo é um argumento no qual, estabelecidas certas coisas, outras coisas diferentes se deduzem necessariamente das primeiras. São elas:

(a) O silogismo é uma "demonstração" quando as premissas das quais ele parte são verdadeiras e primeiras, ou quando o conhecimento que delas são originadas premissas primeiras e verdadeiras.

(b) O silogismo é "dialético" quando parte de opiniões geralmente aceitas. São "verdadeiras" e "primeiras" aquelas coisas nas quais acreditamos em virtude de nenhuma outra coisa que não seja elas próprias; pois, no tocante aos primeiros princípios da ciência, é descabido buscar mais além o porquê e as razões dos mesmos; cada um dos primeiros princípios deve impor a convicção da sua verdade em si mesmo e por si mesmo. São opiniões "geralmente aceitas" aquelas que todo mundo admite, ou a maioria das pessoas, ou os filósofos em outras palavras: todos, ou a maioria, ou os mais notáveis e eminentes.

(c) O silogismo é "contencioso" ou "erístico" quando parte de opiniões que parecem ser aceitas de modo geral, mas não o são de fato, ou, então, se apenas parece raciocinar a partir de opiniões que são ou parecem ser geralmente aceitas. Pois nem toda opinião que parece ser aceita o é na realidade. Com efeito, em nenhuma das opiniões que consideramos geralmente aceitas a ilusão é claramente visível, como acontece com os princípios dos argumentos contenciosos, nos quais a natureza da falácia é de uma evidência imediata, e em geral até mesmo para as pessoas de pouco entendimento. Assim, pois, dos argumentos erísticos que mencionamos, os primeiros merecem de ser chamados "silogismos", mas, aos segundos, devemos reservar o nome de "silogismos erísticos" ou "contenciosos", e não simplesmente "silogismos", visto que parecem produzir raciocínio dedutivo quando na realidade não o fazem.

(d) Além de todos os silogismos que mencionamos, existem os paralogismos ou falsos silogismos, que partem de premissas peculiares às ciências especiais, como acontece na geometria e em suas ciências irmãs. Com efeito, essa forma de raciocínio parece diferir das que indicamos anteriormente. O homem que traça uma figura falsa raciocina a partir de premissas que nem são primeiras e verdadeiras, tampouco geralmente aceitas. Com efeito, o modo de proceder desse homem não se ajusta à definição; ele não pressupõe opiniões que sejam admitidas por todos, ou pela maioria, ou pelos filósofos — isto é, por todos, pela maioria ou pelos mais eminentes —, mas conduz seu raciocínio com base em pressupostos que, embora apropriados à ciência em causa, não são verdadeiros; e seu paralogismo se fundamenta ou em uma falsa descrição dos semicírculos, ou no traçado errôneo de certas linhas.

O que precede deve ser entendido como um sumário dos vários tipos de silogismo. De um modo geral, tanto no que se refere às que já discutimos como às que discutiremos mais tarde, podemos dizer que as distinções já feitas entre eles serão suficientes, pois não é nosso propósito dar a definição exata de cada um. Desejamos apenas descrevê-los em linhas gerais, e cremos que, do ponto de vista do nosso método de investigação, basta que possamos reconhecer de algum modo cada um deles.

2

Depois do que precede, devemos dizer para quantos e quais fins este tratado será útil. Três serão suas aplicações: exercitar o intelecto, atuar nas disputas casuais e nas ciências filosóficas. Que ele é útil como forma de exercício ou adestramento é evidente à primeira vista. A posse de um plano de investigação nos capacitará para argumentar mais facilmente sobre o tema proposto. É útil para as conversações e disputas casuais porque, depois de havermos considerado as opiniões defendidas pela maioria das pessoas, nós as enfrentaremos não nos apoiando em convicções alheias, mas nelas próprias. Isso permitirá abalar as bases de qualquer argumento que nos pareça mal formulado. Para o estudo das ciências filosóficas é útil porque a capacidade de suscitar dificuldades significativas sobre ambas as faces de um assunto nos permitirá encontrar com mais facilidade a verdade e o erro nos diversos pontos e questões que surgirem. Tem ainda utilidade em relação às bases últimas dos princípios usados nas diversas ciências, pois é completamente impossível discuti-los a partir dos princípios peculiares à ciência particular que temos diante de nós, visto que os princípios são anteriores a tudo mais e é necessário lidar com eles à luz das opiniões geralmente aceitas sobre as questões particulares. Essa tarefa compete propriamente, ou de modo mais apropriado, à dialética, pois ela é um processo de crítica onde se encontra o caminho que conduz aos princípios de todas as investigações.

3

Estaremos em plena posse da maneira como devemos proceder quando nos encontrarmos em uma posição semelhante àquela que ocupamos face à retórica, à medicina e outras ciências ou artes desse tipo. Nesse caso, refiro-me à capacidade de fazer o que nos propomos mediante o uso dos materiais disponíveis. Pois o retórico não lançará mão de qualquer método para persuadir, nem o médico para curar. Entretanto, se um ou outro não omitir nenhum dos meios disponíveis, diremos que seu domínio da ciência é adequado.

4

Em primeiro lugar, pois, devemos ver onde residem as bases de investigação. Se fôssemos capazes de compreender:

qual é a natureza e a espécie das coisas que se argumenta, isto é, de quais materiais partem nossas argumentações; e de que maneira poderemos estar bem supridos desses materiais, nós teríamos alcançado suficientemente a nossa meta. Pois bem: os materiais dos quais partem os argumentos são iguais em número e idênticos aos temas sobre os quais versam os silogismos. Com efeito, os argumentos partem de "proposições", enquanto os temas sobre os quais versam os silogismos são "problemas". Ora, toda proposição e todo problema indicam ou um gênero, ou uma peculiaridade, ou um acidente — já que também a diferença, aplicando-se como se aplica a uma classe (ou gênero), deve ser equiparada aqui ao gênero. Entretanto, como parte do que é peculiar significa sua essência e outra parte não, vamos dividir o "peculiar" nas duas partes mencionadas e chamar "definição" a que indica a essência. Quanto ao restante, adotaremos a terminologia usada com frequência a respeito dessas coisas, referindo-nos a ele como uma "propriedade". O que acabamos de dizer torna claro que, segundo nossa presente divisão, os elementos são quatro ao todo, a saber: definição, propriedade, gênero e acidente.

Não se suponha que, com isto, queiramos dizer que cada um desses elementos enunciado isoladamente constitua por si mesmo uma proposição ou um problema, mas apenas que é deles que se formam tanto os problemas como as proposições. A diferença entre um problema e uma proposição é uma diferença na construção da frase. Porque, se nos expressarmos assim: "animal pedestre bípede é a definição do ser humano, não é?" ou "animal é o gênero do homem, não é?", o resultado disso é uma proposição. No entanto, quando afirmamos: "é animal que caminha com dois pés a definição de ser humano ou não é?" ou: "é animal seu gênero ou não?", o resultado é um problema. E do mesmo modo em todos os outros casos. Naturalmente, os problemas e proposições são iguais em número, pois de cada proposição poderemos fazer um problema se mudarmos a estrutura da frase.

5

Devemos dizer agora o que são "definição", "propriedade", "gênero" e "acidente". Uma definição é uma frase que significa a essência de uma coisa. Apresenta-se ou sob a forma de uma frase em lugar de um termo, ou de uma frase em lugar de outra frase; pois às vezes também é possível definir o significado de uma frase. Aqueles cuja explicação consiste apenas em um termo, por mais que façam, não conseguem dar a definição da coisa em questão, porque uma definição é sempre certo tipo de frase. Pode-se, contudo, aplicar o qualificativo "definitório" a uma observação como "o que é conveniente é belo", bem assim como à pergunta: "são a mesma coisa ou coisas distintas o conhecimento e a sensação?", pois os debates a respeito de definições se ocupam na maioria das vezes com questões de identidade e diferença. Em suma, podemos chamar "definitório" tudo aquilo que pertença ao mesmo ramo de pesquisa que as definições; e que todos os exemplos mencionados acima possuem esse caráter é evidente à primeira vista. Porque, se estamos em condições de afirmar que duas coisas são idênticas ou diferentes, estamos munidos, pela mesma forma de argumento, de linhas de ataque no que se refere às suas definições: com efeito, quando houvermos mostrado que elas não são idênticas, teremos demolido a definição.

Note-se, porém, que o contrário desta última afirmação não é válido, apenas demonstrar que as coisas são idênticas não basta para estabelecer uma definição. Já apontar que não são idênticas é suficiente para destruir uma definição.

Uma "propriedade" é um predicado que não indica a essência de uma coisa, mas pertence com exclusividade a ela e dela se predica de maneira conversível. Assim, é uma propriedade humana ser capaz de aprender gramática: porquê, se A é um ser humano, é capaz de aprender gramática, e, se é capaz de aprender gramática, é um ser humano. Com efeito, ninguém chama de "propriedade" uma coisa que pode pertencer a algo diferente. Por exemplo, não se afirma que o "sono" é uma propriedade do ser humano, ainda que em dado momento possa pertencer somente a ele. Quer dizer, se a alguma coisa desse tipo se chamasse atualmente "propriedade", ela não receberia tal nome em sentido absoluto, mas como uma propriedade "temporária" ou "relativa", pois "estar ao lado direito" é uma propriedade temporária, enquanto "bípede" e, em suma, atribuído como propriedade em certas relações: constitui, por exemplo, uma propriedade do ser humano em relação a um cavalo ou a um cão. É evidente que nada que possa pertencer a alguma outra coisa que não seja A é um predicado conversível de A, pois do fato de alguma coisa estar adormecida não se segue de modo necessário que seja um ser humano.

Um "gênero" é aquilo que é predicado na categoria do que é (categoria da substância) de várias coisas que apresentam diferenças especificas. Devemos tratar como predicados na categoria de essência todas as coisas que seriam apropriadas mencionar em resposta à pergunta: "qual é o objeto que tens diante de ti?". Por exemplo, no caso do ser humano, se nos fizessem tal pergunta, seria apropriado dizer "é um animal". A pergunta: "uma coisa pertence ao mesmo gênero que outra ou a um gênero diferente?", também é "genérica", pois uma questão desse tipo se inclui no mesmo ramo de investigação que o gênero. Com efeito, ao afirmar que "animal" é o gênero do ser humano assim como do boi, teremos indicado que eles pertencem ao mesmo gênero; se mostrarmos, ao contrário, que é o gênero de um, porém, não do outro, teremos afirmado que essas coisas não pertencem ao mesmo gênero.

Um "acidente" é alguma coisa que, não sendo nada do que precede, isto é, nem uma definição, nem uma propriedade, nem um gênero, pertence, no entanto, à coisa. Ele também é algo que pode pertencer ou não a alguma coisa, sem que por isso a coisa deixe de ser ela mesma. Por exemplo, a "posição sentada" pode pertencer ou deixar de pertencer a uma coisa idêntica a si mesma. E do mesmo modo a "brancura", pois nada impede que uma mesma coisa seja branca em dado momento e em outro momento não o seja. Das definições de acidente, a segunda é a melhor, pois todo aquele que adotar a primeira deverá saber de antemão, a fim de compreendê-la, o que significam "definição", "gênero" e "propriedade", ao passo que a segunda é por si mesma suficiente para nos instruir sobre o significado essencial do termo em questão. À classe de "acidente" devem ser também referidas todas as comparações de coisas entre si, quando expressas em uma linguagem que, de um modo qualquer, diga respeito ao que "sucede" ser verdadeiro delas, como a pergunta: "é preferível o honroso ou o vantajoso?" ou "é mais agradável a vida virtuosa ou a vida dos prazeres?". Isso serve para qualquer outro problema que seja formulado em termos semelhantes. Pois em todos esses casos a questão é: "a qual dos dois sucede que o predicado em apreço se aplique mais estreitamente?" É evidente, desde logo, que nada impede que um acidente venha a ser uma propriedade temporária ou relativa. Assim, a posição sentada é um acidente, mas será uma propriedade temporária sempre que um ser humano seja a única pessoa sentada. Portanto, nada impede, por conseguinte, que um acidente se torne uma propriedade tanto relativa como temporária. Porém, ela jamais terá um sentido absoluto.

6

Não deve escapar à nossa atenção que todas as observações críticas feitas a respeito de uma "propriedade", "gênero" ou "acidente" serão também aplicáveis às "definições". Quando mostrarmos que certo atributo não pertence unicamente ao termo definido, do mesmo modo, se tratarmos de uma propriedade, ou que o gênero indicado na definição não é o verdadeiro, ou ainda que algumas das coisas mencionadas na frase não lhe pertencem, como também observaríamos no caso de um acidente, teremos demolido a definição. Portanto, todos os pontos que enumeramos poderiam, em certo sentido, ser chamados "definitórios". Mas nem por isso devemos esperar encontrar um método único de investigação que se aplique a todos eles. Tal procedimento não é fácil de encontrar, e, mesmo que o encontrássemos, seria algo extremamente obscuro e de pouca utilidade para o tratado que temos diante de nós. Devemos, ao contrário, traçar um plano especial de investigação para cada uma das classes que distinguimos, para só então, firmados nas regras apropriadas a cada caso, dar conta da tarefa que nos propusemos. E assim, como dissemos anteriormente, devemos esboçar uma divisão do nosso assunto e relegar outras questões ao ramo particular que corresponda de forma mais natural a cada uma delas, tratando-as como questões "definitórias" ou "genéricas". As questões a que me refiro já foram praticamente classificadas em seus diferentes ramos.

7

Em primeiro lugar, devemos definir os diversos sentidos da palavra "identidade". A identidade se poderia considerar de maneira geral como incluída em três divisões. Em geral, aplicamos o termo ou em sentido numérico, ou específico, ou genérico – numericamente, nos casos em que há mais de um nome, mas uma coisa só, como "manto" e "capa"; especificamente, quando há mais de uma coisa, mas estas não apresentam diferenças no tocante à sua espécie, como um homem e outro homem, ou um cavalo e outro cavalo, pois coisas assim pertencem à mesma classe, e delas se diz que são "especificamente idênticas". E, do mesmo modo, chamam-se genericamente idênticas coisas que pertencem ao mesmo gênero, como um cavalo e um homem.

Poderia parecer que o sentido em que a água proveniente da mesma fonte se chama "a mesma água" difere de certo modo e se afasta dos sentidos que mencionamos acima. Em realidade, um caso como esse deveria ser incluído na mesma classe com aquelas coisas que, de um modo ou de outro, são chamadas "idênticas" em virtude de uma unidade de espécie. Todas essas coisas, com efeito, se assemelham entre si como se fossem membros da mesma família. E a razão pela qual se diz que toda água é especificamente idêntica a qualquer outra água é certa semelhança que existe entre as duas. A única diferença no caso da água proveniente da mesma fonte é que aqui a semelhança é mais pronunciada: por isso mesmo não a distinguimos das coisas que, de um modo ou de outro, são chamadas idênticas em razão da unidade de espécie.

Supõe-se, em geral, que o termo "idêntico" se emprega, sobretudo, em um sentido aceito por todo mundo, quando aplicado ao que é numericamente uno. Mas, mesmo assim, pode ser empregado em mais de um sentido. Vamos encontrar seu uso mais literal e primeiro sempre que a identidade diz respeito a um nome ou definição dupla, como quando se diz que um manto é o mesmo que uma capa, ou que um animal que anda com dois pés é a mesma coisa que um homem. Um segundo sentido é aquele que se refere a uma propriedade, como quando se diz que aquilo que é capaz de adquirir conhecimento é o mesmo que um ser humano, já o que naturalmente se move para cima é o mesmo que o fogo. Encontramos ainda um terceiro sentido do termo quando diz respeito a um acidente, como quando se diz que aquele que está sentado ou que é músico é o mesmo que Sócrates. Todos esses usos, com efeito, significam identidade numérica.

A verdade do que acabo de dizer pode ver-se com mais clareza quando uma forma de apelação é substituída por outra. Muitas vezes, com efeito, quando damos ordem de chamar uma das pessoas que estão sentadas, designando-a por seu nome, mudamos de descrição sempre que aquele a quem damos a ordem não nos entende. Parece-nos que ele nos compreenderá melhor se apontarmos algum aspecto acidental, por exemplo, chamar "o homem que está sentado", ou "aquele que está conversando". Isso significa designar o indivíduo pelo seu acidente.

8

É preciso, portanto, distinguir, como já foi dito, os três sentidos da palavra "identidade". Ora, a indução é uma das maneiras de confirmar que os elementos mencionados anteriormente são aqueles a partir dos quais, por meio dos quais e para os quais procedem os argumentos. Se alguém examinasse as proposições e os problemas um por um, veria que cada um deles parte ou da definição de alguma coisa, ou de uma propriedade sua, ou do seu gênero, ou de um seu acidente. Outra maneira de confirmá-lo é através do silogismo. Com efeito, todo predicado de alguma coisa deve necessariamente ser ou não convertível com seu sujeito: e, se é convertível, será sua definição ou uma propriedade sua, porque, se significa a essência, é a definição. Do contrário, é uma propriedade, pois foi assim que definimos a propriedade, a saber: o que se predica de maneira conversível, porém, não significa a essência. Se não se predica da coisa de maneira convertível, ou é ou não é um dos termos contidos na definição do sujeito; e se é um desses termos, será o gênero ou a diferença, visto que a definição consiste no gênero e nas diferenças; e se não é um desses termos, evidentemente será um acidente, pois já dissemos que o acidente é aquilo que pertence como atributo a um sujeito sem ser nem sua definição, nem seu gênero, nem uma propriedade.

9

A seguir, devemos distinguir as categorias nas quais os quatro predicados citados anteriormente podem ser encontrados. Elas são dez: essência, quantidade, qualidade, relação, lugar, tempo, posição, estado, ação e paixão. O acidente, o gênero, a propriedade e a definição, do que quer que seja, sempre caberão em uma dessas categorias: pois todas as proposições que por meio delas se efetuarem ou significarão a essência de alguma coisa, ou sua qualidade, ou quantidade, ou algum dos outros tipos de predicado. Parece evidente que, quando se expressa a essência de alguma coisa, se expressa, muitas vezes, uma substância, uma qualidade ou algum dos outros tipos de predicado. Quando se coloca um homem em nossa frente e dizemos que o que ali está colocado é "um homem" ou "um animal", estamos afirmando sua essência, a qual significa uma substância. No entanto, quando uma cor branca é posta diante de nossos olhos e dizemos que ali está o "branco" ou "uma cor", afirmamos sua essência, qual, por sua vez, significa uma qualidade. Do mesmo modo, quando somos postos diante de uma grandeza de um côvado e ele diz que o que tem diante de si é "uma grandeza de um côvado", estará descrevendo sua essência e significando uma quantidade. E por igual em todos os outros casos: pois cada uma dessas espécies de predicados, tanto quando é afirmada de si mesma como quando seu gênero é afirmado dela, significa uma essência. Porém, quando uma espécie de predicado é afirmada de outra espécie, não significa uma essência, mas uma quantidade, uma qualidade ou qualquer das outras espécies de predicado. Tais e tantos são os sujeitos em torno dos quais giram os argumentos, além dos materiais de que se formam. Como devemos adquiri-los e por que meios chegaremos a estar bem providos deles é o que nos caberá dizer agora.

10

Em primeiro lugar devemos definir o que seja uma "proposição dialética" e um "problema dialético", pois nem toda proposição, tampouco todo problema podem ser apresentados como dialéticos. Com efeito, ninguém que estivesse em seu juízo perfeito faria uma proposição de algo que ninguém admite, tampouco faria um problema do que é evidente para todo mundo ou para a maioria das pessoas, porque isso não suscitaria nenhum questionamento. Já no que diz respeito à primeira suposição, ela não teria o assentimento de ninguém. Ora, uma proposição dialética consiste em perguntar alguma coisa que é admitida por todos os humanos, pela maioria deles ou pelos filósofos, ou seja, ou por todos ou pela maioria ou pelos mais eminentes, contanto que não seja contrária à opinião geral. Um homem assentirá provavelmente ao ponto de vista dos filósofos se esse não contrariar as opiniões da maioria das pessoas. As proposições dialéticas ainda incluem opiniões que são semelhantes às geralmente aceitas, além das proposições que contradizem os contrários das opiniões que se consideram geralmente aceitas, assim como todas as opiniões que estão em harmonia com as artes acreditadas. Portanto, supondo-se que seja opinião geral de que o conhecimento dos contrários é o mesmo, é provável que também pudesse passar por uma opinião geral de que a percepção dos contrários é a mesma. Do mesmo modo, supondo-se que seja opinião geral que há uma só ciência da gramática, poderia passar por uma opinião geral de que há uma só ciência de tocar flauta. Porém, se for opinião geral que há mais de uma ciência da gramática, poderia passar por uma opinião geral que da mesma forma haja mais de uma ciência de tocar flauta, pois todas essas coisas parecem assemelhar-se e têm entre si certo ar de parentesco. Do mesmo modo, também as opiniões que contradizem os contrários das opiniões gerais passarão por opiniões gerais. Isso ocorre porquê, se é opinião geral que se deve fazer bem a seus amigos, será também opinião geral de que não se deve fazer nada que os prejudique. Aqui, que se deva causar dano aos seus amigos é algo contrário à opinião geral, já sua contraditória e que não se deve causar-lhes dano. Tal afirmação é uma contraditória desse contrário. Da mesma forma, o bem aos amigos deve ser feito, não se deve fazer bem aos inimigos. Essa é também a contraditória da opinião contrária à opinião geral.

Comparando tais razões entre si, parecerá também uma opinião geral que o predicado contrário pertence ao sujeito contrário. Por exemplo, deve-se fazer bem aos amigos, deve-se também fazer mal aos inimigos, talvez pareça também que fazer bem aos amigos seja o contrário de fazer mal aos inimigos. A decisão se isso é ou não assim em realidade ocorrerá durante nossa discussão acerca dos contrários. É também evidente que todas as proposições que se harmonizam com as artes são proposições dialéticas. Isso acontece porque os homens estão predispostos a dar seu assentimento aos pontos de vista daqueles que estudaram essas coisas. Em uma questão de medicina, por exemplo, concordarão com o médico, em uma questão de geometria, com o geômetra, e da mesma forma nos outros casos.

11

Um problema dialético é um tema de investigação que contribui para a escolha ou a rejeição de alguma coisa, ou ainda para a verdade e o conhecimento, quer por si mesmo, quer como ajuda para a solução de algum outro problema do mesmo tipo. Deve, além disso, ser algo a cujo respeito os homens não tenham opinião em um sentido ou em outro, ou o vulgo tenha opinião contrária à dos filósofos, ou a destes seja contraria à daquele, ou a de alguns filósofos seja contrária à de outros. Quanto a alguns problemas, com efeito, é útil conhecê-los com vistas na escolha ou na rejeição — por exemplo, se o prazer deve ou não ser escolhido —, enquanto a outros é útil conhecer tendo unicamente em mira o próprio conhecimento — como, se o universo é ou não eterno —; e outros, afinal, não são úteis em si e por si mesmos para qualquer desses fins, mas nos ajudam a solucionar outros problemas da mesma espécie. Há muitas coisas que não desejamos conhecer em si e por si mesmas, porém, com a mira em outras coisas e a fim de que, por meio delas, possamos vir a conhecer essas outras.

Os problemas também incluem questões em relação às quais os silogismos se chocam (consiste então a dificuldade em se tal ou tal coisa é ou não assim, havendo argumentos convincentes a favor de ambos os pontos de vista, portanto, quando existe uma dúvida em torno da questão). Há outros, que por serem extremamente vastos, não possuímos nenhum argumento e temos dificuldade em expor nossas razões. Isso ocorre na questão sobre se o universo é eterno ou não: pois também é possível investigar questões dessa classe.

Os problemas e as proposições devem ser definidos como o exposto antes. Uma tese é uma concepção proposta por algum filósofo eminente e contrária à opinião geral. Por exemplo, a ideia de que a contradição é impossível, como disse Antístenes; ou o ponto de vista de Heráclito, de que todas as coisas estão em movimento; ou aquela de que o ser é uno, como afirma Melisso. No entanto, ocupar-nos com uma pessoa comum quando esta expressa um ponto de vista contrário às opiniões usuais dos homens seria tolice. Ou talvez se trate de uma concepção sobre a qual tenhamos uma teoria raciocinada contrária às opiniões usuais dos homens, por exemplo, a concepção defendida pelos sofistas, de acordo com a qual nem tudo que é foi gerado ou é eterno, uma vez que um músico que é também gramático o "é" sem jamais ter sido gerado como tal e sem ser essa coisa (músico ou gramático) eternamente. Visto que, mesmo que um homem não aceite tal teoria, poderia aceitá-la fundando-se em que é razoável. Ora, uma "tese" é também um problema, embora nem sempre um problema seja uma tese, visto serem certos problemas de tal espécie que não temos sobre eles nenhuma opinião em um sentido ou em outro. É evidente que uma tese também constitui um problema, pois do que dissemos antes se deduz necessariamente que ou a grande maioria dos homens discorda dos filósofos no tocante à tese, ou uma ou a outra classe está em desacordo consigo mesma, já que a tese é uma suposição em conflito com a opinião geral. Em verdade, quase todos os problemas dialéticos são hoje em dia chamados "teses". Mas não se deve dar muita importância à denominação que utilizada. Aqui, nosso objetivo ao distingui-los não foi criar uma terminologia e sim reconhecer as diferenças que podem ser encontradas entre essas duas formas.

Não devemos examinar todo problema nem toda tese, mas somente aqueles que possam causar constrangimentos aos que necessitam de argumento e não de castigo. Pois uma pessoa que não sabe se devemos ou não honrar os deuses e amar nossos genitores necessita de castigo. Já aqueles que não sabem se a neve é ou não branca necessitam de percepção. Os temas não devem aproximar-se demasiadamente da esfera da demonstração, tampouco estar muito afastados dela, pois os primeiros não admitem nenhuma dúvida, enquanto os segundos envolvem dificuldades demasiado grandes para a arte do instrutor.

12

Estabelecidas tais distinções, devemos diferenciar agora quantas são as espécies de argumentos dialéticos. Temos por um lado a indução e por outro o silogismo. Já dissemos antes o que é o silogismo. Quanto à indução, ela é a passagem dos particulares aos universais. Vejamos, por exemplo, o seguinte argumento: supondo-se que o piloto hábil seja o mais eficiente, assim como o auriga mais hábil o melhor auriga, segue-se que, de um modo geral, o indivíduo hábil é o melhor em qualquer esfera particular. A indução é a mais convincente e mais clara. Aprende-se com mais facilidade pelo uso dos sentidos e é aplicável à grande massa dos homens em geral, embora o raciocínio seja mais potente e eficaz contra as pessoas inclinadas a contradizer.

13

Assim, as classes de coisas a respeito das quais e a partir das quais se constroem os argumentos devem ser distinguidas da maneira que indicamos anteriormente. Os meios pelos quais lograremos estar bem supridos de silogismos são quatro:

(1) prover-nos de proposições;

(2) a capacidade de discernir em quantos sentidos se emprega uma determinada expressão particular;

(3) descobrir as diferenças das coisas;

(4) a investigação da semelhança.

Os últimos três são também, em certo sentido, proposições, pois é possível formar uma proposição correspondente a cada um deles. Por exemplo:

(1) "o desejável pode significar tanto o honroso como o agradável ou o vantajoso";

(2) "a sensação difere do conhecimento em que o segundo pode ser recuperado depois que o perdemos, enquanto a primeira não o pode"

(3) "a relação entre o saudável e a saúde é semelhante à que existe entre o vigoroso e o vigor".

A primeira proposição depende do uso do termo em diferentes sentidos; a segunda das diferenças entre as coisas; e a terceira de sua semelhança.

14

As proposições devem ser escolhidas de um número de maneiras correspondente ao número de distinções estabelecidas no tocante à proposição: assim, podem-se tomar primeiro as opiniões sustentadas pela totalidade das pessoas, pela maioria delas ou pelos filósofos, ou seja, por todos, pela maioria ou pelos mais eminentes; ou opiniões contrárias àquelas que parecem ser geralmente admitidas; e, por fim, todas as opiniões que estão em harmonia com as artes. Devemos também formar proposições com as contraditórias das opiniões contrárias às que parecem ser aceitas, segundo se estabeleceu antes. É igualmente útil formá-las selecionando não somente aquelas opiniões que são atualmente aceitas, mas também as que se assemelham a essas, por exemplo: "a percepção dos contrários é a mesma" (já que o conhecimento deles é o mesmo), e "vemos pela admissão de alguma coisa em nós mesmos, e não por uma emissão" — pois assim acontece no que se refere aos outros sentidos. Ao ouvir, admitimos alguma coisa dentro de nós mesmos, não emitimos nada. É da mesma maneira que sentimos o gosto das coisas. E analogamente nos demais casos. Além disso, todos os juízos que parecem ser verdadeiros em todos ou na maioria dos casos devem tomar-se como um princípio ou posição aceita, pois são emitidos por aqueles que não veem ao mesmo tempo nenhuma exceção. Devemos fazer também nossa escolha nos manuais escritos de argumentação e organizar listas sumárias de tais argumentos sobre cada espécie de assunto, classificando-os em capítulos separados, como: "Do Bem" ou "Da Vida" – e esse "Do Bem" deve tratar de toda forma de bem, começando pela categoria da essência. E convém indicar também, à margem, as opiniões de diversos pensadores, como, por exemplo: "Empédocles disse que os elementos dos corpos são quatro", pois qualquer um pode dar seu assentimento ao que diz se alguma autoridade geralmente aceita.

Se encararmos a questão em linhas gerais, existem três grupos: algumas são proposições éticas; outras versam sobre a filosofia natural e outras, enfim, são lógicas. Proposições como a seguinte são éticas: "deve um homem obedecer antes aos seus genitores ou às leis, quando estão em desacordo?". Um exemplo de proposição lógica é: "o conhecimento dos opostos é ou não é o mesmo?". Já proposições como esta dizem respeito à filosofia natural: "é ou não é eterno o universo?". Do mesmo modo, no que tange aos problemas, a natureza de cada uma das supraditas espécies de proposição não se expressa com facilidade em uma definição, mas devemos esforçar-nos por reconhecer cada uma delas graças a uma familiaridade conquistada por meio da indução, examinando-as à luz dos exemplos dados acima.

Para os fins da filosofia, devemos tratar dessas coisas de acordo com sua verdade, mas para a dialética basta que tenhamos em vista a opinião geral. Todas as proposições devem ser tomadas em sua forma mais universal, convertendo-se, depois, uma em muitas. Por exemplo: "o conhecimento dos opostos é o mesmo"; a seguir: "o conhecimento dos contrários é o mesmo"; depois, "dos termos relativos". As proposições devem ser divididas até onde possa ir a divisão. Por exemplo: o conhecimento "do bem e do mal", "do branco e do preto" ou "do frio e do quente". E de maneira análoga em todos os outros casos.

15

Sobre a formação das proposições, são suficientes as observações feitas anteriormente. No tocante ao número de sentidos que um termo comporta, não devemos limitar-nos a tratar daqueles termos que possuem diferentes sentidos, mas também esforçar-nos por defini-los. Por exemplo, não devemos dizer apenas que a justiça e a coragem são chamadas "bens" em um sentido e o que favorece o vigor e o que favorece a saúde são assim chamados em outro sentido, mas também que as primeiras recebem essa denominação em virtude da qualidade intrínseca que possuem em si mesmas e os segundos porque produzem um certo resultado e não por possuírem em si mesmos alguma qualidade intrínseca. E de modo análogo nos demais casos.

Se um termo comporta vários significados específicos ou apenas um, deve ser considerado pelos meios seguintes. Procura-se ver primeiro, caso seu contrário tenha vários significados, se a discrepância entre estes é de espécie ou de nomes. Pois, em alguns casos, a diferença se manifesta de imediato nos próprios nomes: por exemplo, o contrário de "agudo", tratando-se de uma nota, é "grave"; e, tratando-se de um ângulo sólido, é "obtuso". É evidente que o contrário de "agudo" tem vários significados. Com efeito, "agudo" não será a mesma coisa quando contrário a "grave" e quando contrário a "obtuso", embora "agudo" seja o contrário de ambos. E também grave (denso) no caso de uma nota musical tem como contrário "agudo", mas no caso de uma massa sólida seu oposto é "leve", de modo que é usado em várias acepções, já que isso acontece também com o seu contrário. E, do mesmo modo, o contrário de "belo" quando aplicado a uma pintura é "feio", mas, quando diz respeito a uma casa, seu contrário seria "arruinada" ou "vil". Portanto, "belo" é também um termo ambíguo.

Em certos casos, não há nenhuma discrepância nos termos usados, mas uma diferença de espécie entre as acepções é evidente à primeira vista. Por exemplo, no uso de "claro" e "escuro" pois tanto um som como uma cor podem ser chamados "claros" ou "escuros". Quanto aos nomes, portanto, não há discrepância, mas a diferença de espécie entre os significados é óbvia. Não chamamos uma cor de "clara" no mesmo sentido que um som. Isso se manifesta também por meio da sensação, porque temos a mesma sensação das coisas que são idênticas em espécie, ao passo que não aquilatamos a clareza pela mesma sensação no caso do som e da cor, uma vez que a segunda é julgada pela visão e a primeira pela audição. E da mesma forma com "agudo" e "obtuso" no tocante aos sabores e aos ângulos sólidos. Aqui, no segundo caso, julgamos pelo tato; no primeiro, pelo paladar. Também nesse caso não há qualquer discrepância nos nomes usados, tanto no que toca aos termos originais como aos seus contrários, pois o contrário de "agudo" é também, em qualquer das acepções, "obtuso".

É preciso verificar, além disso, se uma acepção de um termo tem um contrário, enquanto outra não tem absolutamente nenhum. Por exemplo, o prazer de beber tem seu contrário no desprazer da sede, enquanto o prazer de descobrir que a diagonal é incomensurável com o lado não tem nenhum contrário, de modo que "prazer" e usado em mais de um sentido. Também "amar", quando se refere ao estado de ânimo, tem como contrário "odiar", ao passo que quando se aplica à atividade física não tem nenhum. Evidentemente, "amar" é um termo ambíguo. Mais ainda: no tocante aos intermediários, é preciso ver se alguns significados e seus contrários têm um intermediário, enquanto outros não os têm, ou se ambos têm um intermediário, porém não o mesmo, como "claro" e "escuro" no que concerne às cores têm como intermediário "cinzento", embora no caso dos sons não tenham nenhum, a menos que se considere como tal "áspero", pois algumas pessoas dizem que um som áspero é intermediário. "Claro" é um termo ambíguo como também o é o termo "escuro". Veja-se, igualmente, se alguns deles têm mais de um intermediário enquanto outros não têm nenhum, como sucede com "claro" e "escuro", que em referência às cores têm muitos intermediários, ao passo que no capítulo dos sons só existe um, a saber: "áspero".

No caso de um oposto contraditório, é preciso ver igualmente se ele tem mais de um significado. Porque, se assim for, seu oposto será também usado em mais de uma acepção. Por exemplo, "não ver" é uma expressão que tem mais de um significado, a saber: (1) não ter o sentido da vista e (2) não fazer uso ativo dessa capacidade. No entanto, se "não ver" tem mais de um significado, segue-se de maneira indispensável que "ver" também tem mais de um, pois haverá um oposto para cada sentido de "não ver". Nesse caso, o oposto de "não possuir o sentido da visão" e possuí-lo, enquanto o oposto de "não fazer uso ativo do sentido da visão" é fazer uso ativo dele. Examine-se, além disso, o caso dos termos que denotam a privação ou a presença de um certo estado: porque, se um dos termos tem mais de uma acepção, o mesmo acontecerá com o outro. Por exemplo, "ter sensibilidade" se usa em mais de um sentido, conforme se aplique à alma ou ao corpo, "estar privado de sensibilidade" também será usado em mais de um sentido, segundo se referir à alma ou ao corpo. Que a oposição entre os termos agora examinados depende da presença ou privação de um certo estado é evidente, pois os animais têm naturalmente ambas as espécies de "sensibilidade", tanto no que se refere à alma quanto ao corpo.

Examinem-se da mesma maneira as formas derivadas. Se "justamente" possui mais de um sentido, "justo" também será usado em mais de um significado, visto que haverá um acepção de "justo" correspondente a cada acepção de "justamente". Por exemplo, se a palavra "justamente" se emprega no sentido de julgar de acordo com sua própria opinião, e também no de julgar como se deve, então "justo" será usado de igual maneira. De maneira análoga, se "saudável" tem mais de um significado, "saudavelmente" também será usado em mais de uma acepção. Por exemplo, se "saudável" significa tanto o que produz saúde e o que a conserva como o que dá mostras de saúde, "saudavelmente" também será usado nos seguinte sentidos: "de maneira a produzir" ou "conservar" ou "dar mostras de" saúde. E, do mesmo modo nos outros casos, sempre que o termo original comporte mais de um significado, o termo que dele se deriva será usado em mais de um significado, e vice-versa.

Considerem-se também as classes de predicados que o termo significa, procurando ver se são as mesmas em todos os casos. Caso não sejam as mesmas, o termo será evidentemente ambíguo. Por exemplo, "bom", no caso de alimentos, significa "que causa prazer"; já no caso de medicamentos é aquilo "que promove a saúde"; ao passo que, se o aplicarmos à alma, significará a posse de certa qualidade, como a de ser temperante, corajoso ou justo e o mesmo ocorrerá quando o termo for aplicado a "ser humano". Por vezes, significa o que acontece em determinada ocasião. O que é "bom" é aquilo ocorrido na ocasião oportuna. Não raro, significa o que existe em determinada quantidade, por exemplo: quando se aplica à quantidade apropriada; pois a quantidade apropriada também é chamada de boa. Por tudo isso, vê-se que o termo "bom" é ambíguo. E, analogamente, "claro", quando aplicado a um corpo, significa uma cor, mas em referência a uma nota designa o que é fácil de ouvir. "Agudo" é também um caso que tem estreita semelhança com esse, pois o mesmo termo não tem o mesmo significado em todas as suas aplicações; com efeito, uma nota aguda é uma nota rápida, como nos ensinam todos os teóricos matemáticos da harmonia, ao passo que um ângulo agudo é aquele que é menor do que um ângulo reto, enquanto um punhal agudo é o que possui uma ponta penetrante (pontiagudo).

Atenda-se também aos gêneros dos objetos designados pelo mesmo termo e veja-se se são diferentes sem ser subordinados um ao outro. Um exemplo disso é "gato", que designa tanto o animal como o utensílio. Com efeito, as definições correspondentes ao nome são diferentes em cada caso. Em um deles se dirá que é um animal de determinada espécie; no outro, um utensílio usado para certo fim. Se, contudo, houver subordinação entre os gêneros, não é necessário que as definições sejam diferentes. Assim, "animal" é o gênero de "corvo" e também de "ave". Por conseguinte, sempre que dizemos que o corvo é uma ave, também dizemos que ele é uma determinada espécie de animal, de modo que ambos os gêneros se predicam dele. Igualmente, sempre que dizemos que o corvo é um "animal bípede voador", nós o classificamos como ave. Dessa maneira, ambos os gêneros se predicam de corvo, bem como sua definição. Isso, porém, não acontece no caso dos gêneros que são subalternos, pois sempre que chamamos uma coisa de "utensílio" não a chamamos de animal e vice-versa. É também preciso prestar atenção e ver se não somente os gêneros dos termos que temos diante de nós são diferentes sem ser subalternos, mas também se isso acontece com seus contrários, porque se o contrário comporta diversas acepções, evidentemente, o termo que temos diante de nós também as comporta.

É do mesmo modo útil examinar a definição que cabe ao termo usado em combinação. Por exemplo, de um "corpo claro" e de uma "nota clara". Porque se abstrairmos aqui o que é peculiar a cada caso, a mesma expressão deve permanecer. Isso não acontece no caso dos termos ambíguos que acabamos de mencionar. Porque o primeiro será "um corpo que tem tal e tal cor", enquanto o segundo será "uma nota fácil de ouvir". Basta retirarmos "um corpo" e "uma nota" e o que resta não é o mesmo em cada caso. Deveria, contudo, ser o mesmo se as acepções de "claro" fossem sinônimas em ambos os casos.

Muitas vezes a ambiguidade também se insinua sem ser notada nas próprias definições, motivo pelo qual cumpre examiná-las. Se, por exemplo, alguém definir o que dá mostras de saúde e o que a promove como "relacionado comensuravelmente com a saúde", não devemos dar isso de barato, mas examinar em que sentido nosso adversário usou o termo "comensuravelmente" em cada caso. É necessário identificar se, no segundo, significa "que é em quantidade adequada para promover a saúde" e, no primeiro, "que é de índole a manifestar que espécie de estado prevalece".

Além disso, é preciso ver se os termos não podem ser comparados como "mais ou menos" e "de igual maneira", como sucede com um som "claro" e uma roupa "clara" ou uma nota "aguda" e um sabor "agudo" (ou seja, picante). Com efeito, não se diz que essas coisas sejam "claras" ou "agudas" em grau igual, nem que uma é mais clara ou mais aguda do que a outra. De onde se segue que "claro" e "agudo" são ambíguos, dado que os sinônimos são sempre comparáveis, já que sempre se empregam da mesma maneira, ou então em grau maior em um dos casos. Portanto, como nos gêneros que são diferentes sem serem subalternos, as diferenças também são diferentes em espécie, por exemplo, as de "animal" e de "conhecimento" (pois as diferenças destes dois gêneros são, com efeito, diferentes), é preciso ver se os significados compreendidos sob o mesmo termo são diferenças de gêneros que diferem entre si sem serem subalternos. Nesse caso, "agudo" é de uma nota e de um sólido. Porque o ser "agudo" diferencia uma nota de outra e de igual modo um sólido de outro. "Agudo" é um termo ambíguo, por expressar diferenças de gêneros que diferem entre si sem serem subalternos.

É preciso ver também se os próprios significados incluídos sob o mesmo termo têm diferenças distintas, como a "cor" nos corpos e a "cor" ou "cromatismo" nas melodias, pois as diferenças da "cor" nos corpos se distinguem e se comparam por meio da vista, ao passo que a "cor" nas melodias não tem as mesmas diferenças.

Além disso, como a espécie nunca é a diferença de coisa alguma, deve-se examinar atentamente se um dos significados incluídos sob o mesmo termo é uma espécie e o outro uma diferença. Por exemplo, "claro" (isto é, "branco") aplicado a um corpo é uma espécie de cor, ao passo que no caso de uma nota é uma diferença, pois uma nota se distingue de outra pelo fato de ser mais ou menos "clara".

16

A presença de vários significados em um termo pode ser investigada por esses meios e outros semelhantes. As diferenças que as coisas apresentam entre si devem ser examinadas dentro do mesmo gênero. Por exemplo, "em que a justiça difere da coragem e a sabedoria da temperança?" (já que todas essas coisas pertencem ao mesmo gênero), quanto também de um gênero para outro, principalmente se não estiverem muito afastados. Isso ocorre no seguinte caso: "no que a sensação difere do conhecimento?". Já nos casos de gêneros muito afastados um do outro, as diferenças são bastante óbvias.

17

A semelhança deve ser estudada, em primeiro lugar, nas coisas que pertencem a gêneros diferentes, segundo a fórmula A:B = C:D (p. ex., o conhecimento relaciona-se com o objeto de conhecimento assim como a sensação se relaciona com o objeto de sensação) e "A está para B como C está para D" (p. ex., assim como a visão está no olho, a razão está na alma, e assim como há calma no mar, há falta de vento no ar). A prática se faz especialmente necessária quando os termos estão muito afastados entre si, pois nos outros poderemos ver com mais facilidade, de um relance, os pontos de semelhança. Devemos também examinar as coisas que pertencem a um mesmo gênero para ver se todas elas têm um atributo idêntico, como é o caso de homem, cavalo e cão, porque, na medida em que possuem algum atributo idêntico eles também são semelhantes entre si.

18

É útil ter examinado a pluralidade de significados de um termo, tanto no interesse da clareza (pois uma pessoa está mais apta a saber o que afirma quando tem uma noção nítida do número de significados que a coisa pode comportar), como para nos certificarmos de que nossos silogismos estarão de acordo com os fatos reais e não se referirão somente aos termos usados. Porque, enquanto não ficar bem claro em quantos sentidos se usa um termo, pode acontecer que quem responde e quem interroga não tenham suas mentes dirigidas para a mesma coisa, ao passo que, depois de se haver esclarecido quantos são os significados e também qual deles o primeiro tem em mente quando faz sua asserção, o que pergunta pareceria ridículo se deixasse de dirigir seus argumentos a esse ponto.

Isso também nos ajuda a evitar que nos enganem com falsos raciocínios, porque, se conhecemos o número de significados de um termo, com certeza, nunca nos deixaremos enganar por um falso raciocínio, pois perceberemos facilmente quando o que interroga deixa de encaminhar seus argumentos ao mesmo ponto. Isso servirá também para quando interrogarmos alguém, pois poderemos induzir nosso adversário em erro se ele não conhecer o número de significados do termo. Isso, todavia, não é sempre possível, mas somente quando, dos múltiplos sentidos, alguns são verdadeiros e outros são falsos. Entretanto, essa forma de argumentar não pertence à dialética com propriedade. Os dialéticos devem abster-se por todos os meios desse tipo de discussão verbal, a não ser que alguém seja absolutamente incapaz de discutir de qualquer outra maneira o tema que tem diante de si.

Descobrir as diferenças das coisas nos ajuda tanto nos raciocínios sobre a identidade e a diferença quanto a reconhecer a essência de cada coisa particular. Além disso, nos auxilia a raciocinar sobre a identidade e a diferença, principalmente porque toda vez que descobrirmos uma diferença qualquer entre os objetos que temos diante de nós, já teremos mostrado que eles não são idênticos. Essa prática é boa para reconhecer o que é uma coisa particular, porque em geral distinguimos a expressão própria da essência de cada coisa particular por meio das diferenças que lhe são próprias.

O exame da semelhança é útil tanto para os argumentos indutivos como para os raciocínios hipotéticos, bem como para a formulação de definições. É útil para os argumentos indutivos, porque é por meio de uma indução de casos individuais semelhantes que podemos colocar em evidência o universal. Isso não é fácil quando ignoramos os pontos de semelhança. É útil para os raciocínios hipotéticos porque, entre semelhantes, de acordo com a opinião geral, o que é verdadeiro de um é também verdadeiro dos demais. Se em relação a qualquer deles estivermos bem supridos de materiais para discussão, garantiremos a aceitação preliminar de que, como quer que seja nesses casos, também assim será no caso que temos diante de nós. Portanto, quando tivermos demonstrado o primeiro, teremos também demonstrado, em virtude da hipótese, o caso que nos interessa em particular, pois primeiro havíamos estabelecido a hipótese de que, como quer que fosse nesses casos, também seria no caso que tínhamos diante de nós, e a seguir provamos nossa tese no tocante àqueles casos. É útil também na formulação de definições porque, se podemos ver em um relance de olhos o que é idêntico em cada caso individual do sujeito, não nos dará nenhum trabalho determinar o gênero em que deve ser incluído o objeto que temos diante de nós quando se tratar de defini-lo. Com efeito, dentre os predicados comuns, o que pertence de maneira mais definida à categoria da essência é provavelmente o gênero. Do mesmo modo, também no caso de objetos que divergem largamente uns dos outros, o exame da semelhança é útil para os fins da definição, como a identidade da calma no mar estar relacionada à ausência de vento no ar (pois cada uma delas é uma forma de repouso). Quando percebemos no gênero o que é comum a todos os casos, ninguém poderá considerar nossa definição como inadequada. É, aliás, dessa maneira que os amigos de definições as fazem quase sempre, afirmando, por exemplo, que a unidade é o ponto de partida do número e que o ponto é o ponto de origem da linha. É evidente, pois, que tomam como gênero dessas coisas aquilo que é comum a ambas.

São esses os meios pelos quais se efetuam os raciocínios. Os tópicos, ou lugares-comuns, para cuja observância são úteis os argumentos mencionados anteriormente são nosso próximo tema.

Livro II

1

Alguns problemas são universais e outros particulares. Exemplo de problemas universais são: "todo prazer é bom" e "nenhum prazer é bom". Já os particulares, por sua vez, são: "alguns prazeres são bons" e "alguns prazeres não são bons".

Os métodos para estabelecer e lançar por terra, de modo universal uma opinião são comuns a ambas as espécies de problemas. Quando demonstramos que um predicado se aplica a todos os casos de um sujeito, também apontamos que ele se aplica a alguns casos. Do mesmo modo, quando indicamos que ele não se aplica a algum caso, também revelamos que não se aplica a todos os casos. Em primeiro lugar, pois, falaremos dos métodos para rebater universalmente um ponto de vista, pois esses são comuns tanto aos problemas universais como aos particulares, isso porque as pessoas mais comumente estabelecem teses afirmando predicados do que negando-os, enquanto os que discutem com elas procuram rebatê-los.

A conversão de um nome apropriado que se deriva do elemento "acidente" é uma coisa extremamente precária, pois no caso do acidente, e em nenhum outro, é possível que uma coisa seja condicional e não universalmente verdadeira. Os nomes derivados dos elementos "definição", "propriedade" e "gênero" são conversíveis por necessidade. Por exemplo, se "ser um animal que anda com dois pés é um atributo de S", também será verdadeiro dizer, por conversão, que "S é um animal que anda com dois pés". O mesmo ocorre quando se deriva do gênero, porque, se "ser um animal é um atributo de S", então "S é um animal".

E de modo igual no caso de uma propriedade, pois se "ser capaz de aprender gramática é um atributo de S", então "S será capaz de aprender gramática". Com efeito, nenhum desses atributos pode pertencer ou deixar de pertencer a seu sujeito em parte: devem pertencer ou não pertencer de forma absoluta. No caso dos acidentes, no entanto, nada impede que um atributo (a altura ou a justiça, por exemplo) pertença em parte a seu sujeito, de modo que não basta mostrar que a altura ou a justiça é um atributo de uma pessoa para provar que ela é alta ou justa, pois isso fica sujeito a contestação e a dizer-se que ela é alta ou justa somente em parte. A conversão, por conseguinte, não se dá necessariamente no caso dos acidentes. Devemos também definir os erros que ocorrem nos problemas. São eles de duas espécies: causados ou por um juízo falso, ou por uma transgressão da linguagem corrente. Visto que aqueles que formulam juízos falsos, afirmando que um atributo pertence a uma coisa quando não lhe pertence, cometem um erro; já aquele que chama os objetos pelos nomes de outros objetos (p. ex., chamando de homem a um plátano) transgride a terminologia estabelecida.

2

Ora, bem: uma regra ou tópico é examinar se a pessoa com quem debatemos atribuiu como acidente algo que é aplicável de alguma outra maneira. Esse erro se comete mais comumente no que se refere aos gêneros das coisas. Por exemplo, se alguém dissesse que o branco é uma cor por acidente. O branco não é uma cor por acidente. Cor é o gênero de branco. O que afirma pode, naturalmente, defini-lo assim, usando essas mesmas palavras e dizendo que "a justiça é acidentalmente uma virtude". Porém, mesmo sem tais definições, é evidente que ele apresentou o gênero como se fosse um acidente. Suponha-se que alguém dissesse que a brancura é colorida ou que o passear está em movimento. Com efeito, um predicado derivado do gênero nunca se aplica à espécie sob uma forma derivada, mas os gêneros sempre se predicam literalmente das espécies, já que as espécies assumem tanto o nome como a definição de seus gêneros. Portanto, o homem que diz que o branco é "colorido" não apresentou "colorido" como o gênero do branco, visto ter usado uma forma derivada, tampouco como uma propriedade ou como uma definição, pois esta e a propriedade de uma coisa pertencem a ela e a nada mais, ao passo que há muitas coisas, além do branco, que são coloridas, como uma pedra, um homem, um cavalo. É evidente, portanto, que ele o expressa como um acidente.

Outra regra é examinar todos os casos em que se afirmou ou se negou universalmente que um predicado pertence a alguma coisa. É preciso encará-las espécie por espécie e não em sua infinita multidão. Assim, a pesquisa será mais direta e mais rápida. Deve-se considerar primeiro os grupos mais primários, começar por eles. Depois ir avançando em ordem até aqueles que já não são divisíveis. Se, por exemplo, um homem disse que o conhecimento dos opostos é o mesmo, deve-se examinar se assim é no tocante aos opostos relativos, aos contrários, aos termos que significam a privação e aos termos contraditórios. Depois, se a consideração desses casos não nos forneceu nenhum resultado evidente, devemos dividi-los novamente até chegar aos que já não são divisíveis. Em seguida, examinar se assim acontece com os atos justos e injustos, ou com o dobro e a metade, ou com a cegueira e a visão, ou com o ser e o não ser. Em qualquer desses casos, demonstra-se que o conhecimento que se tem dos opostos não é o mesmo, logo, teremos demolido o problema. E com tanto mais razão se o predicado não pertence ao sujeito em nenhum caso.

Tal regra é conversível com fins tanto destrutivos como construtivos, porque, se depois de termos sugerido uma divisão, o predicado parece ser válido em todos os casos ou em grande número deles, podemos exigir que o outro o afirme universalmente, ou então apresente um exemplo negativo para mostrar em que caso o predicado não é válido, já que, se ele não fizer nenhuma dessas coisas, o negar-se a afirmar o colocará em uma posição absurda.

Outra regra é dar definições tanto de um acidente como do seu sujeito, quer de ambos separados, quer de um deles só. Depois disso, examinar se alguma falsidade foi admitida como verdadeira nas definições. Assim, por exemplo, para ver se é possível fazer injustiça a um deus, pergunte-se primeiro o que é "fazer injustiça". Porque, se isso significar "causar dano deliberadamente", é evidente que não se pode fazer injustiça a um deus, porque deus não é passível de qualquer espécie de dano. Ou, então, para ver se o homem bom é invejoso, pergunte-se quem é o homem "invejoso" e o que é "inveja". Porque, se a "inveja" é a dor causada pelo êxito aparente de uma pessoa de boa conduta, evidentemente, o homem bom não é invejoso, porque, nesse caso, ele seria mau. Ou ainda, para ver se o homem indignado é invejoso, pergunte-se o que é cada um deles, pois desse modo será posto em evidência se a afirmação é verdadeira ou falsa. Por exemplo, se é "invejoso" aquele que se desgosta com os êxitos dos bons e é "indignado" aquele que se magoa com os êxitos dos maus, é evidente que o homem indignado não será invejoso.

Devemos também substituir os termos contidos em nossas definições por outras definições e não nos determos até chegarmos a um termo familiar. Muitas vezes, se a definição se formula inteira, o ponto em questão não fica óbvio, porém, ele se tornará evidente se substituirmos um dos termos usados na definição por sua própria definição.

Além disso, devemos nós mesmos apresentar o problema sob a forma de uma proposição e depois apresentar um exemplo negativo contra ela, o qual será uma base de ataque à asserção. Essa regra é quase idêntica àquela que nos manda examinar os casos em que um predicado foi afirmado ou negado universalmente, mas difere dela no arranjo do argumento. Deve-se ainda definir que espécies de coisas serão chamadas conforme faz a maioria dos homens e quais as que devem receber outro nome. Porque isso é útil tanto para estabelecer como para rebater um ponto de vista. Por exemplo, diríamos que nossos termos devem ser usados para significar as mesmas coisas que a maioria das pessoas significa com eles. No entanto, quando perguntamos que classe de coisas são de tal ou tal espécie, não devemos acompanhar aqui a multidão. Nesse caso, é acertado chamar de "saudável" tudo que tende a promover a saúde, como faz a maioria dos homens. Contudo, ao dizer se o objeto que temos diante de nós tende ou não a promover a saúde, já não convém adotar a linguagem da multidão e, sim, a do médico.

3

Além disso, se o termo é usado em diversos sentidos e se estabeleceu que ele é ou não é um atributo de S, deve-se demonstrar o argumento pelo menos em um dos vários sentidos, isso quando não for possível fazê-lo em todos. Tal regra deve ser observada nos casos em que a diferença de significados passa despercebida, pois, supondo-se que ela seja evidente, o adversário objetará que o ponto que ele colocou em questão não foi discutido, mas sim, outro ponto. Esse tópico ou lugar é conversível tanto com o fim de estabelecer um ponto de vista como de lançá-lo por terra. Porque, se queremos estabelecer uma afirmação, mostraremos que em um dos sentidos o atributo pertence ao sujeito, se não pudermos demonstrá-lo em ambos os sentidos. Porém, se estivermos rebatendo uma afirmação, demonstraremos que em um sentido o atributo não corresponde ao sujeito, quando não pudermos demonstrá-lo em ambos os sentidos.

É claro que, ao rebater um juízo, não há nenhuma necessidade de começar a discussão levando o interlocutor a admitir o que quer que seja. Isso pode ser aplicado se o juízo afirma ou nega o atributo universalmente. Se conseguirmos apontar que em um caso qualquer o atributo não pertence ao sujeito, teremos demolido a afirmação universal. Da mesma maneira, se indicarmos que ele pertence em um só caso que seja, teremos demolido a negação universal. Ao estabelecer uma proposição, ao contrário, teremos de garantir a admissão preliminar de que, se ela é atribuível em um caso qualquer, é atribuível de forma universal, contanto que essa pretensão seja razoável. Visto que não basta discutir um caso único para demonstrar que um atributo se predica universalmente. Para argumentar, por exemplo, que a alma do homem é imortal, toda alma deve ser imortal. Nesse sentido, é preciso ter obtido a admissão prévia de que se uma alma qualquer é imortal, toda alma é imortal. Isso não se deve fazer em todos os casos, somente naqueles em que não podemos apontar facilmente um argumento único que seja aplicável a todos os casos em comum. Um exemplo disso é: o geômetra pode argumentar que o triângulo tem seus ângulos iguais a dois ângulos retos.

Se for óbvia a variedade de acepções do termo, cumpre distinguir quantos significados ele tem antes de passar a refutar ou a estabelecer. Supondo-se que "o correto" signifique "o conveniente" ou "o honroso", procurar-se-á estabelecer ou rebater ambas as descrições do sujeito em questão, mostrando que ele é honroso e conveniente ou que não é honroso nem conveniente. Na eventualidade de que seja impossível demonstrar ambas as coisas, deve-se demonstrar uma delas, acrescentando que a predicação é verdadeira em um sentido e não no outro. A mesma regra vale também para quando o número de acepções em que se divide o termo é superior a dois.

Considere-se, contudo, aquelas expressões cujos significados são muitos, mas não diferem em razão da ambiguidade de um termo e sim de outra maneira. Por exemplo: "a ciência de muitas coisas é uma só". Nesse caso, "muitas coisas" pode significar tanto o fim como os meios que conduzem a esse fim. Por exemplo, a medicina tanto é a ciência de produzir a saúde quanto da maneira de observar uma dieta. Aqui, ou ambas podem ser fins, como quando se diz que a ciência dos contrários é a mesma (pois, entre os contrários, um deles não é mais fim do que o outro), ou então, pode se tratar de um atributo essencial e de outro acidental, como fato essencial de que o triângulo tem seus ângulos iguais a dois ângulos retos e o fato acidental de que a figura equilátera também tenha essa propriedade, pois é em função do acidente de ser o equilátero um triângulo que sabemos que ele tem seus ângulos iguais a dois ângulos retos. Senão, é possível em qualquer sentido do termo que a ciência de muitas coisas seja a mesma, evidentemente, é de todo impossível que seja assim. Porém, se é possível em algum sentido, então evidentemente é possível. Distingam-se tantos significados quantos forem necessários. Por exemplo, se queremos estabelecer um ponto de vista, devemos pôr em evidência todos aqueles significados que o admitam, depois dividi-lo somente naqueles significados que são necessários para estabelecer nossa tese. No entanto, se queremos rebater um ponto de vista, devemos trazer à luz todos os que não admitem esse ponto de vista e deixar o resto de lado. Nesses casos, é também necessário levar em conta qualquer incerteza a respeito do número de significados envolvidos. Além disso, que uma coisa é ou não é "de" outra deve ser estabelecido por meio das mesmas normas ou lugares, ou seja, que uma determinada ciência é de uma determinada coisa, tratada como um fim, como meio para alcançar um fim ou como relacionada com ela por acidente; ou então, que não é "de" tal coisa em nenhum dos sentidos ou maneira indicados anteriormente. A mesma regra vale também para o desejo e todos os outros termos que têm mais de um objeto. Visto que o "desejo de X" pode significar o desejo dele como um fim (como o desejo da saúde), ou como um meio para a obtenção de um fim (como o desejo de ser medicado), ou como uma coisa desejada de modo acidental, como acontece no caso do vinho, que a pessoa gulosa deseja não por ser vinho, mas por ser doce. Com efeito, essa pessoa deseja essencialmente o doce, e apenas acidentalmente o vinho. Porém, se o mesmo for seco, tal pessoa já não o desejará. Seu desejo pelo vinho é, portanto, acidental. Essa regra é útil ao tratar com termos relativos, pois os casos desse tipo são geralmente casos de termos relativos.

4

É bom, além disso, trocar um termo por outro mais familiar. Substituir, por exemplo, "exato" por "claro" ao descrever uma concepção e "intrometer-se" por "atuar oficiosamente", pois quando a expressão é mais familiar, torna-se mais fácil atacar a tese. Essa norma é também utilizável para ambos os fins, isto é, tanto para estabelecer como para lançar por terra um ponto de vista.

Quando pretendemos mostrar que atributos contrários pertencem à mesma coisa, devemos nos ater ao gênero. Por exemplo, se queremos demonstrar que a exatidão e o erro são possíveis no que se refere à percepção sensível, e perceber é julgar, dado que é possível julgar exata ou erroneamente, também no tocante à percepção devem ser possíveis a exatidão e o erro. No exemplo presente, a prova procede do gênero e passa desse à espécie, visto que "julgar" é o gênero de "perceber" e o homem que percebe julga de certa maneira. Mas pode seguir a direção contrária e ir da espécie para o gênero, pois todos os atributos que pertencem à espécie pertencem de igual modo ao gênero. Se há um conhecimento mau e um conhecimento bom, há também uma boa e uma má disposição, logo "disposição" é o gênero de conhecimento. Ora, o primeiro argumento tópico é enganoso quando se trata de estabelecer um ponto de vista, ao passo que o segundo é verdadeiro. Com efeito, não é necessário que todos os atributos pertencentes ao gênero também pertençam à espécie. "Animal", por exemplo, é alado e quadrúpede, já o ser humano não é nenhuma dessas duas coisas. Por outro lado, todos os atributos que pertencem à espécie devem necessariamente pertencer também ao gênero; porque, se "homem" é bom, então, "animal" também é bom. E, ao contrário, para o fim de demolir uma opinião, o primeiro tópico é verdadeiro, enquanto o segundo é enganador, já que todos os atributos que não pertencem ao gênero não pertencem tampouco à espécie, ao passo que todos os que faltam à espécie não faltam necessariamente ao gênero.

Como aquelas coisas das quais se predica o gênero devem necessariamente ter também uma das espécies que também se predique delas, e como aquelas coisas que estão na posse do gênero em questão ou são descritas por termos derivados desse gênero devem também de forma indispensável estar na posse de uma de suas espécies e ser descritas por termos derivados de uma dessas espécies (p. ex., se a alguma coisa se aplica o termo "conhecimento científico", então se aplicará também a ela o conhecimento "gramatical" ou "musical", ou o conhecimento de uma das outras ciências; e se alguém possui conhecimento científico ou é descrito por um termo derivado de "ciência", esse alguém também possuirá o conhecimento gramatical, o musical, ou o conhecimento de alguma das demais ciências, ou será descrito por um termo derivado de uma delas, como "gramático" ou "músico"). Por conseguinte, se afirmamos que uma expressão qualquer é de algum modo derivada do gênero (que a alma está em movimento), devemos tentar ver se a alma pode ser movida com alguma das espécies de movimento — se ela pode crescer, ser destruída, gerar-se ou ter qualquer outra espécie de movimento. Porque, se a alma não se move de nenhuma dessas maneiras, evidentemente, não se move em absoluto. Esse tópico serve para ambos os propósitos, tanto para desbaratar como para estabelecer uma opinião, pois, se a alma se move com alguma das espécies de movimento, é evidente que ela se move.

Se alguém não estiver bem provido de um argumento contra a afirmação, procure entre as definições, reais ou aparentes, da coisa que tem diante de si, e se uma não for suficiente, lance mão de várias. Com efeito, será mais fácil rebater uma pessoa quando ela estiver presa a uma definição, pois as definições são sempre mais fáceis de atacar.

Examine-se além disso, com respeito à coisa em questão, pelo que ela é condicionada ou o que ela condiciona por necessidade. Tudo isso, a partir da constatação de que ela existe. Se desejamos estabelecer um ponto de vista ou opinião, é preciso investigar o que existe, de cuja realidade se seguirá a realidade dessa coisa em questão, porque se demonstrarmos que a primeira é real, também teremos demonstrado que a coisa em questão é real. Se, ao contrário, deseja desmantelar uma opinião, deve-se perguntar o que existe, uma vez que tal coisa exista, porque se demonstrarmos que o que se segue da coisa em questão é irreal, teremos destruído a possibilidade de existência dessa mesma coisa.

Considere-se também o tempo implicado, para ver se há discrepância em alguma parte: suponha-se, por exemplo, que um homem afirmou que o que é alimentado cresce necessariamente: pois os animais estão de maneira indispensável sempre sendo alimentados, mas nem sempre crescem. E também da mesma forma se ele disse que conhecer é lembrar-se: porque uma dessas coisas diz respeito ao tempo passado, enquanto a outra tem que ver igualmente com o presente e com o futuro. Diz-se, com efeito, que conhecemos as coisas presentes e futuras (podemos saber que haverá um eclipse), ao passo que é impossível lembrar-se de nada que não pertença ao passado.

5

Existe, além disso, o método sofístico do argumento. Nele, levamos nosso adversário a fazer afirmações contra as quais estamos bem providos de linhas de argumentação. Esse procedimento é, por vezes, uma necessidade real; outras, uma necessidade aparente; e em outras ainda pode sequer parecer necessário. Só é de fato necessário quando aquele que responde negar algum ponto de vista que seja útil no ataque à tese por ele defendida. Nesse momento, aquele que pergunta dirige então seus argumentos no sentido de apoiar seu ponto de vista. Deve se fazer isso quando se está bem provido de tópicos. É também realmente necessário sempre que ele (o que interroga), tendo chegado previamente a uma certa afirmação por meio de uma indução feita a partir da opinião expressa por seu interlocutor, procure depois demolir essa afirmação, porque, uma vez demolida esta, a opinião expressa de início fica também refutada.

É uma necessidade aparente quando o ponto para o qual passa a dirigir-se a discussão parece ser útil e relevante para a tese sem o ser realmente, quer porque o homem que se opõe ao argumento se tenha recusado a conceder alguma coisa, quer porque ele (o que pergunta) tenha previamente chegado a ela por uma indução plausível baseada na tese e trate então de demoli-la.

O caso restante é quando o ponto ao qual a discussão passou a dirigir-se não é nem real, nem aparentemente necessário e, por sorte do contendente, é refutado em uma simples questão secundária. Deve-se ter cautela com o último dos métodos mencionados, pois parece estar desvinculado por completo da arte da dialética e ser totalmente estranho a ela. Por essa mesma razão, o contendente não deve perder a calma, mas dar seu assentimento a afirmações que nenhuma utilidade têm no ataque à tese, acrescentando uma indicação sempre que assente, embora não concorde com o ponto de vista.

Visto que, via de regra, a confusão dos que perguntam se torna maior se, depois de lhes terem sido concedidas todas as proposições dessa espécie, não podem chegar à conclusão alguma. Além disso, quem tenha feito uma afirmação qualquer fez, em certo sentido, várias afirmações, dado que cada afirmação tem um número de consequências necessárias. Por exemplo, quem disse "X é um homem" também disse que ele é um animal, que é um ser animado e um bípede, e que é capaz de adquirir razão e conhecimento, de forma que, pela demolição de uma só destas consequências, seja ela qual for, a afirmação original é igualmente demolida. Mas aqui também é preciso acautelar-se para não passar a um argumento mais difícil, pois, muitas vezes, é asserção consequencial, como ocorre às vezes com a tese original, é a mais fácil de refutar.

6

Com respeito aos sujeitos que devem ter um, e apenas um, dentre dois predicados (p. ex., um homem deve ser doente ou saudável), supondo-se que no tocante a um deles estejamos bem providos de argumentos para afirmar sua presença ou ausência, estaremos igualmente bem documentados no que se refere ao outro. Essa regra é conversível para ambos os fins, pois quando tivermos demonstrado que um dos argumentos pertence ao sujeito, teremos demonstrado também que o outro não lhe pertence; e, se demonstrarmos que um deles não lhe pertence, teremos demonstrado a predicabilidade do outro. É evidente que a regra é útil para ambos os fins.

Além disso, pode-se adotar uma linha de ataque que consiste em reinterpretar um termo no seu sentido literal, implicando que é mais adequado tomá-lo assim do que no sentido estabelecido. Por exemplo, a expressão "de coração forte" não sugerirá o homem corajoso, de acordo com o uso presentemente estabelecido, mas o homem cujo coração se acha em ótimo estado de saúde. Já a expressão "de boa esperança" pode ser entendida no sentido de um homem que espera boas coisas. Por analogia, "de boa estrela" pode ser tomada no significado do homem cuja estrela é boa. Como diz Xenócrates: "Afortunado (eudaimon) é aquele que tem uma alma boa, pois a alma é a fortuna de cada homem".

Algumas coisas acontecem por necessidade, outras de modo habitual, outras por acaso. Portanto, quando se afirma que um acontecimento necessário ocorre habitualmente, ou que um acontecimento usual (ou, na falta de tal acontecimento, seu contrário) ocorre necessariamente, isso sempre fornece um ensejo para atacar nosso debatedor. Porque, se alguém afirmou que um acontecimento necessário ocorre habitualmente, em razão disso, negou a universalidade de um atributo universal, cometendo então um erro. Da mesma forma, se declarou que o atributo usual é de fato necessário, afirmou que ele se predica universalmente. Sabemos também que não é assim. Analogamente, se nosso debatedor sustentar que necessário é o contrário do que é habitual. Sabemos que o contrário de um atributo usual é sempre um atributo relativamente raro. Por exemplo, se os homens são por hábito maus, é relativamente raro encontrar um homem bom, de modo que o erro do contendor é ainda pior squando se afirma que os homens são necessariamente bons. O mesmo é verdadeiro se ele afirmou que uma simples questão de acaso ocorre necessária ou habitualmente, pois um fato eventual não acontece nem de modo necessário nem habitual. Se a coisa acontece habitualmente, então, mesmo supondo-se que sua afirmação não deixe bem claro se ele entende que a coisa em questão sucede habitualmente ou de forma necessária, dá margem a contestações. Por exemplo, quando se afirma, sem fazer distinção alguma, que as pessoas deserdadas são más, podemos supor, na discussão, que se quis dizer que tais pessoas são assim necessariamente.

É preciso também verificar se, por acaso afirmou que uma coisa é um acidente de si mesma, tomando-a por algo diferente porque tem um nome distinto, como Pródico, que dividia os prazeres em alegria, deleite e regozijo, todos sinônimos da mesma coisa: o prazer. Portanto, se alguém disser que a alegria é um atributo acidental de regozijo, estará dizendo que ela é um atributo acidental de si mesma.

7

Os contrários podem ser ligados uns aos outros de seis maneiras e quatro dessas uniões formam uma contrariedade. Devemos, consequentemente, entender tal assunto a fim de que isso nos possa ajudar tanto a estabelecer como a demolir uma opinião. É evidente que os modos de conjunção são seis:

(1) Ou cada um dos verbos contrários será ligado a cada um dos objetos contrários e isso nos fornece dois modos: "fazer bem aos amigos e fazer mal aos inimigos" ou "fazer mal aos amigos e fazer bem aos inimigos";

(2) Ambos os verbos podem ser unidos a um só objeto, o que também nos fornece dois modos: "fazer bem aos amigos e fazer mal aos amigos" ou "fazer bem aos inimigos e fazer mal aos inimigos" e;

(3) Um só verbo pode ser ligado a ambos os objetos, o que nos fornece igualmente dois modos: "fazer bem aos amigos e fazer bem aos inimigos" ou "fazer mal aos amigos e fazer mal aos inimigos".

As duas primeiras das conjunções supramencionadas não constituem nenhuma contrariedade, já que "fazer bem aos amigos" não é contrário a "fazer mal aos inimigos", uma vez que ambas as maneiras de proceder são desejáveis e correspondem a uma mesma disposição. Tampouco "fazer mal aos amigos" é contrário a "fazer bem aos inimigos", pois ambas as coisas são reprováveis e pertencem à mesma disposição, e não se pensa geralmente que uma coisa reprovável seja contrária a outra, a menos que uma denote um excesso e a outra uma deficiência, pois em geral um excesso é incluído na classe das coisas a serem evitadas, da mesma forma que uma deficiência. Mas todas as outras quatro constituem uma contrariedade. Com efeito, "fazer bem aos amigos" é o contrário de "fazer mal aos amigos", pois essas coisas procedem de disposições contrárias, sendo uma delas desejável enquanto a outra é reprovável. O caso é semelhante no que tange às outras conjunções, pois em cada uma dessas combinações um modo de proceder é desejável e o outro reprovável, ou seja, um corresponde a uma disposição razoável e o outro a uma má disposição. Pelo que ficou dito, torna-se claro que o mesmo modo de proceder tem mais de um contrário. Com efeito, "fazer bem aos amigos" tem como contrários tanto "fazer mal aos amigos" como "fazer bem aos inimigos". E, se os examinarmos do mesmo ângulo, veremos que os contrários de cada um dos outros também são em número de dois. Escolha-se, portanto, qualquer dos dois contrários que seja útil para atacar uma tese.

Além disso, se o acidente de uma coisa tem um contrário, é preciso verificar se este pertence ao sujeito a que foi atribuído o acidente em apreço, porque, se o segundo lhe pertence, não pode pertencer-lhe o primeiro, visto ser impossível que predicados contrários pertençam simultaneamente à mesma coisa.

Deve-se examinar ainda se de alguma coisa foi dita outra coisa de tal índole que, se for verdadeira, predicados contrários devem necessariamente pertencer à primeira. Por exemplo, se o contendor afirmou que as "ideias" existem em nós, daí resultará que elas estão ao mesmo tempo em movimento e em repouso. Além disso, que são objetos tanto de sensação como de conhecimento. Com efeito, de acordo com as opiniões dos que afirmam a existência de ideias, as mesmas estariam em repouso e seriam objetos de conhecimento. Ora, se elas existem em nós, é impossível que estejam imóveis, pois quando nos movemos segue-se necessariamente que tudo que em nós existe se move conosco. Não é menos evidente que ideias são objetos de sensação, porque, se elas existem em nós, será pela sensação da visão que reconhecemos a forma presente em cada indivíduo.

Além do mais, se foi dito que um acidente tem um contrário, é preciso ver se aquilo que admite o acidente admite também seu contrário, pois uma mesma coisa admite contrários. Por exemplo, se o contendor afirmou que o ódio se segue à ira, o ódio pertenceria, nesse caso, à "faculdade irascível", pois é a essa que pertence a ira. Deve-se, por conseguinte, verificar se seu contrário, a saber, o amor (do grego φιλία, filia), também pertence à "faculdade irascível", porque se assim não for, se o amor pertencer à faculdade apetitiva, então o ódio não pode seguir-se à ira. E, de maneira análoga, se o outro afirmou que a faculdade apetitiva é ignorante, pois, se fosse capaz de ignorância, seria também capaz de conhecimento e não é esta a opinião geral. Não é um entendimento frequente que a faculdade apetitiva seja capaz de conhecimento. Quando se pretende rebater uma opinião, como já foi dito, deve-se observar essa regra; quando, ao contrário, se trata de estabelecer um ponto de vista, embora a regra não ajude a afirmar que o acidente pertence atualmente ao sujeito, ajuda a defender a possibilidade de tal predicação. Pois ao demonstrar que a coisa em questão não admite o acidente que lhe foi atribuído, teremos demonstrado que o acidente não lhe pertence, nem é possível que lhe pertença. Se demonstrarmos que o contrário lhe pertence,

ou que a coisa comporta o contrário, não teremos, em verdade, demonstrado ainda que o acidente afirmado também lhe pertence. Nossa prova não terá ido além desse ponto: a possibilidade de que ele lhe pertença.

8

Dado que os modos de oposição são em número de quatro, devemos procurar argumentos entre as contraditórias de nossos termos, invertendo a ordem de sua sequência tanto ao rebater uma opinião como ao estabelecê-la. Nós os obteremos por meio da indução, por meio de argumentos como: "se o homem é um animal, o que não é um animal não é um homem". O mesmo ocorrerá nos outros casos de contraditórias. Com efeito, nesses casos, a sequência é invertida porque "animal" se segue de "homem", mas "não animal" não se segue de "não homem". No entanto, quando invertemos a ordem, "não homem" segue-se de "não animal". Em todos os casos, por conseguinte, deve-se fazer um postulado dessa espécie. Por exemplo, se o gostoso é agradável, o que não é agradável não é gostoso. Se este último é falso, também será o primeiro. Do mesmo modo: se o que não é agradável não é gostoso, então o que é gostoso é agradável. Evidentemente, a inversão da sequência formada pela contradição dos termos é um método conversível para ambos os fins.

Examine-se, a seguir, o caso dos contrários na tese para ver se o contrário de um se segue ao contrário do outro, quer diretamente, quer por conversão, tanto quando se rebate como quando se estabelece uma opinião. Convém munir-se de argumentos dessa espécie também por meio da indução, na medida em que isso for necessário. Ora, a sequência é direta em um caso como o da coragem e da covardia, pois de uma delas se segue a virtude e da outra o vício. De uma se segue o que é desejável; da outra, o que é reprovável. Portanto, a sequência é também direta no segundo caso, pois o desejável é o contrário do reprovável. E do mesmo modo nos outros casos. Todavia, a sequência é inversa em um caso como o seguinte: a saúde é consequência do bom estado físico, mas a doença não é consequência do mau estado físico, ao contrário, é este que segue àquela. Seria, portanto, mais correto dizer que o mau estado físico é consequência da doença. Nesse caso, pois, é evidente que a sequência é inversa. Isso é, contudo, raro no caso dos contrários, onde, habitualmente, a sequência é direta. Quando o contrário de um dos termos não se segue do contrário do outro nem direta nem inversamente, é evidente que tampouco um dos termos se segue do outro na afirmação feita, ao passo que, se um é consequência do outro no caso dos contrários, também deve ser assim na afirmação inicial. Devem-se também examinar os casos de privação ou presença de um estado do mesmo modo que no caso dos contrários. Acontece, apenas, que em tais casos não ocorre a sequência inversa. Ela é, forçosamente, sempre direta. Por exemplo, a sensação é consequência da vista, ao passo que a ausência dessa sensação (a visão) é consequência da cegueira. Com efeito, a oposição entre sensação e ausência de sensação é uma oposição entre a presença e a privação de um estado, pois um deles é um estado e o outro é a privação do mesmo.

O caso dos termos relativos deve ser estudado da mesma maneira que o de um estado e de sua privação, pois aqui a sequência também é direta. Por exemplo, se três vezes é um múltiplo, então um terço é uma fração, pois três vezes é relativo a um terço assim como um múltiplo é relativo a uma fração. E, igualmente, se o conhecimento é um modo de conceber, o objeto do conhecimento também será um objeto de concepção. Dessa forma, se a vista é uma sensação, também o objeto da vista será um objeto de sensação. Poder-se-ia levantar aqui a objeção de que, no caso dos termos relativos, não há nenhuma necessidade de ocorrer a sequência da maneira descrita, pois o objeto de sensação é um objeto de conhecimento, ao passo que a sensação não é conhecimento. Essa objeção, contudo, não se admite em geral como válida de fato, pois muitos negam que haja um conhecimento de objetos de sensação. Além disso, o principio formulado não tem menos utilidade para o propósito contrário, isto é, para demonstrar que o objeto de sensação não é um objeto de conhecimento, apoiando-se em que tampouco a sensação é conhecimento.

9

Convém examinar também os coordenados e as formas derivadas dos termos que constituem a tese, tanto ao refutá-la como ao estabelecê-la. Entendem-se por "coordenados" termos como os seguintes: "ações justas" e "homem justo" são coordenados de "justiça"; e "atos corajosos" e "homem corajoso", por sua vez, são coordenados de "coragem". Analogamente, também as coisas que tendem para produzir e conservar alguma coisa chamam-se coordenadas daquilo que tendem a produzir ou conservar. Por exemplo, "hábitos saudáveis" são coordenados de "saúde", e um "exercício vigoroso" de uma "constituição vigorosa", e de modo análogo também em outros casos. "Coordenado", pois, em geral designa casos como os que acabamos de mencionar, enquanto "formas derivadas" são "justamente", "corajosamente", "saudavelmente" e outras formadas da mesma maneira. Em geral, admite-se que palavras usadas em suas formas derivadas são também coordenadas, como "justamente" em relação a "justiça" e "corajosamente" a "coragem". Segundo tal ponto de vista, coordenado designa todos os membros da mesma série de termos afins, como "justiça", "justo" (quando aplicado a um homem ou a um ato) e "justamente". É evidente que quando se demonstra que é bom e digno de louvor um membro qualquer de uma série de termos afins, o mesmo fica demonstrado de todos os demais. Por exemplo, se "justiça" é algo digno de louvor, também "justo" e "justamente" conotarão algo digno de louvor. Portanto, "justamente" será também expresso por "louvavelmente", derivado de "louvável" por meio da mesma inflexão que de "justiça" se formou "justamente".

Deve-se procurar o predicado contrário não somente no caso do sujeito mencionado, como também no do sujeito contrário. Sustente-se, por exemplo, que o bem não é necessariamente agradável, pois tampouco o mal é doloroso; ou, se este último é assim, também será agradável o primeiro. Se a justiça é conhecimento, então, a injustiça é ignorância; se "justamente" significa "sabiamente" e "habilmente", então, "injustamente" significa "ignorantemente" e "inabilmente". Podemos afirmar ainda que se o último não é verdadeiro tampouco o será o primeiro, como no exemplo dado acima, pois é mais provável que "injustamente" pareça equivaler a "habilmente" do que a "inabilmente". Esse tópico já foi explicado anteriormente, quando tratamos da sequência dos contrários. Agora, o que pretendemos é que do contrário segue o contrário, nada mais.

Examinem-se, além disso, os modos de geração e corrupção de uma coisa, e aquelas coisas que tendem a produzi-la ou destruí-la, tanto ao refutar quanto ao estabelecer uma opinião. Porque aquelas coisas cujos modos de geração se classificam entre as coisas boas são também boas elas mesmas. Logo, se elas mesmas são boas, também o são seus modos de geração. Porém, quando seus modos de geração forem maus, elas próprias também serão más. Quanto aos modos de corrupção, o inverso é verdadeiro: se os modos de corrupção se classificam como bons, então as coisas mesmas serão más; ao passo que, se os modos de corrupção são considerados maus, as próprias coisas serão boas. O mesmo argumento se aplica também àquilo que tem o poder de criar e destruir, porque as coisas produzidas por agentes criadores bons são também boas elas mesmas, ao passo que, as coisas das quais os agentes destruidores são bons são elas mesmas classificadas como más.

10

Devem-se examinar também as coisas que se assemelham ao sujeito em questão e verificar se encontram-se em um caso semelhante. Por exemplo, se um ramo de conhecimento tem mais de um objeto, o mesmo ocorrerá com uma opinião; se ter visão é ver, então ter audição é ouvir. O mesmo pode se aplicar às demais coisas, tanto as que são semelhantes como as que são geralmente consideradas como tais. O tópico de que falamos é comum para os dois fins, porquê, se afirmou algo de alguma coisa particular, a mesma afirmação se aplicará também às coisas semelhantes, ao passo que, se afirmação não é verdadeira de uma delas, também não o será das outras.

Procure-se ver ainda se os casos são semelhantes com respeito a uma só coisa e com respeito a várias coisas, pois muitas vezes nos deparamos com uma discrepância. Assim, se "conhecer" alguma coisa é "pensar" nela, logo, "conhecer muitas coisas é estar pensando em muitas coisas". Ocorre que isso não é verdadeiro, pois é possível conhecer muitas coisas sem estar pensando nelas. Se a última proposição não é verdadeira, tampouco é a primeira, que se referia a uma coisa só, a saber, "conhecer" uma coisa é "pensar" nela.

Argumente-se, além disso, partindo dos graus superiores e inferiores. Existem quatro regras ou tópicos no que toca aos graus superiores e inferiores. Uma delas é: examinar se a um grau superior do predicado se segue um grau superior do sujeito, por exemplo, se o prazer é um bem, um prazer maior é um bem maior; se fazer uma injustiça é um mal, fazer uma injustiça maior é um mal maior. Essa regra é útil para ambos os fins, pois, se um acréscimo do acidente é seguido de um incremento do sujeito, como dissemos, é evidente que o acidente pertence ao sujeito, ao passo que se uma coisa não se segue da outra, o acidente não pertence ao sujeito. Isto deve ser estabelecido por indução.

Outra regra é: se um predicado é atribuído a dois sujeitos, supondo-se que ele não pertença ao sujeito ao qual é mais provável que pertença, tampouco deverá pertencer àquele a que é menos provável que pertença. Inversamente, se pertence ao sujeito ao qual é menos provável que pertença, deverá pertencer igualmente ao outro. Isso posto, se dois predicados são atribuídos a um sujeito, então se acontece não lhe pertencer o que, em geral, mais se acredita que lhe pertença, tampouco lhe pertencerá o outro. Por conseguinte, se lhe pertence o que geralmente menos se acredita que lhe pertença, com mais forte razão lhe pertencerá o outro. Mais ainda: se dois predicados são atribuídos a dois sujeitos, então, se aquele que mais se acredita pertencer a um dos sujeitos não lhe pertence, tampouco o predicado restante pertence ao sujeito restante; ou ainda, se o que menos geralmente se acredita pertencer a um dos sujeitos lhe pertence, com maior razão pertencerá o outro ao sujeito restante.

Além disso, pode-se argumentar, partindo do fato de que um atributo pertence (ou com frequência se supõe que pertença) em grau igual ao sujeito, de três maneiras, correspondentes aos três últimos tópicos dados em relação a um grau maior. Porquê, admitindo-se que um predicado pertence, ou supõe-se que pertença a dois sujeitos em grau igual, então, se ele não pertence a um deles, tampouco pertence ao outro; ao passo que, se pertence a um dos dois, deverá pertencer também ao outro. Ou, supondo-se que dois predicados pertencem em grau igual ao mesmo sujeito, então, se um deles não lhe pertence, tampouco e pertencerá o outro; ao passo que, se um dos dois lhe pertence de fato, o outro também lhe pertencerá. O caso também é o mesmo se dois predicados pertencem em grau igual a dois sujeitos, porque, se um dos predicados não pertence a um dos sujeitos, tampouco o outro predicado pertencerá ao outro sujeito, ao passo que se um dos predicados pertence a um dos sujeitos, o outro predicado também pertencerá ao outro sujeito.

Pode-se, pois, argumentar partindo de graus superiores, inferiores ou iguais de verdade, do número de maneiras que acabamos de indicar. Deve-se, além disso, argumentar partindo da adição de uma coisa a outra. Se a adição de uma coisa a outra faz com que esta se torne boa ou branca, quando anteriormente não era boa nem branca, então a coisa acrescentada será branca ou boa, ou seja, de modo necessário ela deve possuir o caráter que comunica ao todo. Em compensação, se a adição de alguma coisa a um dado objeto intensifica o caráter que ele tinha tal como foi dado, então a coisa acrescentada terá, ela mesma, esse caráter. E, analogamente, quanto aos demais atributos. Essa regra não é aplicável a todos os casos, mas apenas àqueles em que se veja realmente que ocorre o excesso descrito por nós como "intensidade aumentada". Não é essa regra, no entanto, conversível para o fim de refutar uma opinião. Porque se a coisa acrescentada não torna a outra boa, nem por isso é evidente que ela mesma não seja boa. Com efeito, a adição do bom ao mau não faz necessariamente com que o mau se torne bom, como a adição do branco ao preto não faz com que o preto se torne branco. Em contrapartida, qualquer predicado de que possamos expressar graus superiores ou inferiores de inerência pertence também ao sujeito em absoluto, pois graus superiores de bom ou branco não se atribuirão ao que não é bom ou branco. Logo, de uma coisa má nunca se dirá que tem um grau superior ou inferior de bondade do que outra, mas sempre de maldade. Essa regra tampouco é conversível para o fim de refutar uma predicação, visto que vários predicados dos quais não podemos expressar um grau superior pertencem a seus sujeitos de maneira absoluta. O termo "homem", por exemplo, não é atribuído em grau superior ou inferior, mas um homem é um homem de maneira absoluta. Devem-se examinar do mesmo modo os predicados que se atribuem sob um aspecto determinado e em um tempo e lugar dados, isso porquê, se o predicado é possível sob determinado aspecto, é também possível absolutamente. O mesmo ocorre quanto ao que é predicado em um tempo ou lugar dado, pois aquilo que é absolutamente impossível tampouco é possível sob qualquer aspecto, nem em qualquer tempo ou lugar. Nesse ponto, pode-se levantar uma objeção, dizendo que sob determinado aspecto, as pessoas podem ser boas por natureza, por exemplo, podem ser inclinadas à generosidade ou à temperança, mas de um modo absoluto não são boas por natureza, pois ninguém é prudente por natureza. Do mesmo modo, também é possível que uma coisa escape à corrupção em uma ocasião determinada, não sendo, todavia, possível que escape absolutamente a ela.

Também é uma boa coisa, em certos lugares, observar tal dieta ou regime, por exemplo, em zonas contaminadas, embora não seja uma coisa boa em sentido absoluto. Além disso, em certos lugares, é possível viver isolado e só, mas, falando de modo absoluto, não é possível viver isolado e só. Do mesmo modo, também em certos lugares é honroso sacrificar o próprio pai, como entre os Tribalos, ao passo que falando de modo absoluto, isso não é honroso. Ou talvez isso indique uma relatividade não a lugares, mas a pessoas, pois onde quer que elas se encontrem acontece o mesmo. Em toda parte, esse ato será considerado honroso entre os Tribalos, simplesmente porque são Tribalos.

Mais ainda: em certas ocasiões, é uma coisa boa tomar medicamentos, por exemplo, quando se está doente, mas não é assim de modo absoluto. Ou talvez isso possa indicar uma relatividade não a uma ocasião determinada, mas a um determinado estado de saúde, pois não importa quando isso ocorra, se a pessoa se encontra em tal estado.

Uma coisa é "absolutamente" assim se estamos dispostos a dizer dela, sem qualquer adição, que é honrosa ou o contrário. Negaremos, por exemplo, que seja honroso sacrificar o próprio pai. Isso só é honroso para determinada gente. Não o é, por conseguinte, honroso em sentido absoluto. Em compensação, diremos que honrar os deuses é honroso sem acrescentar mais nada, porque é honroso em sentido absoluto. E assim, de tudo aquilo que, sem qualquer adição, se considere geralmente honroso ou desonroso, ou qualquer outra coisa da mesma espécie, se dirá que é assim "absolutamente".

Livro III

1

A questão sobre qual é a mais desejável ou a melhor entre duas ou mais coisas será examinada a seguir. Não obstante, antes de mais nada, devemos deixar bem claro que a investigação que estamos fazendo não diz respeito a coisas que divergem muito e mostram grandes diferenças umas das outras (pois ninguém expressa a menor dúvida sobre se é mais desejável a felicidade ou a riqueza), mas a coisas que se relacionam estreitamente entre si e sobre as quais costumamos discutir para saber qual das duas deveremos preferir, por não vermos nenhuma vantagem de um lado ou de outro ao compará-las. É evidente, pois, que se em tais casos pudermos mostrar uma única vantagem, ou mais de uma, nosso juízo entenderá que a parte com maior vantagem será a mais desejável.

Em primeiro lugar, pois, o que é mais duradouro e seguro é preferível àquilo ao que é menos. Do mesmo modo, o que tem mais probabilidades de ser escolhido pelo homem sábio ou prudente, pelo homem bom ou pela lei justa, por homens que são hábeis em um campo qualquer, quando fazem sua escolha como tais e pelos peritos em determinadas classes de coisas, isto é, o que a maioria ou o que todos eles escolheriam. Por exemplo, em medicina ou em carpintaria, são mais desejáveis as coisas que escolheria a maioria dos médicos ou carpinteiros, ou todos eles; por exemplo, o bem, pois tudo visa o bem. De modo geral, o que escolheria a maioria dos homens, ou todos os homens, ou todas as coisas, pois todas as coisas visam o bem. Deve-se orientar o argumento que se pretende empregar para qualquer fim que se necessite. O padrão absoluto do que é "melhor ou mais desejável" é o ditame da melhor ciência, se bem que relativamente a um indivíduo dado o padrão possa ser sua ciência particular.

Em segundo lugar, aquilo que é conhecido como "um X" é mais desejável do que aquilo que não se inclui no gênero "X": por exemplo, a justiça é mais desejável do que um homem justo, porque a primeira se inclui no gênero "bem", o que não acontece com o segundo; e a primeira é chamada "um bem", ao passo que o segundo não o é, pois nada que não pertença ao gênero em causa é chamado pelo nome genérico, por exemplo, um "homem branco" não é uma cor. E analogamente nos demais casos.

E também o que se deseja por si mesmo é preferível àquilo que se deseja com vistas em outra coisa. Por exemplo, a saúde é preferível à ginástica, porque a primeira é desejada por si mesma, enquanto a segunda é desejada com vistas em outra coisa. E, do mesmo modo, o que é desejável por si mesmo é mais desejável do que aquilo que se deseja acidentalmente. Por consequência, a justiça é mais desejável em nossos amigos do que em nossos inimigos, pois a primeira é desejável em si mesma e a segunda por acidente. Em razão disso, desejamos que nossos inimigos sejam justos por acidente a fim de que não nos causem dano. Esse princípio é o mesmo que o precedente, embora expresso de outro modo. Visto que desejamos a justiça em nossos amigos por si própria, mesmo que isso não faça nenhuma diferença para nós e ainda que eles estejam na Índia, ao passo que em nossos inimigos nós a desejamos por outra coisa e a fim de que eles não nos causem dano.

De outro modo, aquilo que em si mesmo é causa do bem é mais desejável do que aquilo que o é por acidente. Por exemplo, a virtude é mais desejável do que a sorte (pois a primeira é, por si mesma, causa de coisas boas, ao passo que a segunda só o é acidentalmente). Isso pode ser aplicado do mesmo modo nos outros casos da mesma espécie. E, analogamente, também no caso contrário, pois aquilo que é em si mesmo a causa do mal, é mais reprovável do que aquilo que é por acidente. Um exemplo disso ocorre quando tratamos do vício e do acaso. O primeiro é mau em si mesmo e o segundo só por acidente. Mais ainda: o que é bom de maneira absoluta é mais desejável do que aquilo que é bom para uma pessoa particular. Recuperar a saúde, por exemplo, é mais desejável do que uma operação cirúrgica, pois a primeira é boa de maneira absoluta e a segunda só era para uma pessoa particular, a saber, o homem que precisa de ser operado. Assim, também, o que é um bem por natureza é mais desejável do que o bem que não é tal por natureza, Nesse caso, a justiça é mais desejável do que o homem justo, pois a primeira é boa por natureza ao passo que no segundo a bondade é adquirida. E também é mais desejável o atributo que pertence ao melhor e mais honroso sujeito, isto é, aquilo que pertence a um deus é mais desejável do que aquilo pertence a um homem. Da mesma maneira, o que pertence à alma é mais desejável do que o que pertence ao corpo. Igualmente, a propriedade de uma coisa melhor é mais desejável do que a propriedade de uma coisa pior, por exemplo, a propriedade de um deus do que a propriedade do homem, porque as coisas comuns a ambos não diferem absolutamente entre si, porém, as propriedades um sobrepujam às do outro. Também é melhor o que é inerente a coisas melhores, anteriores ou mais honrosas. Assim, a saúde é preferível à força e à beleza, pois a primeira é inerente tanto ao úmido como ao seco, tanto ao quente como ao frio, em suma, a todos os constituintes primários de um animal, ao passo que as outras são inerentes ao que é secundário, sendo a força uma característica dos tendões e dos músculos e a beleza, segundo se supõe geralmente, o resultado de certa simetria dos membros.

Também se supõe geralmente que o fim é mais desejável do que os meios e, de dois meios, o que mais se aproxima do fim. E, em geral, um meio que tende para a finalidade da vida é mais desejável do que um meio que se dirige a qualquer outra coisa. Por exemplo, o que contribui para a felicidade é mais desejável do que aquilo que contribui para a prudência. Da mesma maneira, o homem apto é também mais desejável do que o inepto. Do mesmo modo, de dois agentes produtores, é mais desejável aquele cujo fim é melhor, ao passo que entre um agente produtor e um fim, podemos decidir mediante uma soma proporcional sempre que o excesso de um dos fins sobre o outro seja maior do que o do segundo sobre seu agente produtor. Por exemplo, supondo-se que o excesso da felicidade sobre a saúde seja superior àquilo que a produz, então o que produz a felicidade é, de fato, superior à saúde. Com efeito, o que produz a felicidade excede o que produz a saúde na mesma proporção em que a felicidade, excede. Mas a saúde excede aquilo que a produz por uma quantidade menor, logo, o excesso do que produz a felicidade sobre o que produz a saúde é superior ao excesso da saúde sobre este último. É evidente que o que produz a felicidade é mais desejável do que a saúde, pois supera o mesmo termo de referência porque lhe é superior.

Além disso, o que em si mesmo é mais nobre, mais precioso e digno de louvor, é mais desejável do que aquilo que o é menos. Por exemplo, a amizade é mais desejável do que a riqueza e a justiça mais desejável do que o vigor. Visto que os primeiros pertencem em si mesmos à classe das coisas preciosas e dignas de louvor, ao passo que os segundos só pertencem a ela em virtude de outras coisas, e não por si mesmos. Com efeito, ninguém dá apreço à riqueza por si mesma, mas sempre em virtude de outra coisa, isto é, de como a utilizamos, enquanto a amizade nos é preciosa em si mesma, ainda quando não é provável que nos advenha dela qualquer outro proveito.

2

Além disso, quando duas coisas se assemelham muito entre si e não podemos ver nenhuma superioridade de uma sobre a outra, devemos examiná-las do ponto de vista de suas consequências. Aquela que tem como consequência o bem maior é a mais desejável. Quando as consequências forem más, será mais desejável a que for seguida de um mal menor. Com efeito, embora ambas sejam desejáveis, pode haver entre elas alguma consequência desagradável que faça pender a balança. Nosso exame a partir das consequências segue duas direções, pois há consequências anteriores e consequências posteriores. Por exemplo, se um homem aprende, segue-se que antes era ignorante e depois conhecedor. Como regra geral, a consequência posterior é a que mais deve ser levada em consideração. Cumpre escolher entre as consequências a que melhor servir aos nossos fins.

Além disso, um grande número de boas coisas é mais desejável do que um número menor, quer absolutamente, quer quando um está incluído no outro, a saber, o número menor no maior. Pode-se levantar aqui uma objeção supondo-se que, em um caso particular, uma delas seja apreciada em razão da outra, pois nesse caso as duas juntas não são mais desejáveis do que uma só. Por exemplo, "ser saudável" somado à "saúde" não são mais desejáveis do que a "saúde" por si só, visto que desejamos ser, de modo preciso, saudáveis em função da saúde. Também é perfeitamente possível que aquilo que não é bom seja mais desejável do que um grande número de boas coisas, isto é, a combinação da felicidade com algo que não seja bom pode ser mais desejável do que a combinação da justiça com a coragem. Além disso, as mesmas coisas são mais valiosas quando acompanhadas de prazer do que quando o mesmo está ausente, de igual modo quando são isentas de dor do que quando acompanhadas de dor.

Todas as coisas são também mais desejáveis na ocasião em que assumem maior importância; por exemplo, estar isento de dor é mais desejável na velhice do que na juventude, porque se reveste de maior importância na velhice. Dentro do mesmo princípio, também a prudência é mais desejável na velhice. Com efeito, ninguém escolhe os jovens para guiá-los, pois não se espera que eles sejam prudentes. No caso da coragem, ocorre o inverso, pois é na mocidade que se requer de maneira mais imperativa o exercício dessa virtude. E, da mesma forma no que toca à temperança, visto que os jovens sofrem mais do que os velhos as consequências de suas paixões.

Além disso, é mais desejável aquilo que é mais útil em todas as ocasiões ou na maioria delas. Logo, a justiça e a temperança são mais desejáveis do que a coragem, pois as primeiras são sempre úteis e a segunda só tem utilidade em determinadas ocasiões. Assim, entre duas coisas, aquela que, se todos a possuíssem, tornaria a outra desnecessária é mais desejável do que aquela que todos poderiam possuir e, ainda assim, sentir falta da outra. Considere-se o caso da justiça e da coragem: se todos fossem justos, não haveria necessidade de coragem, ao passo que, se todos fossem corajosos, ainda assim haveria necessidade de justiça.

Deve-se também julgar pelas corrupções e perdas, pelas gerações e aquisições, bem como pelo contrário das coisas, pois aquelas coisas cuja corrupção é mais reprovável são, em si mesmas, mais desejáveis. Com a geração ou a aquisição de coisas dá-se o contrário, pois aquelas cuja geração ou aquisição é mais desejável são, em si mesmas, mais desejáveis.

Outra regra ou tópico é que aquilo que está mais próximo do bem – em outras palavras, o que mais de perto se assemelha ao bem –, é melhor e mais desejável; assim, a justiça é melhor do que um homem justo. E, do mesmo modo, o que mais se assemelha a algo superior a ele próprio é mais desejável do que aquilo que menos se assemelha; por exemplo, dizem alguns que Ajax era um homem superior a Ulisses porque se assemelhava mais a Aquiles. A isto, pode-se objetar que não é verdade, pois é bem possível que Ajax não se assemelhasse mais do que Ulisses a Aquiles naqueles pontos que faziam deste o melhor de todos eles, e que Ulisses fosse um homem de valor, embora não se parecesse com Aquiles. Examine-se também se a semelhança não é uma espécie de caricatura, como a de um macaco com um homem, enquanto um cavalo não tem qualquer semelhança com este. Além disso, o macaco não é o mais belo desses dois animais, apesar de sua semelhança mais estreita com o homem. Por conseguinte, se de duas coisas uma se assemelha mais a uma coisa melhor enquanto a outra se assemelha mais a uma coisa pior, é provável que a primeira seja melhor do que a segunda. Tal afirmação, no entanto, também admite uma objeção, pois é possível que uma só se pareça de leve com a melhor, enquanto a outra se pareça fortemente com a pior: suponha-se, por exemplo, que a semelhança de Ajax com Aquiles seja pequena, ao passo que a de Ulisses com Nestor seja grande. Pode suceder também que o que se assemelha ao tipo melhor tenha uma semelhança de certo modo degradante e que, pelo contrário, a semelhança da outra com o tipo pior seja no sentido de melhorá-lo, como é o caso da semelhança entre um cavalo e um jumento em comparação com a semelhança entre um homem e um macaco.

Outro tópico é que o bem mais evidente é mais desejável do que o menos evidente, e o mais difícil do que o mais fácil, pois damos maior valor à posse de coisas que não podem ser adquiridas com facilidade. Do mesmo modo, a posse mais pessoal é mais desejável do que aquela que é mais amplamente compartilhada. E também o que está mais livre de conexões com o mal, pois o que não é acompanhado de nada desagradável é mais desejável do que aquilo que possui tais conotações.

Além disso, se uma coisa é, em sentido absoluto, melhor do que outra, por exemplo, se "homem" é melhor do que "cavalo", também o melhor dos homens será sempre superior ao melhor dos cavalos. E, de modo inverso, se o melhor de uma classe é superior ao melhor de uma outra classe, então, a primeira classe é melhor do que a segunda em sentido absoluto. Um exemplo disso é: as coisas que nossos amigos podem compartilhar conosco são melhores do que aquelas que eles não podem compartilhar. Do mesmo modo, aquelas coisas que preferiríamos fazer a nossos amigos são melhores do que aquelas que gostaríamos de fazer a qualquer um.

Desta forma, praticar a justiça e fazer o bem é melhor do que simplesmente aparentar essas coisas: pois preferiríamos fazer bem a nossos amigos a aparentar fazê-lo, ao passo que, tratando-se de um homem qualquer a quem encontremos na rua, acontece o contrário.

Do mesmo modo, as superfluidades são melhores do que as necessidades e, com frequência são também mais desejáveis. Viver bem, com efeito, é uma superfluidade, ao passo que estar vivo é uma necessidade. No entanto, viver bem é melhor do que apenas estar vivo. Às vezes, porém, o melhor não é também o mais desejável, pois do fato de ser melhor não o torna necessariamente seja mais desejável: pelo menos, ser filósofo é melhor do que ganhar dinheiro, porém, não é mais desejável para um homem que carece das coisas necessárias à vida. A expressão "superfluidade" aplica-se sempre que um homem possui o necessário para a vida e esforça-se por adquirir também outras coisas nobres. Grosso modo, talvez, não seria errado afirmar que as coisas necessárias são preferíveis, enquanto as supérfluas são melhores. Igualmente, o que não se pode conseguir de outrem é mais desejável do que aquilo que também se pode conseguir de outrem, como sucede no caso da justiça em comparação com a coragem. Do mesmo modo, A é mais desejável se A é desejável sem B, porém não B sem A: o poder, por exemplo, não é desejável sem a prudência, mas a prudência é desejável sem o poder. Assim, também, se de duas coisas repudiamos uma a fim de que nos considerem possuidores da outra, é mais desejável essa outra de que desejamos nos considerem possuidores. É assim, por exemplo, que repudiamos o amor ao trabalho duro a fim de que os outros nos considerem geniais.

E, por fim, são mais desejáveis aquelas coisas com cuja ausência é menos reprovável que nos aflijamos, e também aquelas com cuja ausência é mais reprovável que deixemos de nos afligir.

3

Além disso, de duas coisas que pertencem à mesma espécie, a que possui a virtude peculiar à espécie é mais desejável do que aquela que carece dessa virtude. Se ambas a possuem, aquela que a possui em maior grau é mais desejável.

Se uma coisa torna bom tudo aquilo onde está presente, enquanto outra não o faz, a primeira é mais desejável, exatamente como aquilo que aquece as outras coisas é mais quente do que aquilo que não as aquece. Se ambas o fazem, é mais desejável aquela que o faz em grau maior, ou a que torna bom o objeto melhor e mais importante, por exemplo, se uma torna boa a alma e a outra o corpo.

Deve-se julgar, além disso, as coisas pelos seus derivados, seus usos, suas ações e suas obras, e estes por aquelas, já que ambos andam juntos. Por exemplo, se "justamente" significa algo mais desejável do que "corajosamente", então também a justiça é algo mais desejável do que a coragem. Portanto, se possuir justiça é mais desejável do que a coragem, "justamente" significa algo mais desejável do que "corajosamente". E do mesmo modo nos outros casos.

E igualmente, se uma coisa ultrapassa enquanto outra não alcança o mesmo padrão de bondade, aquela que o ultrapassa é a mais desejável, como também o é aquela que ultrapassa um padrão ainda mais elevado. Mais ainda: se duas coisas são preferíveis a uma terceira, a que é preferível em grau maior é mais desejável, e a que o é em grau menor é menos desejável. E também quando o excesso de uma coisa é mais desejável do que o excesso de outra, a primeira em si mesma é mais desejável do que a outra. Por exemplo, a amizade em comparação ao dinheiro, isso porque o excesso de amizade é mais desejável do que um excesso de dinheiro. Do mesmo modo, aquilo que um homem preferiria possuir pelo seu próprio esforço é mais desejável do que aquilo que ele preferiria possuir pelo esforço alheio. Logo, os amigos são mais desejáveis do que o dinheiro.

Deve-se julgar também pelo método de adição e ver se a adição de A à mesma coisa a que se adiciona B torna o todo mais desejável do que o faz a adição de B. Convém acautelar-se, no entanto, para não aduzir algum caso em que o termo comum utilize ou, de outra forma qualquer, favoreça uma das coisas que lhe são acrescentadas, porém, não a outra, por exemplo, se comparássemos uma serra e uma foice em relação à arte da carpintaria. Enquanto nessa relação a serra é a mais desejável das duas, porém, ela não é desejável de maneira absoluta. Uma coisa é também mais desejável se, quando acrescentada a um bem menor, faz com que o todo se torne um bem maior. E deve-se julgar igualmente pelo sistema da subtração, pois aquela coisa cujo resultado da subtração torna o resto um bem menor pode considerar-se como um bem maior, seja qual for essa coisa cuja subtração faz com que o resto seja um bem menor.

E também, se uma coisa é desejável por si mesma e a outra por sua aparência, a primeira é mais desejável do que a segunda. Uma mostra disso ocorre na comparação entre a saúde e a beleza. Diz-se que uma coisa é mais desejável pela sua aparência se, na suposição de que ninguém tivesse conhecimento dela, não nos interessássemos em possuí-la. Além disso, é ainda mais desejável se o é tanto por si mesma como por sua aparência, enquanto a outra coisa só é desejável por uma dessas razões. E da mesma forma, o que é mais precioso por si mesmo e também melhor e mais desejável. Uma coisa pode ser julgada mais desejável em si mesma quando a escolhemos por ela própria, sem que daí nos advenha nenhuma outra vantagem provável.

Além disso, deve-se distinguir em quantos sentidos se usa o termo "desejável" e com que fins em vista. Por exemplo, a conveniência, a honra ou o prazer. Com efeito, o que é útil para todas essas coisas ou para a maioria delas pode ser encarado como mais desejável do que aquilo que não é útil de igual maneira. Se ambas as coisas possuem essas características, deve-se examinar qual das duas as possui de maneira mais assinalada, isto é, qual delas é mais agradável, ou mais honrosa, ou mais conveniente. É também mais desejável o que serve uma finalidade melhor, por exemplo, aquilo que contribui para promover a virtude do que aquilo que promove o prazer. E analogamente no caso das coisas reprováveis, pois é mais reprovável o que impede a consecução do que é desejável, nesse caso, a doença é mais reprovável ou indesejável do que a fealdade, por ser um empecilho maior tanto ao prazer como à virtude.

Deve-se argumentar, além disso, mostrando que a coisa em apreço é em igual medida desejável e reprovável, pois uma coisa de tal índole que se possa desejá-la e opor-se de igual modo a ela é menos desejável do que outra que seja somente desejável.

4

As comparações de coisas, umas com as outras, devem, pois, serem feitas da maneira indicada. As mesmas regras ou tópicos são também úteis para mostrar que uma coisa qualquer é simplesmente desejável ou reprovável, pois para isso basta subtrair o excesso de uma coisa sobre a outra. Com efeito, se o que é mais precioso é mais desejável, então, o que é simplesmente precioso é desejável. Por conseguinte, e, se o que é mais útil é mais desejável, o que é simplesmente útil é desejável. De modo análogo, o mesmo se dá no caso das outras coisas que admitem comparações desse tipo. Porque, em alguns casos, já ao comparar as coisas entre si estamos afirmando que cada uma delas, ou pelo menos uma delas, é desejável. Por exemplo, sempre que chamamos uma coisa de "naturalmente boa" e a outra "não naturalmente boa", o que é naturalmente bom com certeza é desejável.

5

Os tópicos ou lugares referentes a quantidades e graus comparativos devem tomar-se da forma mais geral possível, porque, assim tomados, é provável que sejam mais úteis em um número maior de casos. É possível tornar mais universais alguns dos tópicos já dados alterando ligeiramente sua expressão. Por exemplo, que aquilo que por natureza mostra tal e tal qualidade manifesta-a em grau maior do que aquilo que não a manifesta por natureza. E também, se uma coisa comunica tal e tal qualidade àquilo que a tem ou a que ela pertence, enquanto outra coisa não faz tal, a primeira possui essa qualidade em maior grau do que aquela que não a comunica; e, se ambas a comunicam, então manifesta-a em grau mais elevado a comunica em maior grau.

Além disso, se no que se refere à determinada característica, uma coisa excede e a outra não alcança o mesmo padrão; e também se uma delas supera algo que supera um dado padrão, enquanto a outra não alcança esse padrão, é evidente que a primeira manifesta essa característica em grau mais elevado. Deve-se julgar também por meio da adição e ver se A, quando acrescentado à mesma coisa que B, comunica ao todo tal e tal caráter em grau mais assinalado do que B, ou se, quando acrescentado a uma coisa que manifesta esse caráter em grau inferior, o comunica ao todo em grau mais elevado. E, de maneira análoga, também se pode julgar por meio da subtração: pois uma coisa tal que, quando subtraída, o resto manifesta tal ou tal caráter em grau inferior, possui ela mesma esse caráter em grau mais elevado. Além disso, as coisas manifestam tal ou tal caráter em grau mais elevado quanto mais isentas de mistura com seus contrários. Por exemplo, é mais branco aquilo que está mais isento de mistura com o preto. Acresce que, além das regras dadas acima, tem tal ou tal caráter em grau maior aquilo que admite em maior grau a definição própria do caráter em apreço; por exemplo, se a definição do branco é "uma cor que traspassa a visão", será mais branco aquilo que em maior grau for uma cor que traspassa a visão.

6

Se a questão for expressa de forma particular e não universal, podem aplicar-se em primeiro lugar os tópicos ou lugares universais, tanto construtivos como destrutivos, que já foram dados. Porque, ao refutar ou estabelecer uma coisa universalmente, também a demonstramos em particular: com efeito, se ela é verdadeira de todos, também é verdadeira de alguns; e, se é falsa de todos, é falsa de alguns. Especialmente prestimosos e de aplicação muito geral são os tópicos baseados nos opostos, coordenados e derivados de uma coisa, pois a opinião pública concede por igual que, se todo prazer é bom, então toda dor é má; e que, se algum prazer é bom, então alguma dor é má. Além disso, se alguma forma de sensação não é uma capacidade, segue-se que alguma forma de carência de sensação não é tampouco uma carência de capacidade. E igualmente, se alguma forma de concepção é em alguns casos um objeto de conhecimento, então alguma forma de conceber é também conhecimento. Por conseguinte, se o injusto é em alguns casos bom, então o que é justo também é em alguns casos mau e, se o que acontece justamente é em alguns casos mau, também o que acontece injustamente é em alguns casos bom. E, da mesma forma, se o agradável é em alguns casos responsável, também o prazer é em alguns casos uma coisa reprovável. E, apoiando-nos no mesmo princípio, se o agradável é em alguns casos benéfico, então o prazer também é em alguns casos uma coisa benéfica. O mesmo se aplica no que respeita às coisas destrutivas e aos processos de geração e corrupção. Porque, se alguma coisa que destrói o prazer ou o conhecimento é em alguns casos boa, então podemos admitir que o prazer ou o conhecimento é em alguns casos uma coisa má. E analogamente, se a destruição do conhecimento é em alguns casos uma boa coisa, ou sua produção uma coisa má, então o conhecimento será, em alguns casos, uma coisa má. Por exemplo, se é bom para um homem esquecer sua conduta desajeitada e lembrá-la é uma coisa má, então o conhecimento de sua conduta desajeitada pode ser tomado como uma coisa má. O mesmo vale para os demais casos da mesma espécie. Em todos eles, a opinião geralmente aceita é construída da mesma forma.

Deve-se julgar, além disso, por meio dos graus superiores, inferiores ou iguais: porque, se algum membro de outro gênero manifesta certa característica em grau mais assinalado do que o objeto que temos em vista, ao passo que nenhum membro do gênero deste manifesta em absoluto tal característica, podemos admitir que tampouco o objeto em questão a manifesta: por exemplo, se alguma forma de conhecimento é boa em maior grau do que o prazer, ao passo que nenhuma forma de conhecimento é boa, então pode-se admitir que tampouco o prazer é bom. E da mesma maneira cabe julgar por um grau menor ou igual, pois se verá que por esse meio tanto é possível refutar como estabelecer uma opinião; só que, embora ambos sejam possíveis por meio de graus iguais, por meio de um grau menor só é possível estabelecer, porém não refutar. Porque, se uma determinada forma de capacidade é boa em grau igual ao do conhecimento e uma determinada forma de capacidade é boa, então o conhecimento também o é; ao passo que, se nenhuma forma de capacidade é boa, tampouco o é o conhecimento. E, se uma certa forma de capacidade é boa em grau menor do que o conhecimento, e uma certa forma de capacidade é boa, então o conhecimento também o é; mas, se nenhuma forma de capacidade é boa, não se infere necessariamente que também nenhuma forma de conhecimento o seja. É evidente, pois, que só se pode estabelecer uma opinião ou ponto de vista por meio de um grau menor de predicação.

É possível refutar uma opinião não só valendo-se de outro gênero, mas também valendo-se do mesmo, quando se toma o exemplo mais assinalado da característica em apreço. Por exemplo, se afirmar que alguma forma de conhecimento é boa, então, supondo-se que tenha sido demonstrado que a prudência não é boa, nenhuma outra forma de conhecimento o será tampouco, visto não o ser aquela espécie de conhecimento a respeito da qual é mais universal a conformidade. Além disso, deve-se operar por meio de uma hipótese, indicando que o atributo, se pertence ou deixa de pertencer ao sujeito em um determinado caso, faz o mesmo em igual grau em todos os outros casos. Por exemplo, se a alma do homem é imortal, do mesmo modo todas as outras almas o são, ao passo que, se aquela não o é, tampouco o são as outras. Se, pois, o adversário sustentar que em algum exemplo o atributo pertence ao sujeito, devemos demonstrar que em outro caso ele não lhe pertence, pois daí se deduzirá, em virtude da hipótese, que não lhe pertence absolutamente em nenhum caso. Se, pelo contrário, o outro sustentar que ele não lhe pertence em algum caso, deve-se mostrar que lhe pertence em um caso determinado, pois dessa maneira se chegará à conclusão de que lhe pertence em todos os casos. É evidente que o proponente da hipótese universaliza a questão que fora expressa sob uma forma particular, pois pretende que aquele que admitiu uma coisa particular admita também a correspondente universal ao afirmar que, se o atributo pertence ao sujeito em um caso, também lhe pertence por igual em todos os casos.

Se o problema é indefinido, só há um meio de refutar uma afirmação, qual seja, se um homem afirmou que o prazer é bom ou que não é bom, sem acrescentar nenhuma definição ulterior. Porque, se ele queria dizer com isso que um prazer particular é bom, devemos demonstrar universalmente que nenhum prazer é bom, caso nosso intento seja demolir sua tese. E, em caso contrário, se ele queria dizer que algum prazer particular não é bom, devemos demonstrar universalmente que nenhum prazer é bom, pois é impossível refutá-lo de qualquer outro modo. Com efeito, se demonstrarmos que algum prazer particular é ou não bom, a proposição de nosso contendor não estará ainda refutada. Evidentemente, pois, só é possível refutar de uma maneira um juízo indefinido, embora ele possa ser estabelecido de duas maneiras, pois nossa proposição ficará provada quer demonstremos universalmente que todo prazer é bom, quer que um determinado prazer particular o é. Do mesmo modo, supondo-se que tenhamos de argumentar que algum prazer particular não é bom, se demonstrarmos que nenhum prazer é bom ou que um determinado prazer particular não é bom, teremos apresentado um argumento de duas maneiras, tanto universalmente como em particular, para demonstrar que um certo prazer particular não é bom.

Porém, quando o juízo expresso é definido, será possível rebatê-lo de duas maneiras. Se alguém sustentar que é um atributo de algum prazer particular o ser bom, ao passo que de algum outro não o é, pois, quer demonstremos que todo prazer é bom, quer que nenhum deles o é, teremos demolido a proposição de nosso adversário. Se, contudo, ele afirmou que somente um único prazer determinado é bom, é possível refutá-lo de três maneiras: quer demonstrando que todo prazer é bom; quer que nenhum o é; quer que alguns – mais de um – o são. Com qualquer uma delas teremos refutado sua proposição. Se o juízo for ainda mais definido, por exemplo, que só a prudência, dentre as virtudes, é conhecimento, há quatro maneiras de refutá-lo: se demonstrarmos que toda virtude é conhecimento; ou que nenhuma virtude o é; ou que alguma outra virtude (p. ex., a justiça) é conhecimento; ou que a própria prudência não é conhecimento. Com qualquer uma delas, será possível refutar o juízo em questão. Também é útil examinar exemplos individuais quando se afirmou que algum atributo pertence ou não pertence a determinado sujeito, como no caso das questões universais. Além disso, convém dar uma vista de olhos aos gêneros, dividindo-os em suas espécies até chegarmos àquelas que já não são divisíveis, como dissemos antes, pois, quer se verifique que o atributo pertence a todos os casos, quer a nenhum, deveríamos, após aduzir vários exemplos concretos, exigir que o contendor admita nosso ponto de vista universalmente, ou então que ele objete mostrando a que caso ou casos nosso ponto de vista não se aplica. Além disso, quando é possível tornar definido o acidente quer específica, quer numericamente, deve-se averiguar se talvez nenhum deles pertence ao sujeito, demonstrando, por exemplo, que o tempo nem é movido nem tampouco é movimento. Tal manobra é possível mediante uma enumeração das espécies de movimento: porque, se nenhuma delas pertence ao tempo, evidentemente ele não se move nem tampouco é um movimento. E, de maneira análoga, também se pode mostrar que a alma não é um número dividindo todos os números em pares ou ímpares. Nesse caso, se a alma não é par nem ímpar, evidentemente não é um número.

Com respeito ao acidente, devemos operar servindo-nos de meios como esses e da maneira indicada acima.

Livro IV

1

Passaremos agora ao exame das questões que dizem respeito ao gênero e à propriedade. Tais elementos pertencem às questões relativas às definições, no entanto, os dialéticos raras vezes procuram investigar estas coisas por si mesmas.

Se for sugerido um gênero para alguma coisa existente, devemos primeiro considerar todos os objetos que pertencem ao mesmo gênero da coisa mencionada e ver se o gênero sugerido não se predica de uma delas, como acontece no caso de um acidente. Por exemplo, se o "bem" é indicado como o gênero de "prazer", deve-se verificar se algum prazer particular não é bom, porque, se assim acontecer, fica evidente que o bem não é o gênero de prazer, dado que o gênero se predica de todos os membros da mesma espécie. Em segundo lugar, devemos ver se ele não se predica na categoria de essência, mas como um acidente, como "branco" se predica da neve ou "semovente" da alma. Com efeito, "neve" não é uma espécie de "branco", e portanto "branco" não é o gênero da neve, nem é a alma uma espécie de "objeto em movimento": o movimento é um acidente seu, como o é muitas vezes de um animal o andar ou estar andando. Consequentemente, "mover-se" não parece indicar a essência, mas antes um estado de atividade ou passividade. E de maneira análoga no que se refere a "branco", pois esse termo não indica a essência da neve, mas uma certa qualidade da mesma. Logo, nem o movimento nem a brancura se predicam na categoria de essência.

Deve-se prestar atenção especial à definição de acidente e ver se ela se ajusta ao gênero mencionado, como no caso dos exemplos que acabamos de mencionar. Pois é possível que uma coisa seja e não seja semovente, como também que seja e não seja branca. E assim, nenhum destes atributos é o gênero, mas sim um acidente, pois já dissemos que um acidente é um atributo que tanto pode pertencer como não pertencer a uma coisa. Veja-se, também, se o gênero e a espécie não se encontram na mesma divisão, mas um deles é uma substância e o outro uma qualidade, ou um deles é um relativo enquanto o outro é uma qualidade, por exemplo, "neve" e "cisne" são ambos substâncias ao passo que "branco" não é uma substância e sim uma qualidade, de modo que "branco" não é o gênero nem de "neve" nem de "cisne". Por consequência, "conhecimento" é um relativo enquanto "bom" e "nobre" são ambos qualidades, e, por conseguinte, nenhum deles é o gênero de conhecimento. Logo, os gêneros de relativos devem ser eles mesmos também relativos, como sucede com "duplo", pois "múltiplo", que é o gênero de "duplo", é, ele próprio, também um relativo. Em termos gerais, o gênero deve incluir-se na mesma divisão que a espécie, de modo que, se a espécie é uma substância, também deve sê-lo o gênero, e se a espécie é uma qualidade, também o gênero será uma qualidade: por exemplo, se o branco é uma qualidade, também o será a cor. E de maneira análoga nos outros casos.

Veja-se, também, se o gênero participa necessária ou possivelmente do objeto que nele foi classificado. "Participar" significa "admitir a definição" daquilo de que se participa.

É evidente, pois, que as espécies participam do gênero, porém não os gêneros das espécies, já que a espécie admite a definição do gênero, mas este não admite a definição daquela. Deve-se, pois, verificar se o gênero indicado participa ou pode talvez participar da espécie, por exemplo, se alguém propusesse alguma coisa como sendo o gênero de "ser" ou de "unidade", pois daí resultaria que o gênero participa da espécie, uma vez que de tudo que existe se predicam o "ser" e a "unidade", e, por conseguinte, também as respectivas definições.

Veja-se, além disso, se há alguma coisa de que a espécie indicada seja verdadeira, mas não o seja o gênero. Por exemplo, se alguém afirmasse que "ser" ou "objeto de conhecimento" e o gênero de "objeto de opinião".

Com efeito, "objeto de opinião" também se predica do que não existe, pois muitas coisas que não existem são objetos de opinião, enquanto é evidente que nem "ser" nem "objeto de conhecimento" se predicam do que não existe. Por conseguinte, nem "ser" nem "objeto de conhecimento" representam o gênero de "objeto de opinião", pois o gênero deve predicar-se também dos objetos de que se predica a espécie. Examine-se, também, se o objeto incluído no gênero é totalmente incapaz de participar de qualquer espécie do mesmo, pois é impossível que ele participe do gênero se não participa de alguma de suas espécies, salvo quando se trata de uma das espécies obtidas na primeira divisão: essas, com efeito, participam unicamente do gênero. Se, portanto, "movimento" for indicado como o gênero de prazer, deve-se verificar se o prazer não é nem locomoção, nem alteração, nem qualquer outra das modalidades de movimento que enumeramos: porque, evidentemente, é possível afirmar então que não participa de nenhuma das espécies e, em consequência, tampouco não participa do gênero, já que aquilo que participa do gênero deve necessariamente participar também de uma das espécies; de modo que o prazer não poderia ser uma espécie de movimento, nem tampouco ser um dos fenômenos individuais compreendidos sob o termo "movimento". Porque os indivíduos também participam do gênero e da espécie, como um indivíduo humano participa tanto de "homem" quanto de "animal".

É preciso ver, além disso, se o termo incluído no gênero tem uma extensão mais ampla do que este, como tem "objeto de opinião" comparado com "ser", pois tanto o que existe como o que não existe são objetos de opinião. Logo, "objeto de opinião" não pode ser uma espécie de ser, dado que o gênero tem sempre uma extensão mais ampla do que a espécie. Veja-se, igualmente, se a espécie e o seu gênero têm igual extensão: se, por exemplo, dos atributos que se encontram em todas as coisas, um fosse apresentado como uma espécie e outro como o seu gênero, "ser" e "unidade". Como todas as coisas possuem ser e unidade, nenhum desses dois é gênero do outro, tendo eles uma igual extensão. E do mesmo modo se do "primeiro" de uma série fosse subordinado ao outro, pois o primeiro é o começo e o começo é o primeiro, de modo que ou ambas as expressões são idênticas, ou, de qualquer forma, nenhuma é o gênero da outra. O princípio elementar referente a todos os casos desse tipo é que o gênero tem uma extensão mais vasta do que a espécie e sua diferença, pois a diferença tem, igualmente, uma extensão mais restrita do que o gênero.

Note-se também se o gênero mencionado não se aplica, ou em geral pode admitir-se que não se aplique, a algum objeto que não seja diferente especificamente da coisa em questão; ou, ao contrário, se nosso argumento é construtivo, veja se ele se aplica dessa maneira. Todas as coisas que não diferem especificamente pertencem ao mesmo gênero. Se, por conseguinte, se demonstra que este se aplica a uma delas, então é evidente que se aplica a todas; e se não se aplica a uma, é claro que não se aplica a nenhuma. Por exemplo, se alguém que admitisse as "linhas indivisíveis" dissesse que "indivisível" é o gênero delas. Porque o termo mencionado não é o gênero das linhas divisíveis e estas não diferem das indivisíveis quanto à espécie: com efeito, as linhas retas nunca diferem umas das outras no que diz respeito à espécie.

2

Examine-se também se existe algum outro gênero da espécie dada que não abarque o gênero apresentado, nem, tampouco, se inclua nele. Suponha-se, por exemplo, que alguém afirmasse que "conhecimento" é o gênero de justiça. Porém, a virtude é também o gênero desta e nenhum dos dois gêneros abarca o outro, de forma que o conhecimento não pode ser o gênero da justiça, pois se admite geralmente que, sempre que uma espécie se inclui em dois gêneros, um destes é abrangido pelo outro. Entretanto, um princípio dessa classe dá margem a que se suscite em certos casos uma dificuldade. Há, por exemplo, quem afirme que a justiça tanto é uma virtude como um conhecimento e que nenhum desses gêneros é abarcado pelo outro, embora, por certo, nem todos admitam que a prudência seja conhecimento. Se, todavia, alguém admitisse a verdade dessa asserção, haveria, então, o consenso geral de que os gêneros do mesmo objeto devem necessariamente ser subordinados um ao outro ou ambos a um terceiro, como em verdade sucede com a virtude e o conhecimento. Com efeito, ambos se incluem no mesmo gênero, sendo como é cada um deles um estado e uma disposição. Deve-se verificar, portanto, se nenhuma dessas coisas é verdadeira do gênero apresentado, porque se nem os gêneros são subordinados um ao outro, nem ambos a um mesmo gênero, o que foi proposto não pode ser o gênero efetivo.

Examine-se, também, o gênero do gênero proposto, passando depois ao gênero próximo mais alto, para ver se todos se predicam da espécie e se predicam na categoria de essência; pois, todos os gêneros superiores devem predicar-se das espécies nessa categoria. Se, portanto, houver algures uma discrepância, é evidente que o que se propôs não é o gênero. (Veja-se também se o próprio gênero ou um dos gêneros superiores participa da espécie, pois o gênero superior não participa de nenhum dos que lhe são inferiores.) Se, pois, estamos rebatendo uma opinião, deve-se seguir a regra conforme foi dada; se, pelo contrário, se trata de estabelecer o nosso ponto de vista, então, na hipótese de que se admita que o gênero proposto pertence à espécie, porém não como gênero, basta demonstrar que um dos seus gêneros superiores se predica da espécie na categoria do que é. Porque, se um deles predica nessa categoria, todos os demais, tanto os superiores como os inferiores a ele, se de algum modo se predicam da espécie, há de ser na categoria do que é. Assim, o que se propôs como gênero também se predica na categoria do que é. Quando um gênero se predica na categoria do que é, todos os demais, se de algum modo se predicarem, será nessa categoria, deve ser estabelecida por indução. Supondo-se, por outro lado, que se conteste que aquilo que foi proposto como gênero pertença em absoluto à espécie, não basta demonstrar que um dos gêneros superiores se predica desta na categoria de essência: por exemplo, se alguém propôs "locomoção" como gênero de "passeio", não basta demonstrar que passear é um "movimento" para provar que é "locomoção", visto existirem também outras formas de movimento; mas é preciso demonstrar igualmente que o passear não participa de nenhuma das outras espécies de movimento obtidas pela mesma divisão, exceto a locomoção. Porque necessariamente o que participa do gênero também participa de uma das espécies obtidas pela primeira divisão do mesmo. Se, portanto, o passear não participa do aumento, nem do decréscimo, nem das demais espécies de movimento, é evidente que deve participar da locomoção, e a locomoção será o gênero do passear. Examinem-se também as coisas de que a espécie dada se predica como gênero para verificar se o que é proposto como seu gênero se predica na categoria do que é, das mesmas coisas de que a espécie é assim predicada, e também se todos os gêneros superiores a esse também se predicam assim. Porque, se houver alguma discrepância, evidentemente o que se propôs não é o verdadeiro gênero. Com efeito, se o fosse, tanto os gêneros superiores a ele quanto ele próprio se predicariam todos na categoria de essência daqueles objetos de que a própria espécie é predicada em tal categoria. Se, pois, estamos rebatendo um ponto de vista, é útil verificar se o gênero não se predica na categoria do que é daquelas coisas de que também se predica a espécie. Portanto, se estamos estabelecendo uma opinião, é útil verificar se ele se predica na categoria do que é, pois nesse caso teremos que o gênero e a espécie se predicam do mesmo objeto na categoria do que é, de modo que o mesmo objeto fica incluído em dois gêneros. Por conseguinte, os gêneros devem necessariamente subordinar-se um ao outro. Porém, se demonstrarmos que aquele que desejamos estabelecer como gênero não está subordinado à espécie, é evidente que a espécie estará subordinada a ele, e pode dar-se como demonstrado que esse é o gênero.

É preciso considerar também as definições dos gêneros e ver se ambas se aplicam à espécie dada e aos objetos que participam da espécie. Visto que as definições de seus gêneros devem necessariamente predicar-se da espécie e dos objetos que dela participam. Se, pois, houver uma discrepância em algum lugar, é evidente que o que se propôs não é o gênero.

Além disso, se o adversário apresentou como gênero a diferença: por exemplo, "imortal" como gênero de "deus". "Imortal", com efeito, é uma diferença de "ser vivente", uma vez que dos viventes alguns são mortais e outros imortais. É evidente, pois, que se cometeu aí um erro grave, dado que a diferença de uma coisa nunca é o seu gênero. E a verdade disto entra pelos olhos, pois a diferença de uma coisa jamais significa sua essência, mas antes alguma qualidade, como "semovente" ou "bípede".

Cumpre observar também se o contendor colocou a diferença dentro do gênero, tomando, por exemplo, se afirmou ser "ímpar" um número, quando "ímpar" é uma diferença do número, não uma espécie. E tampouco se admite geralmente que a diferença participe do gênero, pois o que deste participa é sempre uma espécie ou um indivíduo, ao passo que a diferença não é uma espécie nem um indivíduo. Evidentemente, pois, a diferença não participa do gênero, de modo que "ímpar" tampouco é uma espécie, mas sim uma diferença, visto que não participa do gênero. Além disso, convém verificar se ele colocou o gênero dentro da espécie, supondo, por exemplo, que "contato" seja uma "união", que "mistura" seja uma "fusão", ou, como na definição platônica, que "locomoção" seja o mesmo que "transporte". Pois não é forçoso que um contato seja uma união, ao contrário, a união é que deve ser um contato, pois o que está em contato nem sempre se une, embora o que se une esteja sempre em contato. E de maneira análoga quanto aos outros exemplos: pois a mistura nem sempre é uma "fusão" (se misturarmos coisas secas, por exemplo, não as fundiremos), tampouco a locomoção é sempre "transporte". Com efeito, não se pensa geralmente que caminhar seja um transporte: esse termo é empregado de preferência com relação ao que muda de lugar de maneira involuntária, como acontece no caso das coisas inanimadas. É evidente, pois, que a espécie, nos exemplos dados acima, tem uma extensão mais ampla do que o gênero, quando é o contrário que devia acontecer.

É preciso ver também se ele colocou a diferença dentro da espécie, tomando, por exemplo, "imortal" no significado de "um deus". Pois o resultado será que a espécie tem uma extensão igual ou mais ampla, e isso é impossível, pois acontece sempre que a diferença tenha uma extensão igual ou mais ampla que a da espécie. Veja-se, além disso, se ele colocou o gênero dentro da diferença, fazendo com que a "cor", por exemplo, seja uma coisa que "traspassa", ou o "número" algo que é "ímpar". Ou, então, se ele mencionou o gênero como sendo a diferença, pois é possível que alguém formule também um juízo desta espécie, dizendo, por exemplo, que "mistura" é a diferença de "fusão", ou que "mudança de lugar" é a diferença de "transporte". Todos os casos dessa espécie devem ser examinados à luz dos mesmos princípios, pois dependem de regras ou tópicos comuns: o gênero deve ter um campo de predicação mais amplo do que sua diferença, e, ao mesmo tempo, não deve participar dela; ao passo que, se for apresentado dessa maneira, nenhum dos requisitos mencionados será satisfeito, pois o gênero terá ao mesmo tempo um campo de predicação mais estreito do que sua diferença e participará dela.

Além de tudo, se nenhuma diferença pertencente ao gênero se predicar da espécie dada, tampouco se predicará dela o gênero, por exemplo, se de "alma" não se predica "par" nem "ímpar" tampouco se predica "número". Veja-se, igualmente, se a espécie é naturalmente anterior ao gênero e o anula ao ser anulada, pois em geral o ponto de vista admitido é o contrário. Ademais, se é possível que o gênero proposto ou sua diferença estejam ausentes da espécie alegada, por exemplo, que "movimento" esteja ausente da "alma", ou "verdade e falsidade" de "opinião", então nenhum dos gêneros propostos pode ser o seu gênero ou sua diferença; pois a opinião geral é que o gênero e a diferença acompanham a espécie enquanto esta existe.

3

Examine-se também se o que está colocado no gênero participa ou poderia participar também do gênero contrário. Do mesmo modo, veja se a espécie participa de algum caráter que nenhum integrante do gênero possa absolutamente possuir. Assim, por exemplo, se a alma participa da vida, e não é possível que nenhum número viva, a alma não poderá ser uma espécie de número. Deve-se também examinar se a espécie é um homônimo do gênero e empregar como princípios elementares aqueles que já foram estabelecidos para a homonímia: pois o gênero e a espécie são sinônimos.

Uma vez que de todo gênero há mais de uma espécie, verifique se é impossível haver alguma outra espécie, além da apontada, que corresponda ao gênero proposto; porque, se não houver nenhuma, evidentemente o que se propôs como gênero não pode sê-lo em absoluto.

Veja-se, também, se o adversário apresentou como gênero uma expressão metafórica, descrevendo, por exemplo, a temperança como uma "harmonia"; pois um gênero sempre se predica de suas espécies no sentido literal, ao passo que "harmonia" se predica da temperança em um sentido não literal, mas metafórico, pois literalmente uma harmonia consiste sempre em notas musicais.

Além disso, se houver algum contrário da espécie, convém examiná-lo. Esse exame pode assumir diferentes formas. Antes de tudo, veja se o contrário também se encontra no mesmo gênero que a espécie, supondo que o gênero não tenha um contrário, pois os contrários devem encontrar-se no mesmo gênero caso esse não tenha um contrário. Porém, se admitirmos que exista um contrário do gênero, devemos verificar se o contrário da espécie se encontra no gênero contrário, pois é necessário a espécie contrária se encontre ali, caso o gênero possua um contrário. Cada um desses pontos se evidencia por meio da indução. Examine-se também se o contrário da espécie não se encontra absolutamente em nenhum gênero, mas é ele próprio um gênero, por exemplo, o "bem", porque, se ele não se encontra em nenhum gênero, tampouco o seu contrário se encontrará em algum gênero, mas ele próprio é um gênero, como sucede no caso de "bem" e "mal", nenhum dos quais se encontra em um gênero, sendo cada um deles um gênero por si mesmo.

Examine-se, além disso, se tanto o gênero como a espécie são contrários a alguma coisa e um dos pares de contrários tem um termo intermédio, ao passo que o outro não o tem. Porque, se os gêneros têm um intermediário, também devem tê-lo as suas espécies; e, se o têm as espécies, também seus gêneros o terão, como sucede com (1) "virtude" e "vício", e (2) "justiça e "injustiça", pois cada um desses pares tem um intermediário. A isso se pode objetar que não há intermediário entre "saúde" e "doença", mas entre "bem" e "mal", sim. Ou veja-se, embora haja de fato um intermediário entre ambos os pares, isto é, tanto entre as espécies como entre os gêneros, se eles não se relacionam da mesma maneira, mas em um caso o intermediário é uma simples negação dos extremos, enquanto no outro caso é um sujeito. Pois a opinião geral é que a relação deve ser semelhante em ambos os casos, como é nos casos da "virtude" e do "vício", por um lado, e da "justiça" e da "injustiça" por outro. Com efeito, os intermediários entre ambos os pares são simples negações.

Além disso, sempre que o gênero não tiver contrário, convém examinar não apenas se o contrário da espécie se encontra no mesmo gênero, mas também o intermediário, porque o gênero que contém os extremos contém igualmente os intermediários, como no caso do "preto" e do "branco", pois "cor" é o gênero não só desses dois como também de todas as cores intermediárias. Poder-se-ia objetar aqui que "deficiência" e "excesso" se encontram no mesmo gênero (pois ambos pertencem ao gênero "mal"), ao passo que "quantidade moderada", o intermediário entre eles, não é um mal, mas um bem.

Examine-se também se, embora o gênero tenha um contrário, a espécie não o tem, porque, se o gênero é o contrário de alguma coisa, também a espécie o será, como a virtude é o contrário do vicio e a justiça, da injustiça. Isso também ficaria evidente se examinássemos outros casos concretos semelhantes a esse. É possível levantar uma objeção no caso da saúde e da doença, pois a saúde em geral é o contrário da doença, ao passo que uma enfermidade particular, embora seja uma espécie de doença, como a febre, a oftalmia e qualquer outro tipo particular de moléstia, não tem contrários.

Se, pois, estamos refutando um ponto de vista, podemos proceder ao nosso exame de todas essas maneiras que acabamos de explicar, porque, se lhe faltam as características mencionadas, evidentemente o que foi proposto como gênero não é tal. Porém, quando se trata de estabelecer um ponto de vista, há três caminhos: primeiro, verificar se o contrário da espécie se encontra no gênero proposto, supondo-se que este não tenha contrário, porque, se nele se encontra o contrário, evidentemente o mesmo sucede com a espécie em questão; segundo, ver se a espécie intermediária se encontra no gênero estabelecido, pois todo gênero que contenha o intermediário conterá igualmente os extremos; terceiro, se o gênero tem um contrário, verificar se a espécie contrária também se encontra nesse último, porque, se assim for, é evidente que também a espécie em questão se encontra no gênero em questão.

Considere-se também, no caso dos derivados e coordenados da espécie e do gênero, se eles se seguem de igual maneira, tanto ao refutar um ponto de vista como ao estabelecê-lo, pois tudo o que pertença ou não pertença a um deles pertence ou não pertence ao mesmo tempo a todos. Por exemplo, se a justiça é uma forma particular de conhecimento, então "justamente" é também "cientemente" e um homem justo é também um homem conhecedor: ao passo que, se uma dessas coisas não for assim, tampouco o será nenhuma das outras.

4

Considere-se também o caso das coisas que guardam entre si uma relação semelhante. Assim, por exemplo, a relação do agradável para com o prazer é semelhante à relação do útil para com o bem, pois em ambos os casos um gera o outro. Se, portanto, o prazer é uma espécie de "bem", o agradável também será uma espécie de "útil", pois, evidentemente, podemos tomá-lo como algo que produz o bem, dado que o prazer é um bem. Considere-se, do mesmo modo, o caso dos processos de geração e corrupção. Se, por exemplo, edificar é ser ativo, então ter edificado é ter sido ativo; se aprender é recordar, então ter aprendido é ter recordado; se decompor-se é ser corrompido, então ter se decomposto é ter sido corrompido. A decomposição é uma espécie de corrupção. Considere-se, ainda, o caso das coisas que geram ou corrompem e das suas capacidades e usos. De um modo geral, tanto ao demolir quanto ao assentar um argumento, devem-se examinar as coisas à luz de toda espécie de semelhança, como dizíamos no tocante à geração e à corrupção. Pois, se o que tende a corromper tende a decompor, então ser corrompido é também ser decomposto; se o que tende a gerar tende a produzir, então ser gerado é ser produzido. Nesse caso, geração é produção. E de maneira análoga no caso das capacidades e usos das coisas, porque, se uma capacidade é uma disposição, também ser capaz de alguma coisa é estar disposto para essa mesma coisa, e se o uso de alguma coisa é uma atividade, utilizá-la é ser ativo e tê-la utilizado é ter sido ativo.

Se o oposto da espécie é uma privação, há dois meios de refutar um argumento. Primeiro, examinando-se o oposto se encontra no gênero apresentado, porque, ou a privação não será em absoluto encontrada no mesmo gênero, ou pelo menos no gênero último por exemplo, se o gênero último que contém a visão é a sensação, a cegueira não será uma sensação. Segundo, se há uma privação oposta tanto ao gênero como à espécie, mas o oposto da espécie não se encontra no oposto do gênero, segue-se que tampouco a espécie proposta pode encontrar-se no gênero proposto. Se, pois, estamos refutando uma opinião, devemos seguir a regra tal como foi estabelecida, mas se o que pretendemos é assentar um ponto de vista, não há senão um modo de fazê-lo, porque, se a espécie oposta se encontra no gênero oposto, todas as espécies em questão devem encontrar-se também no gênero em questão. Por exemplo, se "cegueira" é uma forma de "insensibilidade", então a vista é uma forma de sensação. Examinem-se também as negações do gênero e da espécie e inverta-se a ordem dos termos da maneira descrita no caso do acidente. Por exemplo, se o agradável é uma espécie de bem, o que não é bom não é agradável. Visto que, a não ser assim, também alguma coisa que não fosse boa seria agradável. Isso, contudo, não pode ser, porque, se o "bem" é o gênero do "agradável" é impossível que alguma coisa que não é boa seja agradável. Com efeito, daquelas coisas de que não se predica o gênero tampouco delas se predica nenhuma das espécies. Ao estabelecer um ponto de vista, deve-se também adotar o mesmo método de exame. Logo, se o que não é bom não é agradável, segue-se que o que é agradável é bom, de modo que "bom" é o gênero de "agradável".

Se a espécie é um termo relativo, deve-se examinar se também o gênero o é, porque, sendo-o a espécie, também o será o gênero, como sucede com "duplo" e "múltiplo", cada um dos quais é um termo relativo. Se o gênero é um termo relativo, não é necessário que a espécie também o seja, pois "conhecimento" é um termo relativo, mas o mesmo não sucede com a "gramática". Ou talvez nem mesmo a primeira afirmação seja geralmente considerada verdadeira, dado que a virtude é uma espécie de coisa "nobre" e uma espécie de coisa "boa". Contudo, embora "virtude" seja um termo relativo, "bom" e "nobre" não são relativos, mas qualidades. Veja-se também se a espécie deixa de ser usada na mesma relação quando a chamamos pelo seu nome próprio e quando a designamos pelo nome do seu gênero. Por exemplo, se o termo "dobro" é empregado para designar o dobro de uma "metade", também o termo "múltiplo" deveria empregar-se no sentido de múltiplo de uma "metade". De outra forma, "múltiplo" não poderia ser o gênero de "dobro".

Considere-se, além disso, se o termo não se usa na mesma relação tanto quando é designado pelo nome do seu gênero, como quando é designado pelos nomes de todos os gêneros do seu gênero. Porque, se o dobro é um múltiplo da metade, também a expressão "mais do que" será usada em relação a uma "metade". Em geral, o dobro será designado pelos nomes de todos os gêneros superiores em relação a uma "metade". Poder-se-ia objetar aqui que um termo não se usa necessariamente na mesma relação quando designado pelo seu próprio nome e quando designado pelo nome do seu gênero, pois "conhecimento" é conhecimento do "cognoscível", ao passo que é um "estado" ou "disposição" não do "cognoscível", mas da "alma".

Além disso, se o gênero e a espécie se aplicam da mesma maneira nas diversas inflexões que recebem, como o dativo, o genitivo e tudo o mais. Pois, assim como se aplica a espécie, deve também aplicar-se o gênero, como no caso de "dobro" e de seus gêneros superiores. Assim, tanto dizemos "dobro de" como "múltiplo de" uma coisa. E do mesmo modo no caso de "conhecimento", pois tanto do próprio "conhecimento" como dos seus gêneros, como por exemplo "disposição" e "estado", diz-se que são "de" alguma coisa. Pode-se objetar que em alguns casos não é assim, pois dizemos "superior a" e "contrário a" isto ou aquilo, enquanto "outro", que se inclui no mesmo gênero que estes termos, não exige "a", mas "que não", pois dizemos "outro que não" isto ou aquilo.

Convém observar também se os termos usados em relações casuais deixam de admitir uma construção igual quando se invertem, como sucede com "dobro" e "múltiplo", pois esses termos tomam um genitivo tanto em si mesmos como na construção invertida: com efeito, tanto dizemos "metade de" como "uma fração de" alguma coisa. O caso também é o mesmo no que respeita a "conhecimento" e "concepção", pois ambos termos tomam um genitivo, mas, fazendo-se a conversão, tanto um "objeto de conhecimento" como um "objeto de conversão" se usam com um dativo. Se, pois, em alguns casos as construções não são iguais após a conversão, evidentemente, um dos termos não é o gênero do outro.

Veja-se, por outro lado, se a espécie e o gênero não se usam em relação a um número igual de coisas, pois a opinião geral é que os usos de ambos são semelhantes e iguais em número, como sucede com "presente" e "concessão". Com efeito, faz-se "presente" de alguma coisa a alguém, do mesmo modo que também se faz "concessão" de alguma coisa a alguém. "Concessão", nesse caso, é o gênero de presente, pois um "presente" é uma "concessão que não precisa ser devolvida". Em alguns casos, porém, o número de relações em que se usam os termos não é igual, pois, enquanto "dobro" é o dobro de alguma coisa, falamos de exceder alguma coisa ou ser maior do que alguma coisa, pois o que excede sempre excede alguma coisa e o que é maior é sempre maior do que alguma coisa, e também o que excede é um excesso de alguma coisa. Por isso os termos em questão ("excesso" e "maior") não são os gêneros de "dobro", visto não serem usados em relação a um número igual de coisas da espécie. Ou talvez não seja universalmente verdadeiro que a espécie e o gênero se usam em relação a um número igual de coisas. Veja-se, também, se o oposto da espécie tem o oposto do seu gênero como gênero próprio. Por exemplo, se "múltiplo" é o gênero de "dobro", "fração" deve ser também o gênero de "metade". Posto que o oposto do gênero deve ser sempre o gênero da espécie oposta. Se alguém afirmasse que o conhecimento é uma espécie de sensação, daí se seguiria que o objeto de conhecimento também é uma espécie de objeto de sensação, o que não é verdade, pois um objeto de conhecimento nem sempre é um objeto de sensação. Logo, os objetos de conhecimento incluem também alguns dos objetos de intuição. Portanto, "objeto de sensação" não é o gênero de "objeto de conhecimento", assim sendo, tampouco é "sensação" o gênero de "conhecimento".

Uma vez que dentre os termos relativos alguns se encontram necessariamente ou se aplicam em qualquer tempo ou ocasião as coisas em relação às quais são usados (p. ex., "disposição", "estado" e "equilíbrio", pois em nenhuma outra coisa podem encontrar-se estes termos, salvo naquelas em relação às quais são usados), enquanto outros não se encontram forçosamente nas coisas em relação as quais são usados em qualquer ocasião, embora isso possa acontecer (p. ex., se o termo "objeto de conhecimento" for aplicado à alma; pois é perfeitamente possível, porém não necessário, que o conhecimento de si mesma seja possuído pela própria alma, uma vez que esse conhecimento também pode se encontrar em alguma outra pessoa), ao passo que no tocante a outros é absolutamente impossível que se encontrem nas coisas em relação às quais são usados em qualquer circunstância (p. ex., que o contrário se encontre em seu contrário, ou o conhecimento no objeto de conhecimento, a menos que este seja uma alma ou um homem), deve-se observar, portanto, se o contendor coloca um termo de determinada espécie dentro de um gênero que não é da mesma espécie, se ele diz, por exemplo, que a "memória" é a "permanência do conhecimento". Porque a "permanência" sempre se encontra naquilo que é permanente e a ele se aplica, de modo que a permanência do conhecimento se encontrará também no conhecimento. A memória, portanto, se encontrará no conhecimento, visto ser ela a permanência deste. Mas isso é impossível, já que a memória se encontra sempre na alma. Essa regra ou tópico se aplica também ao sujeito do acidente, porque tanto vale dizer que "permanência" é o gênero da memória como alegar que é um acidente dela. Com efeito, em qualquer sentido em que a memória seja a permanência do conhecimento, o mesmo argumento se aplicará a ela.

5

Também é importante verificar se o debatedor colocou algo que é um "estado" dentro do gênero "atividade" ou uma atividade dentro do gênero "estado". Por exemplo, definindo a sensação como "um movimento comunicado através do corpo", uma vez que a sensação é um "estado" e o movimento é uma "atividade".

Também notar se ele disse que a memória é um "estado retentivo de uma sensação", pois a memória nunca é um estado, mas antes uma atividade. Cometem também erro grave aqueles que classificam um "estado" dentro da "capacidade" que o acompanha, definindo, por exemplo, o "bom humor" como sendo o "domínio da cólera" ou a "coragem" e a "justiça" como o "domínio do medo" e da "ganância". Os termos "corajoso" e "bem-humorado" se aplicam a um homem que é imune à paixão enquanto o homem que "se domina" está exposto à paixão, mas não se deixa conduzir por ela. É bem possível, aliás, que cada um dos primeiros seja acompanhado de uma capacidade desse tipo, de modo que, quando estivesse exposto à paixão, ele a dominaria e não se deixaria conduzir por ela. Entretanto, não é isso o que se entende por ser "corajoso" ou "bem-humorado", mas sim uma imunidade absoluta a toda e qualquer paixão desse tipo.

Às vezes, também, propõe-se como gênero um caráter concomitante qualquer, por exemplo, a "dor" como gênero da "cólera", ou a "concepção" como gênero da "convicção". Pois ambas as coisas se seguem de certo modo à espécie dada, mas nenhuma delas é seu gênero. Com efeito, quando um homem irado sente dor, a dor apareceu nele antes da cólera, pois a cólera não é causa da dor, ao contrário, de modo que felizmente a cólera não é dor. Pelo mesmo raciocínio, tampouco a convicção é concepção, pois se pode ter a mesma concepção inclusive sem estar convencido dela, o que seria impossível se a convicção fosse uma espécie de concepção. Destarte, é impossível que uma coisa continue sendo a mesma se a retirarmos inteiramente fora de sua espécie, assim como o mesmo animal não poderia em dado momento ser, e em outro momento não ser, um homem. Se alguém disser que o homem que tem uma concepção deve necessariamente estar também convencido dela, os dois termos, "concepção" e "convicção", terão sido usados com a mesma extensão predicativa, de modo que nem assim poderá o primeiro ser o gênero do segundo, pois a extensão do gênero deve ser mais ampla.

Veja-se, também, se ambos se produzem naturalmente em qualquer parte da mesma coisa, pois o que contém a espécie também contém o gênero. Por exemplo, o que contém "branco" também contém "cor" e o que contém "conhecimento da gramática" também contém "conhecimento". Portanto, se alguém disser que "vergonha" é "medo" ou que "ira" é "dor" o resultado será que o gênero e a espécie não se encontram na mesma coisa, pois a vergonha se encontra na faculdade "racional" da alma, ao passo que o medo está na faculdade "irascível" e a "dor" se encontra na faculdade "apetitiva" (pois é também nesta que se encontra o prazer), enquanto a "ira" se encontra na faculdade "irascível". Portanto, os termos propostos não são os gêneros, uma vez que é natural que eles não se produza na mesma faculdade que as espécies. E da mesma forma, se a "amizade" se encontrar na faculdade dos apetitiva, pode-se concluir que ela não é um tipo de "vontade", pois uma "vontade" se encontra sempre na faculdade "racional". Este tópico também é útil ao tratar do acidente, pois o acidente e aquilo de que é um acidente se encontram ambos na mesma coisa, de modo que, se não aparecem na mesma coisa, é obvio que não se trata de um acidente.

Veja-se também se a espécie participa somente sob um aspecto particular do gênero que lhe é atribuído; pois a opinião geral é que a participação da espécie no gênero não pode limitar-se a isso. Dessa forma, um homem não é um animal apenas sob um aspecto particular, nem tampouco é a gramática um conhecimento sob tal aspecto. E de maneira análoga também nos outros casos. Examine-se, portanto, se no caso de alguma de suas espécies a participação no gênero se dá somente sob um certo aspecto. Por exemplo, se "animal" foi descrito como um "objeto de percepção" ou de "visão". Porque um animal é um objeto de percepção ou visão apenas sob um aspecto particular. É em razão de seu corpo que ele é percebido e visto e não em função de sua alma, de modo que "objeto de visão" e "objeto de percepção" não podem ser o gênero de "animal".

Às vezes, também, uma pessoa coloca o todo dentro de sua parte sem dar conta disso, definindo, por exemplo, "animal" como "corpo animado". Ora, a parte não se predica em sentido algum do todo, de modo que "corpo" não pode ser o gênero de "animal", dado que é uma parte dele.

Indispensável ainda verificar, de igual modo, se ele colocou alguma coisa que seja condenável ou reprovável na classe de "capacidade" ou "capaz", definindo, por exemplo, um "sofista", um "difamador" ou um "ladrão" como "aquele que é capaz de apoderar-se secretamente da propriedade alheia". Porque nenhum dos caracteres mencionados se chama assim por ser "capaz" sob um desses aspectos. Com efeito, o próprio Deus e o homem bom são capazes de fazer coisas más, porém, esse não é o seu caráter, e é sempre por motivo de sua livre escolha que os homens maus são assim chamados. Acresce que uma capacidade é sempre desejável em si mesma e até as capacidades de fazer coisas más são desejáveis. Por isso, dissemos que até Deus e o homem bom as possuem, pois eles são capazes (dizemos nós) de fazer mal. Portanto, "capacidade" nunca pode ser o gênero de qualquer coisa digna de censura. Do contrário, resultaria daí que o reprovável é às vezes desejável, pois haveria uma certa forma de capacidade que seria reprovável. Examine-se também se ele colocou alguma coisa que seja preciosa ou desejável por si mesma na classe de "capacidade" ou "capaz" ou "produtivo" de alguma coisa. Porque a capacidade e o ser capaz ou produtivo de algo é sempre desejável por causa de alguma outra coisa.

Ou, então, verifique se o adversário colocou alguma coisa que existe em dois ou mais gêneros dentro de um deles somente. Porque há coisas que é impossível colocar em um único gênero. Por exemplo, o "trapaceiro" e o "difamador". Nem aquele que tem a vontade sem a capacidade, nem o que tem a capacidade sem a vontade é um difamador ou um trapaceiro, mas só o que tem ambas as coisas. Por conseguinte, ele não deve ser colocado em um só gênero, mas em ambos os gêneros mencionados.

Além disso, as pessoas invertem por vezes a ordem natural, apresentando é definido o gênero como diferença ou a diferença como gênero. Por exemplo, o pasmo como "excesso de admiração" e a convicção como "veemência de concepção". Visto que nem "excesso" nem "veemência" são os gêneros mas as diferenças; em geral o pasmo é interpretado como sendo uma "admiração excessiva" e a convicção como uma "concepção veemente", de modo que "admiração" e "concepção" são os gêneros e "excesso" e "veemência" são as diferenças. Acresce que se "excesso" e "veemência" forem aceitos como gêneros também as coisas inanimadas estarão convencidas e pasmadas, porque a veemência e o excesso se encontram em uma coisa que é tal de forma veemente e em excesso. Se, portanto, o pasmo excesso de admiração, o pasmo se encontrará na admiração, de modo que a admiração estará pasmada! E analogamente, a convicção se encontrará na concepção, se é que ela é "veemência de concepção", de modo que a concepção estará convencida. Além disso, o homem que dá uma resposta desse feitio estará, em suma, chamando a veemência de veemente e o excesso de excessivo; pois existem, de fato, convicções veementes: se, pois, a convicção é veemência, haveria uma "veemência veemente". E também há pasmos excessivos, de modo que, se o pasmo é um excesso, haveria um "excesso excessivo". Mas nenhuma dessas coisas se admite geralmente, como tampouco se admite que o conhecimento seja alguém que conhece ou que o movimento seja alguma coisa que se move.

Às vezes, também se comete o erro grave de colocar uma afecção dentro daquilo que é afetado por ela, como se fosse o seu gênero. Por exemplo, os que dizem que a imortalidade é a vida eterna. A imortalidade parece ser uma certa afecção ou aspecto acidental da vida. Que isto é verdade se tornaria evidente se alguém admitisse que um homem pode deixar de ser mortal e tornar-se imortal; pois ninguém afirmaria que ele assume outra vida, mas que um determinado aspecto ou afecção acidental entram a formar parte de sua vida tal como ela é. Assim, "vida" não é o gênero de "imortalidade". Veja-se, também, se ele atribuiu a uma afecção, como gênero, o objeto por ela afetado, definindo, por exemplo, o vento como "ar em movimento". Em termos mais exatos, o vento é um "movimento do ar", pois o mesmo ar persiste quando está em movimento e quando está em repouso. Logo, o vento não é "ar" em absoluto, pois, se assim fosse, também haveria vento quando o ar está em repouso, já que persiste o mesmo ar que formava o vento. E do mesmo modo em outros casos dessa espécie. Mesmo, pois, se devêssemos admitir nesse caso que o vento é "ar em movimento", não deveríamos aceitar uma definição desta espécie tratando-se de coisas das quais o gênero não é verdadeiro, mas apenas nos casos em que o gênero proposto fosse um legítimo predicado. Porque, em alguns casos, como "lama" ou "neve", não se admite geralmente que seja verdadeiro. Dizem, com efeito, que a neve é "água congelada" e a lama é "terra misturada com umidade", ainda que a neve não seja água nem a lama seja terra, de modo que nenhum dos termos propostos poderia ser o gênero, pois o gênero deve ser verdadeiro de todas as suas espécies. Da mesma forma, tampouco o vinho é "água fermentada", segundo a definição de Empédocles, que o deu como "água fermentada na madeira"; pois o vinho simplesmente não é água de maneira alguma.

6

Veja-se, além disso, se o termo proposto não é o gênero de coisa nenhuma, pois, nesse caso, é evidente que tampouco é o gênero da espécie mencionada. Examine-se este ponto vendo se os objetos que participam do gênero não diferem especificamente uns dos outros. Por exemplo, os objetos brancos, pois entre esses não há nenhuma distinção específica, como sempre sucede com as espécies de um gênero, de modo que "branco" não pode ser o gênero de nada.

Veja-se, também, se foi indicado como gênero ou diferença algum aspecto que acompanhe todas as coisas, pois o número de atributos que se aplicam a todas as coisas é relativamente grande: entre eles se contam, por exemplo, o "ser" e a "unidade". Se nosso adversário propôs "ser" como gênero, evidentemente seria o gênero de todas as coisas, uma vez que de tudo se predica e o gênero nunca se predica de coisa alguma que não seja sua espécie. Por conseguinte a unidade, entre outras coisas, seria uma espécie de ser.

Daí resultaria, pois, que de todas as coisas das quais se predica o gênero também se predica a espécie, já que "ser" e "unidade" são predicados de absolutamente tudo, ao passo que a predicação da espécie deveria ter um alcance mais reduzido. Se nosso adversário indicou como diferença algum atributo que se aplica a todas as coisas, é evidente que o campo de predicação da diferença será igual ao do gênero, ou mais amplo do que ele. Porque se o gênero também é um atributo que acompanha todas as coisas, o campo de predicação da diferença será igual ao seu, ou ainda mais amplo se o gênero não se aplica a todas as coisas.

Veja-se, além disso, se a descrição "inerente a S" é aplicada ao gênero proposto em relação à sua espécie, como se diz do "branco" em relação à neve, mostrando assim com clareza que esse não pode ser o gênero porque "verdadeiro de S" é a única fórmula que se aplica ao gênero em relação às suas espécies. Examine-se também se por acaso o gênero não é sinônimo de suas espécies. Pois o gênero sempre se predica sinonimamente de suas espécies.

É também preciso observar, sempre que tanto a espécie como o gênero tenham um contrário, se nosso contendor coloca o melhor dos contrários dentro do pior gênero: pois o resultado seria que a espécie restante se encontraria no gênero restante, já que os contrários se encontram nos gêneros contrários de modo que o gênero pior conteria a melhor espécie e o melhor conteria a pior — isso enquanto a opinião comum é que à espécie melhor corresponde o melhor gênero. Veja-se também se ele colocou a espécie dentro do gênero pior e não do melhor, quando ela se relaciona da mesma maneira com ambos ao mesmo tempo, por exemplo, se ele definiu a "alma" como uma "forma de movimento" ou "uma forma de coisa que se move". Pois se acredita geralmente que a própria alma é um princípio tanto de repouso como de movimento, de modo que, se o repouso é o melhor dos dois, esse é o gênero em que deveria ter sido colocada a alma.

Deve-se julgar também por meio dos graus maiores e menores: ao refutar um ponto de vista, examine-se se o gênero admite um grau maior, ao passo que nem a própria espécie o admite, nem qualquer termo que se denomine de acordo com ela. Por exemplo, se a virtude admite um grau maior, também o admitem a justiça e o homem justo, pois se diz que um homem é "mais justo do que outro". Por conseguinte, se o gênero proposto admite um grau maior, ao passo que nem a própria espécie nem qualquer termo denominado de acordo com ela o admitem, o que se havia proposto como gênero não pode ser tal.

Também se o que mais geralmente ou por igualdade de vozes se supõe que seja o gênero não é tal, tampouco o é o gênero proposto. O tópico ou lugar em questão é útil em especial nos casos em que a espécie parece ter vários predicados na categoria de essência e não se fez nenhuma distinção entre eles, de modo que não podemos dizer qual deles é o gênero. Por exemplo, tanto "dor" como a "concepção de um menosprezo" se consideram geralmente como predicando-se de "cólera" na categoria de essência, pois o homem irado ao mesmo tempo experimenta dor e se julga menosprezado. A mesma forma de investigação pode também aplicar-se ao caso da espécie, comparando-a com algumas outras espécies, pois, se aquela que com mais frequência ou em geral se acredita que se encontre no gênero proposto não se encontrar nele, é evidente que tampouco a espécie proposta pode encontrar-se ali.

Ao refutar uma opinião, portanto, deve-se seguir a regra conforme foi exposta. Ao defender ou justificar de nada valerá a regra ou lugar que manda verificar se tanto o gênero proposto como a espécie admitem um grau maior, pois, mesmo que ambos o admitam, ainda é possível que um não seja o gênero do outro. Por exemplo, tanto "belo" como "branco" admitem um grau maior, e nenhum deles é o gênero do outro. Já a comparação dos gêneros e das espécies entre si tem sua utilidade. Supondo-se, por exemplo, que A e B tenham igual direito ao título de gênero, então, se um deles é um gênero, o outro também o é. E do mesmo modo, se é um gênero o que tem menos razões para sê-lo, também o é o que tem mais razões para isso; por exemplo, se "capacidade" tem mais razões que "virtude" para ser o gênero do domínio próprio e "virtude" é o gênero deste, também o é "capacidade". As mesmas observações valem para o caso das espécies. Supondo-se, por exemplo, que A e B têm iguais razões para ser uma espécie do gênero em questão e se um deles é uma espécie, também o é o outro; se é uma espécie aquilo que menos geralmente se pensa que o seja, também o será aquilo que mais geralmente se considera tal.

Além disso, para estabelecer um ponto de vista, deve-se examinar se o gênero se predica na categoria de essência daquelas coisas de que foi proposto como gênero, supondo-se que se tenham apresentado não uma única espécie, mas diversas, pois então é evidente que será o gênero. Se for apresentada uma só espécie, deve-se verificar se o gênero se predica também de outras espécies na categoria de essência, daí resultará também que ele se predica de diferentes espécies.

Como algumas pessoas pensam que a diferença também é um predicado das várias espécies na categoria de essência, deve-se distinguir o gênero da diferença recorrendo aos princípios elementares já mencionados:

(a) que o gênero tem um campo de predicação mais amplo do que a diferença;

(b) que ao apresentar a essência de uma coisa é mais adequado indicar o gênero do que a diferença, pois quem diz que o "homem" é um "animal" manifesta melhor o que é o homem do que aquele que o descreve como "uma coisa que caminha";

(c) que a diferença sempre significa uma qualidade do gênero, enquanto o contrário não é verdade, pois quem diz "algo que caminha" descreve um animal que possui uma determinada qualidade, enquanto o que diz "animal" não descreve uma coisa que caminha dotada de certa qualidade.

É dessa maneira, pois, que a diferença deve ser distinguida do gênero. Ora, visto ser opinião geral que se o que é músico tem, enquanto músico, uma certa forma de conhecimento, então a "música" é também uma espécie particular de "conhecimento". Da mesma forma, o que caminha se move ao caminhar, logo, o "caminhar" é uma espécie particular de "movimento". Assim deve ser examinado todo gênero no qual se queira estabelecer a existência de alguma coisa. Por exemplo, se desejamos provar que "conhecimento" é uma forma de "convicção", é preciso ver se o que conhece, no próprio ato de conhecer, fica convencido. Nesse caso, é evidente que o conhecimento seria uma espécie particular de convicção. Deve-se proceder do mesmo modo com respeito aos demais casos desse tipo. Por fim, como é difícil distinguir aquilo que sempre acompanha uma coisa e não é conversível com ela do seu gênero, se A segue universalmente B enquanto B não segue A universalmente, como "repouso" acompanha sempre uma "calma" e "divisibilidade" segue o "número", porém, não inversamente, pois o divisível nem sempre é um número, nem o repouso é sempre uma calma, ao tratar dessas coisas podemos admitir nós mesmos que aquela que sempre acompanha a outra é o gênero, sempre que a outra não seja conversível com ela. No entanto, se é o outro que avança esta proposição, não devemos aceitá-la de forma universal. A isso pode-se objetar que o "não ser" acompanha sempre o que se está gerando (pois o que se está gerando não é ainda), e não é conversível com ele (pois o que não é nem sempre se está gerando). Contudo, "não ser" não é o gênero de "gerar-se", pois o "não ser" não tem absolutamente espécie alguma. As questões referentes ao gênero devem, portanto, ser investigadas das maneiras que acabamos de descrever.

GLOSSÁRIO

ACIDENTE: aquilo que, não sendo nem definição, propriedade ou gênero, ainda assim tem pertinência com a coisa. É algo que pode ser aplicado ou não a qualquer coisa em particular, por exemplo, uma parede pode ser branca ou não. Nesse caso, a brancura é um acidente.

CATARSE: Segundo Aristóteles, a catarse, palavra que vem do grego kátharsis, é o meio pelo qual o homem purifica sua alma. Tal processo é o resultado da representação da tragédia, que imita os prazeres e desprazeres da vida, as desgraças e alegrias. Encenações voltadas para provocar sentimentos de terror, piedade e compaixão, purgando assim as emoções humanas por meio da catarse.

DEFINIÇÃO: Uma frase que significa a essência de uma coisa.

GÊNERO: Aquilo que é predicado na categoria do que é (sua substância) de várias coisas que apresentam diferenças especificas.

IDENTIDADE: É distribuída em três classes: genérica, específica e numérica. Numericamente, ocorre nos casos em que há mais de um nome, mas uma coisa só, como "manto" e "capa"; especificamente, quando há mais de uma coisa, mas estas não apresentam diferenças no tocante à sua espécie, como um homem e outro homem, ou um cavalo e outro cavalo, pois coisas assim pertencem à mesma classe e delas se diz que são "especificamente idênticas"; de igual modo, são genéricas aquelas coisas que pertencem ao mesmo gênero, como um cavalo e um homem, ambos animais.

MIMESE: Do termo grego mímesis, que significa "imitação". Designa, na filosofia aristotélica, o fundamento de toda a arte, pois é a ação ou faculdade de imitar. É a cópia, a reprodução ou representação da natureza.

SILOGISMO: É uma inferência (dedução) onde a verdade de uma proposição, isto é, sua conclusão, é uma consequência de duas outras proposições, as premissas. Um silogismo é estruturado da seguinte maneira: primeiro uma premissa maior, por exemplo, "todo homem é mortal"; em seguida, uma premissa menor como "Sócrates é homem" e, por último, a conclusão: "Sócrates é mortal".

TRAGÉDIA: A definição aristotélica da tragédia é de que trata-se de uma imitação "dos caracteres, das paixões e das ações humanas" sobretudo "de ações, da felicidade e da infelicidade" das pessoas.

'A

Páginas: 192
Família Tipografica: Electra LT Std